KU-689-396

Calixthe Beyala

La négresse rousse

Éditions J'ai lu

À grand-mère Calixthe...

Cet ouvrage est paru aux Éditions Belfond-Le Pré aux Clercs
sous le titre : *Seul le diable le savait*

Dans la famille nous aimons les grands projets. D'ailleurs, j'en ai un : DEVENIR.

La vie. Quelle vie ? La mienne est faite d'oubli et de robes. Pas de murs dans ma chambre. Rien que des robes. Débordantes. Lourdes. Effusion de satins, de soies et de cotons qui camouflent mon corps et établissent le lien nécessaire entre moi et les autres. Sapeuse ? Vous n'y êtes pas. Frimer sur des triples talons à un demi-million, rouler des épaulettes coutures est essentiellement culturel. Les regards s'installent sur moi. Nul besoin de carte de séjour ni de passeport. Visa pour la survie. Que deviendrais-je si ces tissus qui me protègent des autres venaient à disparaître ? Le monde, redoutable oppresseur, sera en colère contre moi. Une avalanche inquisitrice se déversera sur moi : ma couleur d'ébène, mes parents, mon chat, mes habitudes, mes préjugés, ma méfiance, ma haine, ma beauté que je ne vous décrirai pas tellement elle saute aux yeux, mes ambitions, mon âme ! Impossible de me séparer de mes fringues, de les poser, les déposer, les consigner pour m'alléger, car dans la famille nous aimons les grands projets. D'ailleurs, j'en ai un : DEVENIR. Du moins l'ai-je écrit à ma mère pour tuer son inquiétude. Assise devant ma table, jambes écartées, buste penché et plume au poing, j'ai décrit pour la énième fois Paris. Ses habitants et leur étrange apparence de fantômes. Ses métros peuplés de cervelles ouatées. Ses autoroutes. Ville sans larmes, rien que des blessures secrètes. Et Jean-Pierre.

Élu à la dimension de mes rêves. Douze livres à la naissance. Accouchement difficile. Un mètre quatre-vingt-quinze pour cent dix kilos à trente-trois ans. Un gros nez. Une bouche de poisson-chat. Un ventre dégoulinant de double vodka. Fonctionnaire des P.T.T. Essoufflé à chaque pas. Pitoyable au lit. Ce qui cantonne le temps de nos duos sur couchette à deux minutes quarante-cinq secondes les jours ouvrables et à trois minutes dix secondes les week-ends. Il me baise à la manière d'un coq ou d'un canard. À petits coups secs et rapides. Sans doute sa façon de se laisser tomber sur le côté est-elle responsable de cette association d'idées. Toujours est-il qu'une fois son désir craché il me gratifie d'un baiser sur les lèvres, il roule sur le côté et s'endort, heureux de s'être fait l'amour. Et moi, quel plaisir ? L'acte de posséder un homme sans éprouver le moindre sentiment, voilà ma condition, la justification de mon existence, ce qui est déjà plus que suffisant pour me combler ! La recherche du plaisir à tout prix n'est-elle pas simplement le luxe que se paient des individus d'être insatisfaits ?

Mes raisons ? Il faudrait remonter les sources de ma vie, ma vie comme une matière inscrite au programme, immobile. Là. UNE MAISON et sa cavalcade de souvenirs.

Une maison sans âge. Éternelle. Posée dans l'immobilité de ma mémoire.

Une maison étroite, malgré sa toiture de chaume haute semblable à un képi et où se mêlent sans cesse les odeurs de graisse, de suie, de vin de palme, de hareng fumé, de manioc trempé, de truie. De la véranda, elles vous assaillent, franchissent la porte, sillonnent le salon et vous accompagnent dans les chambres où s'ajoutent les parfums de draps moites, de sueurs, de corps mêlés et de renfermé.

C'est là que je suis née il y a vingt-six ans, au ras du sol, dans ce petit village de la côte Ouest de Wuel. Une peau couleur noix de cola. Des cheveux huile de palme. Un nez plat. Une bouche volumineuse. Et là, je m'arrête pour crier le comble des horreurs : mes yeux, *le diable seul sait* pourquoi, sont gris. Les villageois avec qui je me suis engueulée pour la plupart affirment que je suis albinos. D'autres prétendent que je suis née d'un krumah[1]. Ma mère, une Bantoue aux seins aussi pointus que ses ambitions et à l'aplomb de ceux qui savent dire à chacun que chacun est charmant et qui ne veulent d'histoires avec personne, a réduit les voix en chuchotements en décrétant que, espèce unique, j'étais l'œuvre de deux hommes : un bâtard gréco-bantou, éternel fauché à l'esprit court, aux pieds bots (maman l'aimait pour cela, Dieu me pardonne. Elle disait que ces pieds déformés étaient la preuve d'une âme pure), et un Pygmée dur d'oreille mais le porte-feuille plein que Dame ma mère allégeait pour aller flamber dans de grands caleçons en Polyester. De la sorte, elle croyait qu'elle menait grand train et qu'elle avait réussi sa vie.

Choses permises, choses interdites, vertu transgressée, la loi de l'amour érigée en guillotine du défendu !

Elle… Dame ma mère était de celles par qui le scandale arrive. Pourtant, elle oubliait ceux qui la condamnaient pour chercher avec moi le trou du nez des oiseaux et ce quelque chose avec un tout petit brin de bleu, comme bleuet, mais pâle, très pâle, qui palpitait dans l'air de mon enfance.

Je sautais sur les genoux de l'un, tirais la barbe de l'autre. L'un me torchait tandis que l'autre me soûlait au vin de palme. Un baiser sur le front. Le soleil tape, tape dessus. Un baiser sur les bouts des doigts.

– Viens dans les bras de papa, ma puce.

1. Krumah : marin blanc.

– Fais donc un bisou à papa bon Blanc.

– Tu ne trouves pas qu'elle me ressemble ?

– Elle a les yeux de ma pauvre mère.

– Ce front est de famille.

– Tout mon caractère, je te dis.

Lui. Lui. Eux, mes pères.

Elle, Dame ma mère.

Moi, leur fille.

Éclosion de l'impossible.

Il fallait beaucoup de génie pour éviter les brûlures de l'amour.

Et Dame ma mère en avait.

Assise sur une natte, l'expression douce, la respiration satisfaite, elle chassait une mouche sur ses jambes ou sur ses petites oreilles bien collées, qui semblaient ne pas entendre mais qui entendaient tout, approuvait l'un, ajoutait un détail à telle remarque, puis tournait l'œil vers moi, émue. Si émue, ma maman, devant sa propre importance. Si heureuse, ma Dame, que ses éblouissantes dents acérées affichaient un sourire étrange.

Certes, étrange elle l'était, cette grande Bantoue dont le regard ardent, résolu, n'admettait pas l'ombre d'une contradiction. Mais, dans ma famille, il y avait beaucoup de choses qui n'étaient pas très claires. Je ne croyais décidément pas à ma naissance miraculeuse. Dame maman tenait mes papas accrochés à ses reins. On disait qu'elle avait obtenu son pouvoir par des macérations, des drogues d'eaux velouteuses, administrées subrepticement à mes pères pour les lier, les retenir, aliéner leur volonté à un degré tel qu'ils avaient fini par rester insensibles au charme d'autres femmes. C'étaient des « bruits ». Et ensuite la voix du gosse-pas-méchant : « Demande à ta mère. » Et encore des gosses-pas-méchants, pas prêts à m'encercler dans leur ronde, ni à jouer avec moi au cochon pendu à la balustrade d'une véranda. Les murmures, les sous-entendus, et les villageois qui se taisaient et changeaient de sujet dès qu'ils me voyaient. Tout cela me donnait à penser qu'avant ma naissance il s'était passé quelque chose que j'ignorais. Comme si j'étais d'une taille que leur vue ne pouvait tolérer. Rien de tout cela n'avait eu d'importance tant que 666 n'était pas venu, en cette fin de journée, obligeant Dame maman à détourner le regard et à crier ailleurs, me poussant à désirer carrément une explication.

666 n'était pas vraiment laid. Mais sa tête d'une banalité remarquable ne pouvait plaire à personne. Son front était pointu sur le devant. Sa nuque longue. Ses yeux en forme de billes semblaient, vus de loin, deux trous noirs. Des plis de chaque côté des lèvres donnaient à penser qu'il sortait d'une grande déception, mais ce n'était qu'une impression. À sa vue, mes papas baissèrent la tête et ne lui dirent pas bonjour, je ne savais pas pourquoi, sans aucune raison sans doute. Il me pinça les joues, ce qui me déplut, et je revis le gosse-pas-méchant me dire : « Demande à ta mère. »

– C'est toi ? interrogea Dame maman.

– Ou ce qu'il en reste, répondit-il.

– Comment va la vie, femme, à part les tracasseries ?

Comme Dame ma mère éclatait de rire, cela me donna envie de hurler alors qu'il n'y avait pas de quoi.

– Le ciel s'assèche un peu, dit-elle. Mon dos me fait souffrir.

Il grimaça comme s'il avalait quelque chose d'amer.

– Ne m'en parle pas. J'ai aussi ce truc, juste au commencement des fesses…

– Tu veux boire quelque chose ?

– Un verre d'eau, ça suffit. Faut pas trop demander.

– Et lui ? T'as entendu quelque chose ? Des nouvelles ?

666 baissa les yeux sur ses pieds.

– J'en sais pas plus que toi. Oui, il y a longtemps. Longtemps.

– Tu me dirais si tu avais des nouvelles, pas vrai ?

– Bien sûr, bien sûr. Peut-être qu'un jour…

– Pas la peine ! Je préfère penser qu'il a oublié.

– Peut-être bien que non ! Faut que je parte.

– Tu préfères pas rester un peu ?

– Je vais préparer mes bagages. J'ai assez donné. Treize ans au service du chef ! Je vais dès demain matin tenter ma chance en ville.

Je regardai Dame maman, son visage que soudain le chagrin mangeait. Le sang avait disparu de ses joues. À sa place, une sorte de sanglot flottait.

– Munda, si jamais tu le vois, dis-lui que... Non, ne dis rien du tout.

666 pivota sur ses talons et contempla l'escalier de terre rouge. Résolu, il se précipita vers la porte. Quand il l'atteignit, il revint sur ses pas, se pencha vers Dame maman jusqu'à avoir ses lèvres épaisses collées tout contre ses oreilles et lui chuchota quelque chose. Dame maman leva la tête, regarda autour d'elle en fronçant le nez. La désapprobation de mes papas flottait lourdement. Elle soupira, se redressa une fois de plus pour renifler les relents de leur désaccord.

– J'aime pas ça !

Le Pygmée toussa et se retourna. Le bon Blanc profita de l'occasion que lui donnait ce mouvement pour bouger lui aussi.

– Je veux être libre !

Elle se leva et se dirigea vers la porte. 666 lui emboîta le pas.

– À tout à l'heure ! cria-t-elle.

– Où vas-tu ? demanda le bon Blanc en bondissant vers elle, le visage courroucé, et en espérant naïvement qu'elle allait se rasseoir.

– Je sors.

– Pas question ! dit-il en lui agrippant les bras.

– Lâche-moi ! Tu me fais mal !

– T'auras encore plus mal si tu persistes à vouloir sortir.

– C'est le chef qui demande à voir Bertha, balbutia 666. C'est urgent.

– On t'a rien demandé, esclave !

– Je ne suis l'esclave de personne. Per-son-ne ! répéta-t-il avec fureur en agitant le bras en l'air.

– T'es bête et ça suffit ! File.

– J'en ai assez ! J'en ai plus qu'assez !

Vexé, 666 sortit en claquant la porte. Mains aux hanches, Dame maman nargua le bon Blanc, courroux aux lèvres.

– Bravo ! Tu peux être fier de toi, vraiment !

– Ne crie pas, s'il te plaît, dit le bon Blanc d'une voix calme, mais ennuyée, en agitant des mains apaisées. Tout cela, c'est l'approche de tes règles. Viens, viens t'asseoir. Je vais te servir une calebasse de vin de palme et tout ira bien.

– Non !

– Si mes oreilles ne me trompent pas, dit le Pygmée qui n'avait pas compris un traître mot des dernières tirades, j'ai cru entendre quelqu'un dire non. Qu'est-ce qui se passe ici, hein ?

Il tendit ses oreilles anormalement grosses, épaisses, décollées d'une façon singulière, et ouvrit grands ses yeux pour suivre les mouvements des lèvres.

– Le chef désire voir Bertha et…

– Pas question ! trancha avec indignation le Pygmée. Elle doit préparer le dîner.

– Mégri peut le faire ! J'en ai marre, vous m'entendez ! Marre, dit Dame maman en se laissant tomber brusquement sur une chaise. Allez tous vous faire foutre !

Elle se couvrit le visage des deux mains et resta quelques minutes silencieuse. Le bon Blanc lui tendit une calebasse de vin de palme qu'elle refusa.

– As-tu jamais eu faim ? demanda-t-il.

– Je n'ai jamais eu faim.

– As-tu jamais eu soif ?

– Je n'ai jamais eu soif.

– Alors ?

11

– Je veux qu'on me laisse tranquille, vous m'entendez ? Tran-qui-lle ! C'est de moi qu'il s'agit. Je veux mon corps. Si vous n'êtes pas d'accord, vous pouvez tous vous en aller. Je n'ai pas besoin de vous. Quant au dîner de ce soir, débrouillez-vous tout seuls.

– Qu'est-ce qu'elle dit ? demanda le Pygmée, sourcils froncés.

– Elle dit que la petite pourra préparer le dîner.

– Tu n'y penses pas ! Elle n'a que seize ans.

– Raison de plus.

– T'es pas sérieuse, hein, dis ? Pense qu'elle peut se brûler.

– Tant pis. C'est une femme. J'espère qu'elle sera indépendante. Pas comme moi... Pas comme moi.

– Tu navigues en plein dans la mélasse, dit le Pygmée en bourrant sa pipe. Ah ! ces histoires de Blanc, ajouta-t-il, méprisant.

– Nous, au moins, nous sommes civilisés, intervint le bon Blanc. L'hygiène, c'est pas le fort des broussards[1].

– Qu'est-ce qu'il raconte, celui-là ?

– Je disais que la saleté ne tue pas les broussards.

– Tu peux la boucler, t'es rien du tout. Ni blanc ni rien.

– Je suis son père et j'ai mon mot à dire.

– Père ? Vraiment ? Hein, Bertha, dis-lui la vérité.

Le regard du Pygmée passa du défi à la colère. Brusquement, il se leva. Il la saisit aux épaules des deux mains. Il les retira et les laissa pendre le long de son corps. Ses yeux circulèrent de Dame maman à moi, de moi au bon Blanc. Celui-ci blêmit. Il paraissait pourtant calme. Ce qui se passait en lui, *seul le diable* aurait pu nous le dire.

– Espèces de porcs ! grommela Dame maman entre ses dents. Vous ne comprenez rien, vous ne compren-

---

1. Façon méprisante de désigner les villageois.

drez jamais rien. Peut-être est-ce un luxe que de se faire comprendre de nos jours.

Coupez. Fin de séquence.

Elle s'en alla chez le chef, sans qu'aucun des deux hommes réagît, comme si une force souterraine avait miné leur volonté. Ils restèrent là. Muets. Désorientés. Je ne crois pas me tromper en disant qu'ils avaient peur.

Peur de la vérité du gosse-pas-méchant qui avait dit : « Demande à ta mère » ; peur que Dame ma mère, soudain lassée, ne les abandonne, les laissant dans l'ombre envahissante des souvenirs. Souvenirs puants des sueurs sur les corps. Puants souvenirs des baisers, des sourires, des murmures, des pots de chambre, des casseroles, du mafé. Peur.

Mais moi, moi la fille au cheveu rouge que tout le monde semblait avoir oubliée, moi qui ne savais apparemment pas pourquoi j'étais là, au lieu de m'en aller et de disparaître, je restai là. Bien en évidence. Des larmes roulèrent sur mes joues, charriant la coulée des gestes quotidiens, à la recherche de l'infime vibration du passé. Mon corps avait besoin d'un maximum d'affection, d'amour, de sécurité. Sans mes pères, je craignais que le futur ne se révèle inharmonieux, un futur où les journées s'écouleraient, dures, ardues, m'obligeant à écarquiller les yeux vers un ciel qui n'offrirait plus rien. Il me faudrait évoluer désormais dans un jour opaque qui ne s'élèverait jamais, survivre dans le crépuscule d'une nuit qui ne tomberait pas. Je savais cela et je pleurais.

– Qu'est-ce qu'elle a, la pupuce ?

– Mais elle pleure ?

Ça, évidemment que je pleurais. Que pouvais-je faire d'autre ?

– Guiliguili, dit le Pygmée en me prenant dans ses bras, oublieux de mon âge.

– C'est rien, mon trésor, fit le papa bon Blanc en me caressant les cheveux. Papa bon Blanc va t'offrir une grosse canne à sucre.

– Je ne crois pas que je pourrais l'avaler.

– Tu veux quelque chose d'autre ?

– Oui.

– De quoi s'agit-il, Mégri ?

– « Lâche », qu'est-ce que ça veut dire ?

– Oh ! « Lâche. » Qui t'a dit cela ?

– Je l'ai lu dans un livre.

– Tu es sûre que t'as pas envie de boire un peu ? Du thé, par exemple ?

– « Lâche », c'est quoi ?

– Mmmm. Par exemple, une personne qui fuit devant ses responsabilités est un lâche.

– Et vous ?

Mon papa bon Blanc était très fier de ses origines. Dans les cas où il était particulièrement choqué, il avait l'habitude de froncer les sourcils, de croiser les bras et de sortir ses épaules en regardant autour de lui sans proférer une parole. C'était un homme grand et maigre, dans la force de l'âge. Son nez droit était légèrement busqué, ses joues rondes et jaunes. Ses cheveux noirs et ondulés commençaient à grisonner sérieusement. Ayant eu dans sa jeunesse la faiblesse de penser que ses succès auprès de la gent féminine étaient dus à leur brillance et s'entretenant dans cette conviction, il les plaquait à la brillantine sur son crâne.

– Il faut y aller, dit le bon Blanc d'une voix résolue. J'en ai assez ! Plus qu'assez de toute cette foutaise.

– Aller où ?

– La chercher.

– Je ne crois pas que ce soit une bonne idée.

– Mmm. T'es-tu jamais demandé pourquoi Bertha se conduisait comme cela ?

Il se mit à arpenter la pièce, mains dans le dos. Il parla précipitamment. Des femmes. Du comment et du pourquoi. De leurs attitudes. S'ils ne faisaient rien, ils se trouveraient destitués de leurs rôles d'époux et de père. Leur disgrâce serait l'effet d'un manque d'autorité. Il discourut longtemps, et nous stupéfia en exposant l'idée selon laquelle la sensiblerie et même les larmes, judicieusement mêlées aux reproches et aux menaces de rupture, remettraient de l'ordre.

– Peut-être. Mais si ça tournait mal ? demanda le Pygmée, quelque peu inquiet.

– Impossible ! Elle est plus noyée que tu ne le penses. Sans tes sous…

– Tu peux dire…

– Alors ?

– Allons-y.

La maison du chef était située à la place du village. Elle était peinte aux couleurs du jeune drapeau de l'indépendance. Dans la cour, des arbres fruitiers. Manguiers. Corrosoliers. Avocatiers. Dans leurs replis cachés, des noyaux somptueux, aux textures d'écaille, d'ébène ou d'acajou poli. Parsemées çà et là de petites cabanes en forme de ruche, aux volets ouverts, écartés comme des cuisses de femme, cabanes où nichaient les épouses du chef. Des gosses nus jouaient, riaient et s'interpellaient d'une voix aiguë. Dès qu'ils nous virent, ils cessèrent leurs jeux et s'approchèrent de nous.

– Vous venez voir notre père ? Il n'est pas là, dit le plus âgé sans qu'il fût besoin de lui poser la question.

– Où est-il ? interrogea le Pygmée dont la colère faisait grésiller la voix.

Les enfants, comme un ballet dirigé par un chef d'orchestre invisible, haussèrent les épaules.

– Vous ne savez pas à quelle heure il reviendra ?

Cette fois, ce furent les têtes qui nous répondirent, synchronisées.

– Je m'y attendais un peu, dit le bon Blanc qui commençait à devenir d'humeur enjouée. L'enfant est rusé, on ne jouera plus à « Si tu me trouves, je vais en enfer avec lui ».

– Cesse ces mots d'esprit stupides, interrompit le Pygmée. Ils ne font rire personne.

– Je vous en prie, arrêtez de vous quereller ou je m'en vais.

Je m'apprêtais à tourner le dos et à m'en aller quand une des épouses du chef sortit d'une case.

Elle était belle, grande, pleine et traînait à sa suite une odeur de sel, de jus de citron et d'orange amère. Ses cheveux tressés en de minuscules nattes à l'aide des rajouts traînaient jusque sur ses fesses. Ses joues rondes et lisses telle une poupée d'ébène mettaient de prime abord en confiance. Ses yeux étaient perçants. L'expression du visage semblait douce. Elle marchait avec aisance et sans précipitation, comme si rien ne pressait. Elle avait un pli de mépris mêlé d'assurance au coin des lèvres, peut-être ne s'en apercevait-elle pas ? En l'observant attentivement, on pouvait voir qu'à l'approche de la quarantaine cette *Vénus de Milo* africaine se fanerait. Le visage s'empâterait ; ses dents si blanches noirciraient au contact de la prise ; sa peau si noire, si luisante, deviendrait grise, peut-être verdâtre. Le ventre tomberait bas. Oui, il y aurait des empâtements, des boursouflures par-ci, par-là ; des coins de son âme laissés totalement inachevés, des reprises, des brutalités. Et les hommes ne la regarderaient plus, à moins de l'inventer. Bref, une beauté du diable, envoûtante, électrisante comme la foudre et de la même durée.

– Que voulez-vous ? demanda-t-elle en plantant ses yeux dans ceux de mon papa bon Blanc.

Il voulut parler, mais perdit contenance au point de ne pouvoir articuler un seul mot. Il se contenta de regarder fixement la femme comme tombée de la première pluie.

16

– T'as perdu ta langue ou quoi ? Je te parle et tu ne daignes pas me répondre. Que viens-tu faire ici ? Que veux-tu ?

– Je… Je…, bredouilla mon papa bon Blanc. (Au comble de la gêne, son teint virait au pâle.) C'est-à-dire que… C'est que…

– D'où sort cet idiot ? s'exclama la femme exaspérée, les deux bras levés au ciel. Il en traîne de ces monstruosités, dans ce village !

– Pardonnez à mon ami, madame, intervint mon papa pygmée. Il n'est ni idiot ni rien. Vous êtes sans doute la nouvelle épouse du chef et, comme nous n'avons pas encore eu l'occasion de nous rencontrer, je me présente : Kwokwomandengué, pour vous servir.

Rassurée, elle esquissa un sourire, lui tendit des doigts bagués qu'il baisa goulûment comme il l'avait vu faire dans les films. Le bon Blanc regardait cette scène perplexe, mais cette perplexité fut de courte durée et fit place à une colère comique. Il fixait des yeux méchants sur le couple qui continuait à se faire des politesses sans lui prêter attention.

– Sois calme, papa, lui chuchotai-je, et ne fais pas cette tête-là…

J'avais proféré ces paroles sans arrière-pensée, presque sans réfléchir. N'empêche qu'elles produisirent un effet désastreux. Il se retourna vers moi, le regard haineux. Tout son dépit semblait se concentrer sur ma personne. Il me prit par les épaules et se mit à me secouer. L'émoi fut général. La dernière épouse du chef poussa un léger cri. Les enfants s'arrêtèrent de jouer. Mon papa pygmée opéra une volte-face. Mais le bon Blanc se ressaisit aussitôt et me caressa les joues.

– Il ne faut pas, petite, se mêler des affaires d'adulte, dit-il d'une voix douce. C'est une question d'éducation. Que penserait de nous madame si elle s'apercevait que t'es une gosse sans gêne ? Qu'en dites-vous, madame ? ajouta-t-il en tournant l'œil charmeur vers Ngono (c'était le nom de cette charmante personne) que la sur-

17

prise et la perplexité avaient figée sur place, mais qui continuait à observer la scène, les yeux ébahis.

– Bien sûr, bien sûr, balbutia-t-elle. Mais excusez-moi, j'ai été si surprise par votre réaction…

– Avez-vous des enfants ?

– Pas encore.

– Je comprends, je comprends. La main dure avec les enfants, c'est payant, m'dame.

– Je ne suis pas d'accord avec vous. J'ai lu dans un livre qu'il faut traiter les enfants comme les adultes, leur parler, leur dire la vérité pour en faire des hommes, des vrais.

– Histoire de Blancs, madame, oubliez tout cela, ça ne peut vous faire que du mal.

Le Pygmée y alla d'un grand éclat de rire. Son rire dura un moment. Et sans savoir comment, il devint communicatif. Ngono rit à son tour. Mon papa bon Blanc, pensant sans doute que cette hilarité était provoquée par sa réflexion de génie, rit plus bruyamment encore, ce qui provoqua en lui une effrayante quinte de toux.

– Ça va ? interrogea Ngono en lui tapotant le dos. Tenez, venez vous asseoir, nous allons vous servir une calebasse de vin de palme, ça vous calmera.

Elle le soutint et le fit asseoir sur un banc sous la véranda. Elle interpella un gosse, lui demanda de lui apporter du vin de palme, elle tendit la main vers le bon Blanc, lui caressa les cheveux, puis regarda ses doigts maculés de brillantine. Elle les porta sur ses épaules, fit comme si elle les massait, en profita pour s'essuyer les mains.

– Vous ne m'avez toujours pas dit ce qui vous amène, dit-elle de sa voix traînante. Peut-être est-ce indiscret de poser cette question ?

– Mais non ! Mais non ! répondit mon papa pygmée d'une voix où perçait encore le rire. Nous voulons voir votre mari.

– Pourquoi ?

– Privé, répondit le Pygmée.

– Comme vous voulez, dit la chef, hautaine soudain. Il est sorti et je ne saurais vous dire l'heure de son retour. Si vous n'êtes pas pressés, vous pourrez l'attendre. Sinon…

– Ne vous inquiétez pas, dis-je en prenant place sur le banc à côté du bon Blanc. Nous avons tout notre temps.

– À votre guise, répondit-elle.

Elle pivota sur elle-même et s'en alla, droite, vers sa case.

Le bon Blanc la suivit des yeux jusqu'à ce qu'elle disparût. Il poussa un soupir et fixa le sol. Le ciel était d'un ocre éblouissant. La terre, couleur latérite, recrachait les bouffées de chaleur dont elle s'était gavée dans la journée. Puis ce fut l'obscurité. Les enfants disparurent. Dans les cases, les femmes allumèrent les lampes à pétrole et servirent le repas du soir. Nous étions seuls sur notre « banc-soucis ». Mon cerveau en profita pour ouvrir ses portes aux fantasmes. J'imaginai le chef, cloisonné dans une baraque, nous lorgnant par quelques fissures invisibles, exultant devant cette famille incongrue à qui on avait enlevé la mère.

J'étais très affectée, ébranlée. Personne au monde n'était aussi peu doué pour attendre que moi. Je n'ai d'ailleurs jamais su pourquoi, à ces moments-là, mon esprit se détraquait, j'avais l'impression d'être cueillie en terrain sûr et déposée sur la paroi d'une falaise.

Je râlais après ces adultes et leurs problèmes compliqués qui ne me concernaient pas. Mais je restais clouée à mon pilori, saisie par un besoin à la fois confus et impérieux de connaître le dénouement de l'affaire. Pendant ce temps, la nuit splendide gagnait, nous recouvrait de sa masse d'obscurité et de moiteur, entraînant avec elle sa suite étoilée ; puis la lune fit son apparition. Pleine. Impertinente. Narquoise. Le monde des ténèbres s'éveillait. Je voyais se dessiner la petite silhouette des oiseaux de nuit, avec une sorte de fascination envieuse. C'est alors que je me levai, et mon geste fut si brutal que mes pieds s'écrasèrent sur le gros orteil du Pygmée. Il le retira en poussant un hurlement.

– Qu'as-tu ? interrogea le bon Blanc sans s'alarmer.

– C'est Mégri. Elle m'a marché dessus. Quelle peste !

– Ça fait mal ?

– Mais bien sûr. Quelle question stupide ! Pas étonnant que la petite soit ainsi. C'est certainement son coté blanc. On a trompé Kwokwomandengué ! On l'a indignement trompé ! ajouta-t-il d'une voix larmoyante.

– Tant pis pour toi si tu n'as rien compris à la vie. T'as qu'à aller t'instruire à l'école des bonnes manières, répliqua le bon Blanc d'un ton méprisant, sentant que c'était le moment d'envoyer son homme sur les roses.

– Tu peux rester là, rétorqua mon papa pygmée en faisant mine de partir. Moi, je m'en vais.

– T'as pas le droit de nous laisser plantés là.

– Reste si cela te chante. Je préfère m'en aller. La nuit portera conseil.

– Tu as raison. La nuit porte conseil.

– Tout ce temps pour rien ! m'exclamai-je. Quand on commence quelque chose, il faut aller jusqu'au bout ! Parole de mes parents.

– Il y a des cas particuliers, petite, dit le bon Blanc en m'ébouriffant les cheveux.

Nous n'avions pas traversé la cour que résonnèrent des bruits de pas et retentirent des voix. Il était évident qu'il s'agissait du chef. Tripotant sa boîte à prise rouillée et humant une odeur de peau invisible, le Pygmée demanda :

– Qu'est-ce qu'on fait ?

Le bon Blanc haussa les épaules et alla reprendre sa place sur le banc. Le Pygmée l'imita. Moi aussi.

Ce n'était pas le chef, mais trois hommes dont l'un nous était totalement inconnu. Les deux autres étaient des jumeaux, qui se ressemblaient tellement qu'ils avaient fini par épouser deux sœurs. C'étaient deux gaillards trapus à la physionomie noiraude qui narguaient le village avec une impudence si évidente qu'on aurait pu le leur pardonner en prétextant la bêtise. Mais ils étaient loin d'être bêtes. Ils s'approchèrent de nous.

– Mais c'est la famille miraculée au grand complet ! Vous venez voir le chef, sans doute ? Mais que constatons-nous ? Il manque quelqu'un d'une très haute importance : la maman. Elle doit certainement chasser les moustiques sur le nez du chef. Que deviendrions-nous si le chef attrapait le palu ? Vous devriez être décorés pour votre sens du patriotisme, vraiment.

Mon papa pygmée se leva brusquement. Il tremblait des pieds à la tête.

– Arrêtez-moi, dit-il, la voix vacillante, arrêtez-moi ou je vais les tuer !

– Calme-toi, petit frère, firent les jumeaux en lui tapotant les épaules. On n'a rien dit qui puisse te mettre dans un tel état. Regarde le bon Blanc, il n'a pas bronché parce qu'il sait que nous vous aimons bien. N'est-ce pas, le Blanc ?

– Moi, à votre place, je surveillerais ma langue.

– Mais quelle mouche les a piqués ! Décidément, ils sont tous deux de mauvaise humeur. Allons, foutons le camp. Mais auparavant nous vous confions l'Étranger. Il vient de loin. Prenez soin de lui. Il veut voir le chef, lui aussi.

Ils s'éclipsèrent.

Celui qu'ils appelaient l'Étranger et dont personne ne saurait le nom était grand. Ses bras minces et musclés. Son tronc droit comme un « I ». Ses cheveux coupés court recouvraient son crâne d'une ombre légère. Le visage ainsi rendu à sa pure nudité apparaissait dans sa beauté, sans interférence ni rien qui pût en modifier les proportions ni en voiler les imperfections. Il était vêtu d'un grand boubou qui avait dû être blanc mais portait le deuil de sa blanchisseuse. Cependant, ce qui me frappa tout de suite, c'est que cet homme-là, malgré la fatigue, la saleté, la poussière des routes, luisait. Oui, fourbu mais luisant, imitant en cela certaines plantes stolonifères comme les pieds des noisetiers ou des fraisiers qui croissent couchés sur le sol, s'enracinent et bourgeonnent.

Il s'assit à côté de nous et posa son balluchon sur ses genoux.

– Vous venez de loin ? interrogea le bon Blanc avec une curiosité particulière.

– Oui, répondit-il distraitement.

– Et vous allez rester longtemps parmi nous ?

– Oui, si le chef le permet.

– Où étiez-vous avant ? Que faisiez-vous ?

– Je viens de loin. Je faisais tout et n'importe quoi.

– On peut savoir votre nom ?

– On m'appelle l'Étranger.

Et sa voix était si basse et si rauque que nous nous entre-regardâmes. Nous entendîmes la voix, le nom ensuite seulement.

– Vous n'avez pas un nom de famille, Étranger ? lui demanda le bon Blanc.

L'Étranger secoua la tête et se pencha en avant pour ôter ses sandales. Il retroussa son pantalon sur ses genoux et je vis que ses pieds étaient enflés. Il n'éprouvait aucun plaisir à converser avec le bon Blanc. De même, s'il répondait à ses questions, ses raisons dérivaient de la politesse plutôt que d'une impulsion de sympathie. Quant à mon papa pygmée, il était évident qu'il était encore en proie à la colère, ou du moins à la jalousie. Ses yeux brillaient d'une fureur irrépressible. De temps à autre, il marmonnait des phrases incompréhensibles, levait les bras au ciel et jurait. J'osais à peine respirer, observant soigneusement ce voyageur fourbu et luisant, l'imaginant dans la peau de ces hommes qui, en temps de guerre, erraient sur les routes des campagnes, hébétés mais persévérants, à la recherche d'une femme, d'un enfant, d'un cousin disparu, gardant jalousement pour eux les raisons qui les poussaient d'un endroit à l'autre.

– Il y a longtemps que vous attendez le chef? demanda-t-il sans lever les yeux.

– Une éternité! brailla le bon Blanc. J'en ai marre d'attendre! Je me demande ce que vous feriez à ma place, si vous appreniez que votre femme vous trompe.

– Le linge sale se lave en famille, fit le Pygmée en jetant un regard courroucé vers le bon Blanc.

– Peut-être! Peut-être! glapit le bon Blanc. Mais il est notoire qu'un tiers, dénué de tout intérêt dans l'affaire, voit mieux le problème. Qu'en dites-vous, mon ami?

– Bien sûr! Bien sûr!

– Tu vois que j'avais raison, fit mon papa bon Blanc, le visage triomphant. Puis, se tournant vers l'Étranger, il insista: Alors?

– La femme est comme un parfum et, comme celui-ci, elle s'évapore même si portes et fenêtres sont fermées, dit l'Étranger. Essayer de l'attraper, de l'emprisonner, c'est tout comme attraper par la queue un oiseau qui s'est envolé. Rentrez chez vous, reposez-vous, demain vous verrez les choses d'un tout autre œil.

– Paroles de sage, articula le bon Blanc.

– Moi je reste, grogna le Pygmée.

– À votre guise, rétorqua l'Étranger. Une cigarette?

Mon papa pygmée n'eut pas le temps de répondre. Un homme traversait la cour à petits pas pressés. C'était le chef. Et, bien avant d'arriver devant la porte, il se mit à crier:

– 666! 999! 666! 999!

Deux hommes sortirent des cases. L'un à main droite du chef, l'autre à main gauche, un vieux fusil de chasse suspendu aux épaules. Il leur fit signe de ne plus bouger et ils s'immobilisèrent là où ils étaient. De l'index il leur intima l'ordre de fouiller la maison. L'un des hommes entra par la porte de derrière tandis que l'autre prenait celle de devant, fusil en avant, prêt à étriper l'intrus. Pendant le temps que 666 et 999 mirent à regarder ce qu'il y avait à regarder, le chef, tremblant de tous ses membres, alluma une cigarette, la fuma en tenant la tête aussi haute qu'il pouvait afin que personne ne pût le traiter de poltron, quoique son esprit tourmenté lui donnât le sentiment d'en être un. Depuis l'affaire Manioc qui avait vu les habitants d'un village égorger et manger leur chef sans qu'un frisson de dégoût vînt hérisser et durcir leur chair comme mille cheveux dans le froid, même sa propre ombre lui arrachait des tressaillements. Il savait que, derrière la tête basse et le sourire mielleux de ses sujets, l'esprit de rébellion et de destruction poursuivait sa route. Et que cet esprit imprévisible pouvait mugir tel un taureau ou tout autre animal du même genre et faire des choses incroyables. Saisir un rasoir et couper une tête comme on craque une allumette. N'importe quoi. Et tandis que 666 et 999 fouillaient la maison, cette vérité se balançait sous ses yeux comme un épouvantail.

Bientôt 666 et 999 apparurent, tenant par le collet une jeune femme qui tenait elle-même un bébé dans ses bras.

– Qui est-ce ? demanda le chef.

Ils ne savaient pas. Ils l'avaient trouvée cachée derrière une armoire, allaitant le bébé.

Il observa la femme de plus près. Sans un mot, elle déposa le bébé aux pieds du chef et s'éclipsa. Mes papas tirèrent leur conclusion et me chuchotèrent leur pensée : Il y avait au tréfonds des larges yeux noirs de la fille, loin derrière l'absence d'expression, un égarement propre à ces femmes à qui on avait promis de ne pas donner un enfant, qu'on avait donné quand même. Un enfant qu'elle ne pouvait simplement pas aimer, incapable de l'entretenir. Cela était arrivé à un de leurs copains, à la différence près que la femme avait apporté un bébé mort et que celui-là était bel et bien vivant.

Les épaules du chef s'affaissèrent. Pourtant, personne ne pouvait l'accuser. Chacun savait que quelque chose d'ignoble se cachait sous l'apparence de jeunes filles et corrompait jusqu'au sang le plus droit des hommes. Ne voyait-on pas les villageois, en manque de femmes ou rêvant d'une de ces fées démoniaques, faire le charivari avec une génisse, une chèvre ou un âne ? Ou encore ces filles du samedi soir, qui venaient au moment des récoltes de cacao, quand les hommes touchaient les salaires. Talons hauts, bouches agrandies au rouge, ongles laqués, elles faisaient la chose dans les champs derrière les palissades ou dans les cabinets. Il y en avait qui la faisaient debout, appuyées aux portes. Une fois de plus, le chef devrait demander à sa première épouse de l'aider alors qu'il était censé, lui, protéger sa famille ! Il avait aimé la femme au moment où la lune était à l'endroit qu'il voulait qu'elle soit, pour qu'il n'y ait pas de bébé. Voilà qu'on lui en ramenait un... Il avait raté son coup, une fois de plus... Tant pis ! Il y aurait bien chez lui une petite place pour le bébé au passé creux.

Il ordonna à 666 d'appeler sa première épouse, qui avait encore sur sa robe les taches de lait de son dernier-né. Elle arriva aussitôt. Toute autre femme aurait pleurniché, larmoyé devant ce souffle violent du destin. Toute autre femme lui aurait lancé un regard de colère, au moins de reproche parce que l'infidélité s'était matérialisée, plus outrancière qu'une insulte. Mais elle le regarda posément, calmement, déjà prête à accepter, à excuser un homme que les besoins entraînaient toujours loin, hors d'elle. Acquiesçant d'avance, disant d'accord, très bien parce qu'elle était persuadée qu'à long terme ses derniers élans seraient pour elle. Pas de culpabilité. Pas de fautif. Le visage immobile, elle se baissa, prit le bébé dans ses bras et disparut derrière la case en chantonnant. Peut-être était-ce de l'amour que je vis dans les yeux de sa femme – simple et affiché, à la manière dont les juments, les prêtres et les enfants vous regardent : avec un amour qu'il n'est pas besoin de mériter. Toujours est-il que ce regard procura au chef un regain d'autorité et de courage. Il se tourna vers 999 :

– Pourquoi les lampes ne sont-elles pas allumées ?

– C'est juste que…

– Y a un problème ?

– Non, chef ! C'est juste qu'il faut appliquer la politique de l'austérité, chef, dit 999, prêt à s'étrangler.

– Depuis quand un chef doit-il économiser ? brailla le chef, outré. Que pensera un étranger de moi ? Voilà Ndougué, caporal-chef dans le Ve régiment d'infanterie, expressément décoré par de Gaulle. Débrouille-toi et que ça brille !

Bientôt, la lumière violente d'une lampe à gaz jaillit. Le chef, avec des idées pincées sur les convenances, pénétra dans la maison sans nous saluer. 666 nous fit entrer et nous indiqua un long banc de bois noir.

Le chef était assis sur son trône, une vieille chaise à bascule, recouvert d'un tissu rouge or, serti de fausses pierreries qui sautaient au regard comme des braises. Il ne regarda ni mes papas ni moi, comme si nous appartenions à un royaume de fourmis, de scarabées, d'araignées, ou de brins d'herbe, un royaume de menues choses de la vie, qui ne mériterait pas que l'on s'y arrêtât quelques secondes. Il concentra son attention sur l'Étranger. Puis d'une voix lente, il dit :

– Si c'est pour un prêt que vous êtes là, sachez que les caisses sont vides et qu'il faudra beaucoup de temps aux banques pour imprimer de nouveaux billets. Si c'est pour le reste, parlez toujours.

– J'ai vu la maison, je suis venu. Pas pour de l'argent. Par amitié.

– On se connaît ? demanda le chef en l'observant de plus près.

– Oui. L'Étranger de la Ve division d'infanterie. Pour vous servir.

26

– Je ne me souviens pas de toi, dit le chef en fronçant ses sourcils broussailleux. D'ailleurs, tu n'as pas la tête à avoir fait le même service que moi. (Il le regarda de la tête aux pieds, puis ajouta d'une voix méprisante :) Je cherche en vain ce qu'il peut y avoir entre nous de commun et je ne vois pas.

– Tout à fait d'accord, approuva l'Étranger sans l'ombre d'un ressentiment. Maintenant que je vous vois vraiment, il n'y a assurément rien. Je vous prie de m'excuser, continua-t-il en souriant et son sourire était si dépourvu d'inimitié que le chef le considéra de nouveau longuement avec une expression toute différente.

L'Étranger se leva et fit mine de s'en aller.

– Attendez, dit précipitamment le chef, attendez un instant. Tenez, reprenez votre place. Que faites-vous dans la vie ?

– J'ai essayé en vain de l'interroger, dit mon papa bon Blanc, et…

– Tais-toi, fils de rien ! trancha le chef. Alors, mon ami, que faites-vous ?

– Sorcellerie blanche.

– De la sorcellerie blanche ! s'exclama en chœur l'assistance.

– De la sorcellerie blanche…, reprit le chef d'une voix sans timbre, comme s'il n'en croyait pas ses oreilles. Que savez-vous faire au juste ?

L'Étranger dit qu'il serait heureux de parler de son travail s'il avait quelques restes à lui donner à manger et de l'eau.

Le chef fit venir une de ses femmes. Elle lui donna un gâteau de pistache et d'arachide, meilleure chose au monde pour un homme affamé. Il but goulûment à la calebasse de noix piquetée, puis la tendit pour en redemander. Trois fois, l'épouse la remplit et, trois fois, l'Étranger la vida comme s'il venait de traverser un désert… « Il vient de loin », me dis-je. Un de ces vagabonds qui proposent leurs bras contre un peu de nourriture. Boue, écales, feuilles, paille, voilà sur quoi il avait dû dormir sa vie durant… Quant à des draps de coton, il n'en avait sûrement jamais entendu parler ! Il devait, en ce moment même, répéter, imaginer ce qu'il dirait, laisser les mots s'attrouper dans sa tête. Nous pensions tous la même chose.

Quand l'Étranger fut satisfait, il demeura un peu d'eau sur son menton, mais il ne l'essuya pas. Plutôt, il défit son balluchon, en extirpa une loupe, un briquet et autres objets totalement inconnus de moi. Il sortit également un gros livre et un cahier à la couverture noire. Il inscrivit quelque chose en commençant de droite à gauche puis marmonna des phrases tarabiscotées dans une langue que nous ne connaissions pas.

– Qu'est-ce qu'il a dit ? interrogea le chef, en regardant, tour à tour, 666, 999, mes papas et moi.

Seuls des haussements d'épaules impuissants lui répondirent.

Un sentiment d'inquiétude mêlée d'impatience et de curiosité flottait dans la pièce. Le chef, n'y tenant plus, quitta sa place, et de là où j'étais j'imaginais son cœur d'un rouge vif battre de plus en plus vite. Il se pencha vers l'Étranger. Celui-ci s'était assis, les jambes en tailleur, les yeux fermés, droit, tellement immobile que l'on percevait à peine sa respiration. Son visage du noir avait viré au gris ; ses yeux étaient grands ouverts, étrangement fixés sur le chef. Il ressemblait trait pour trait à un mort. Le chef resta penché sur lui durant deux à trois minutes, hésita et, comme l'Étranger ne bronchait toujours pas, il alla se rasseoir, l'esprit agité.

Quoi ? Un chef craignant un clochard ? Mais si l'homme n'en était pas un, plutôt quelque chose d'autre sous un déguisement ? Un ignoble espion sous l'apparence d'un clochard affamé ? Le chef souffla de l'haleine chaude dans le creux de ses mains en conque. Il y avait une telle inquiétude dans la pièce que les jambes de 666 et 999 se mirent à trembler. Il regarda ses gardes. 666 et 999 le regardèrent.

Enfin, l'Étranger bougea ou plutôt son regard se dirigea vers le mur qu'il contempla fixement comme s'il examinait avec curiosité quelques objets invisibles de nous qui requéraient toute son attention. Le timbre d'une vieille horloge sonna les dix coups de dix heures. Avec lenteur, il tourna la tête vers le chef.

– En voulez-vous ? demanda-t-il en tirant un boîtier à tabac gris rouillé de son boubou.

Le chef refusa d'un mouvement. L'Étranger prit une cigarette et l'alluma.

– L'insupportable dans la vie, commença-t-il, c'est que l'homme n'a aucun contrôle sur son destin.

– Vous ne nous apprenez rien, dit le chef, méprisant. Ce que vous dites, même un nouveau-né en a conscience.

– Je sais, reprit l'Étranger avec un grand sérieux. Le hic, voyez-vous, c'est que l'homme a tendance à oublier…

– En ce qui me concerne, je n'oublie rien. Je sais pertinemment que je peux m'endormir ce soir et ne jamais me réveiller.

– En dehors du Pygmée, déclara l'Étranger, en l'examinant comme s'il voulait prendre ses mensurations pour lui tailler un boubou, personne ici ne mourra de cette façon. Pas tout de suite, bien sûr. Mais…

– Ah, bon ! hurla le Pygmée devant tant d'impertinence. Peut-être allez-vous me dire où, quand, comment pendant qu'on y est.

– Vous le savez déjà, rétorqua-t-il. Il y a une femme, une femme.

– La mère de ma fille ?

– Oh, non ! Elle viendra, elle partira.

– C'est peu vraisemblable, grogna le Pygmée d'une voix tremblante. Il faut être Dieu pour…

– Ou le diable. Comme vous préférez, dit-il, soudain détaché. Mais que représentent nos désirs devant l'incontrôlable ? Quant à vous, chef, pas plus tard que demain, vous allez prendre un nouveau garde du corps.

– C'est tout à fait possible, dit le chef. Dites-moi, l'Étranger, il est de notoriété publique qu'un fou n'est pas toujours celui qui se balade nu dans les rues. N'êtes-vous pas de la race plus redoutable des fous habillés ?

– Peut-être, peut-être, répondit l'Étranger, un sourire énigmatique sur les lèvres… Peut-être…

– Excusez-moi, dit le chef, j'ai beaucoup travaillé dans la journée et je dois encore écouter les honorables messieurs ici présents. Si ça ne vous dérange pas, j'aimerais bien les recevoir. Donnez-vous donc la peine de suivre un de mes serviteurs.

– Pas la peine, dit l'Étranger, je connais le chemin. Voulez-vous des preuves ?

– Des preuves ? interrogea le chef, intrigué.

– Oui, des preuves de ma bonne foi…

– Tout à l'heure, dit le chef en balayant l'air d'une main.

Il se tourna vers nous, fermement décidé à couper court à toute cette plaisanterie de mauvais goût.

– Voilà un chef, laissa échapper mon papa pygmée, qui n'était pas tout à fait revenu de son hébétude.

Et il se rembrunit aussitôt.

– Que puis-je pour vous ? demanda le chef en regardant tour à tour le Pygmée et le bon Blanc.

Le bon Blanc passa une main sur son visage comme un homme qui s'était assoupi.

– C'est-à-dire que…, commença-t-il.

– Rien, chef, intervint le Pygmée en lui donnant un coup de coude.

– C'est-à-dire que…, reprit le Blanc.

– Parlez ! bon dieu de merde ! s'écria le chef, impatient.

– C'est-à-dire que ces messieurs ont entendu la plus répugnante histoire sur votre compte, dit l'Étranger.

Et il se tut, toisa mes papas des pieds à la tête. Le bon Blanc rougit violemment, tandis que le Pygmée fixait un point sur ses chaussures.

– Si je… Si nous…, balbutia le Pygmée d'une voix grésillante, s'interrompant et bégayant. Si nous avons prêté l'oreille à pareille calomnie c'est avec la plus grande indignation… Enfin, les hommes sont les hommes avec leurs faiblesses.

– Oui et nous venons vous présenter nos excuses, continua le bon Blanc, un sourire crispé sur les lèvres.

– Les grandes choses aux grands de ce monde. Les maisons, les rivières, les châteaux, les jolies femmes… Les autres doivent rester à leur place et se contenter des royaumes minuscules… Les fourmis, les scarabées, les plus petites étoiles… Et dire merci… N'est-ce pas, chef ? demanda l'Étranger.

Quelque chose de hautain et de fier éclaira le visage du chef avant de laisser place à une inquiétude soudaine. Et, sans plus faire attention à mes papas, il se tourna vers l'Étranger.

– Depuis quand êtes-vous au village ? demanda-t-il à l'Étranger alors que celui-ci se dirigeait déjà vers la sortie.

– À Wuel ? J'y arrive à l'instant, répondit l'Étranger sans se démonter.

C'est alors que le chef l'examina plus attentivement, de la tête aux orteils, son long boubou blanc, ses sandales.

– C'est possible, marmonna le chef entre ses dents.

– Tout est possible, dit l'Étranger d'une voix atone. La disparition du garde, la vie incontrôlable… Une puissance… L'impérialisme occidental.

Le cœur du chef eut un raté. L'Étranger venait de dire tout haut ce qu'il pensait tout bas.

Il fit un signe discret à 666 et 999. Ces derniers s'approchèrent et le chef leur souffla quelque chose à l'oreille. Quand il eut fini, l'Étranger éclata de rire. Tous le regardèrent, surpris.

– Excusez-moi, dit-il, secoué de rire. Mais fouillez-moi, tenez, voilà mon balluchon, il ne comporte strictement rien qui puisse vous alarmer. Vous croyez au diable ? interrogea-t-il soudain avec sérieux.

Personne ne lui répondit. Il promena son regard sur l'assistance et déclara d'un ton péremptoire :

– Il a des oreilles !

– Oui, chef, continua l'Étranger, le diable a des oreilles et en ce moment il vous écoute. Peut-être devriez-vous l'écouter plus souvent que vous ne le faites habituellement.

Le chef remua la tête comme s'il sortait d'un cauchemar. Dehors, une couche de nuages avait recouvert la lune, lui faisait perdre sa netteté. Le vent s'était levé et s'engouffrait si fort dans la maison qu'il faisait rouler au sol masques et totems accrochés aux murs. On entendait au loin les pleurs d'un bébé quelconque, les roulements de tam-tam recroquevillés dans les hurlements du vent.

– Je rêve.

Mais je n'avais pas rêvé, à moins de penser que toutes les personnes présentes avaient rêvé, car le chef dit en dévisageant l'Étranger :

– Qui êtes-vous si vous prétendez ne pas être un espion ?

– Je n'ai rien dit de tel. Mais laissez-moi donc jusqu'à demain matin six heures pour montrer ma bonne foi.

– Qui me dit que vous ne vous enfuirez pas cette nuit ?

– Je ne m'enfuirai pas. Enfermez-moi, ligotez-moi, mais un de vos gardes mourra demain à l'aube. Vous serez obligé de changer un garde demain, à l'aube. Je lis dans vos yeux que je suis libre, n'est-ce pas ? Je peux aller me coucher. Bonne nuit, chef, ajouta-t-il en se dirigeant vers la porte.

Dès qu'il fut devant le seuil, il se retourna d'un geste brusque et dit :

– Chef, ne désirez-vous pas que 666 reste près de vous un peu plus longtemps, encore un jour, chef ? Un seul jour de plus.

32

– Bien, très bien, déclara le chef avec une affabilité forcée après avoir échangé un clin d'œil complice avec ses serviteurs.

Nous prîmes congé.

Nous rentrâmes avec sensiblement la même attitude qu'en faisant le chemin inverse : moi au milieu, le Pygmée à ma droite, le bon Blanc à ma gauche. Mais avec une différence pourtant. Nous étions préoccupés par la menace sous-jacente des paroles de l'Étranger. Flottant vers nous, à peine visible dans le vent hurlant, il y avait une silhouette et bien que cette silhouette fasse partie du paysage, qu'indépendamment chaque élément du groupe l'ait entr'aperçue depuis des années, notre attention était si totalement absorbée par l'Étranger que nous sursautâmes quand nous la croisâmes. La Moissonneuse-du-mal. Elle ne nous accorda pas un regard. Ce fut le Pygmée qui se retourna et l'inspecta. Elle portait un pagne noir qui l'enveloppait des pieds à la tête, et tenait en équilibre sur son crâne une bassine d'eau. Le Pygmée grommela quelque chose du genre « Poisse ou malchance », et fixa les yeux dans le vide.

– Quinze ans de silence, c'est long, quel que soit le crime qu'elle ait commis, grommela le bon Blanc.

– Je les trouve courts ! vociféra le Pygmée. Une mauvaise graine est une mauvaise graine, il faut la jeter, sinon elle vous pourrit la récolte.

– Hum ! Hum ! fit le bon Blanc.

Et tout en marchant dans l'obscurité, la tête plus claire à présent – loin des paroles inquiétantes de l'Étranger –, il relata d'autres cas semblables, des femmes bannies du village pour meurtre, condamnées au silence à perpétuité et qui, en fin de compte, perdaient la raison. Folie ! Comment nommer autrement l'immobilité qui peu à peu envahissait leur visage, verrouillait leurs yeux, les faisant se confondre avec les éléments de la nature ? Comment vivre sans parler aux autres, ni les toucher pendant plusieurs années ? À moins de donner son corps aux attouchements permanents de l'au-delà. Auquel cas il ne serait plus jamais possible de s'intégrer dans la société des hommes sans distiller le mal.

Que nous ayons rencontré la Moissonneuse-du-mal juste après les paroles de l'Étranger n'intrigua pas le bon Blanc. Sur le coup, il avait cru à un hasard. Et, comme une fumée de cigarette disparaît, une fois celle-ci consumée, ses inquiétudes se dissipèrent. De toute façon, ce n'était qu'une inquiétude ténue, pas assez forte pour le distraire de ce désir tenace en lui : Il voulait Dame maman. Qu'importe avec qui elle couchait, ce qu'on racontait d'elle, ce qu'il savait, il la voulait. C'était pour la garder qu'il s'était rendu chez le chef, il n'avait pas été capable de lui parler franchement, de lui dire ses quatre vérités, son silence avait résolu de lui-même le problème. Tant qu'il ne dirait rien, jouerait les aveugles avec la femme, il ne craignait rien. Si son cœur tressautait à la pensée qu'il ne récupérait de Dame maman que les miettes de sa présence, fragments conquis, arrachés au féroce éparpillement de sa vie, s'il ressentait quelque féminin besoin de tuer tout ce qui lui volait sa présence, les hommes, les heures chez la coiffeuse, la lente cérémonie du maquillage, s'il éprouvait une sorte de compassion pour sa peine et l'être maudit qui la tissait, tant qu'il pouvait la prendre dans ses bras, tant qu'elle existait, qu'il soit là à le constater était un perpétuel étonnement, un émerveillement.

Quand nous arrivâmes, Dame maman, de retour, avait servi le dîner et s'excusait déjà, en cuisinière chevronnée, de ce que le repas ne serait pas aussi bon qu'elle l'avait espéré, qu'il n'y avait pas assez de sel dans le riz, que le ginseng était trop fort, qu'elle avait eu la main trop souple pour le piment.

– Bertha…, commença le Pygmée.

– Assois-toi et mange ! Tu fais une de ces têtes ! On dirait que le ciel t'est tombé dessus.

Elle ramassa une louche, alla d'un bout à l'autre de la table, emplit nos assiettes, nous offrit à boire, sans que sa sollicitude rompît le fil de malaise qui régnait en maître absolu dans la pièce.

– Mangez donc, vous autres. Que penseraient de moi les gens s'ils voyaient vos visages d'affamés ? Allez, mangez ! dit-elle en attaquant son bâton de manioc. Tout à l'heure, continua-t-elle, la bouche pleine, j'étais chez Kalonga. Ah, la pauvre, son fils lui en fait voir de toutes les couleurs. Elle s'inquiète. Elle n'a de cesse de demander des conseils à toutes les mères du village. Ah ! la pauvre…

– Bertha…, commença le bon Blanc.

– Que pouvais-je lui dire ? continua Dame maman, l'air de ne pas l'entendre. N'empêche que c'est dur de penser que son fils est l'assassin de la famille Dongo.

– Comment cela ? demanda le Pygmée les sourcils arc-boutés.

– Oh, bien sûr que c'est pas lui qui les a tués, mais un homme qui s'est comporté comme lui quand il était enfant, rien de plus. Mais où ai-je donc la tête aujourd'hui ? J'ai oublié de mettre l'eau de la tisane au feu. J'arrive !

Déjà, ses jupons se perdaient dans la pénombre de la cuisine.

Restés seuls, mes papas se regardèrent. Et moi, je les observais ; leurs barbes naissantes ; l'attente dans leurs yeux ; le pouvoir redoutable de la femme en filigrane sur les paupières ; les choses qu'aucun d'eux ne savait d'elle – et celles qu'ils savaient et qu'ils ne pouvaient ni l'un ni l'autre formuler avec des mots. Et toutes les questions…

– C'est terrible cette histoire, cria Dame maman depuis la cuisine Ça vous enlève l'envie d'avoir un gosse. Un enfant pour lequel on a trimé, bêché, penser qu'il deviendra un bandit ! C'est pas permis ! Tenez, l'autre jour, il est parti voler des bananes dans le champ de Bonga, la boiteuse. Comment expliquez-vous cela ? Que sa mère ne lui donne pas assez à manger ?

Dame maman revint, une petite marmite d'eau chaude dans la main, traversa la pièce, s'arrêta dans mon dos et me caressa les cheveux de sa main libre.

– N'est-ce pas, tu ne feras pas ça, hein, ma fille. Nous avons bien de la chance, dit-elle en souriant.

Elle tourna le dos, fit trois pas en avant, mais, au lieu de continuer son chemin, elle se figea dans une immobilité complète et regarda le Pygmée droit dans les yeux ; celui-ci s'étrangla, en avalant, puis toussa en se tenant la gorge. Le bon Blanc lui tapota le dos tandis que je lui offrais un verre d'eau. Pendant longtemps, il batailla pour retrouver son souffle. Dès qu'il fut apaisé, Dame maman, promenant tour à tour ses yeux sur mes papas, déclara, fébrile :

– Je suis libre ! Celui qui n'est pas content peut se tirer. La porte est ouverte.

– C'est pas mon problème, dit le bon Blanc. Je n'ai jamais maltraité une femme de ma vie !

– C'est valable pour tous les deux, dit Dame maman sans se démonter. J'ai assez perdu de temps avec vous. Je mérite mieux.

Le Pygmée se racla la gorge. Le bon Blanc baissa la tête et resta ainsi un moment, parce qu'il ne savait que faire d'autre, ni comment mettre un terme à cela, et cesser d'adorer la vue et le contact de cette femme qui le maintenait sous sa puissance monstrueuse, colossale et que je sentais grouiller au-dessus de moi, animée d'accès furieux, de petitesse ou d'hystérie.

– Qu'est-ce qui te rend si malheureuse ? interrogea le Pygmée, un sourire crispé au coin des lèvres mais je ne suis pas sûre que c'était vraiment un sourire, c'était comme un mors, qui écarquillait les lèvres jusqu'aux oreilles, là où le sourire mourait.

– Ce qui me rend malheureuse ? dit Dame maman en commençant à tournoyer dans la pièce.

Elle tournoyait autour de nous avec le même soin qu'elle mit à faire le tour de ses griefs. Et j'en avais le tournis. D'abord, nous crûmes qu'elle allait tourner en rond, biaiser et changer de sujet, ce qui aurait certainement soulagé tout le monde. Elle décrivait chaque cercle au moins trois fois et l'écouter était comme avoir un clocher qui vous sonnait trop près de l'oreille. Si bien qu'on voyait ses lèvres former des mots trop forts, qu'on n'entendait pas parce qu'ils faisaient trop de bruit, mais dont on saisissait le sens, des fragments de ce qu'ils signifiaient.

– Écoutez-moi ça ! Il me demande ce qui me rend malheureuse. Voilà treize ans que je vis avec deux imbéciles, qui me déshonorent. Tout le monde se moque de nous et voilà qu'il ose me poser la question sur mon malheur ! C'est à n'y rien comprendre. Tenez, regardez, dit-elle en extirpant de ses pagnes une liasse de billets. Depuis que je suis avec vous, aucun de vous n'a jugé nécessaire de m'offrir une telle somme. Il y a là cinquante mille francs, messieurs, continua-t-elle sur un ton de provocation, cinquante mille francs, le chef me l'a promis. Je vous avoue qu'il a d'abord marchandé. De deux mille francs, il est monté jusqu'à cinquante lorsqu'il a su que la plus forte somme que le Pygmée m'a donnée s'élevait à vingt-cinq mille. Il m'a promis et il a tenu parole. Cela s'est passé tout à l'heure dans sa cabane derrière le bois. Il s'est comporté avec moi comme si j'étais sa chose !

– Bertha, commença le Pygmée choqué.

– Bertha, fit le bon Blanc sur le même ton.

– Que voulez-vous dire, messieurs ? Que je suis indécente ? Eh bien, sachez que j'en ai assez de jouer à la famille respectable que personne ne respecte. À partir d'aujourd'hui, je vais regagner mon vrai lieu qui est la rue. C'est là que se trouve la maison, la famille des femmes de mauvaise vie. D'ailleurs, je me demande pourquoi je suis restée avec vous pendant tant d'années, vous privant par là même de votre liberté. Dès demain, je ne vous reverrai plus et m'en irai pour de bon avec ma fille. Peut-être que dans quelques années je rencontrerai un vieux assez fou pour me demander en mariage. Oui, un vieux, un Blanc de préférence, c'est ce que font les filles du samedi soir à l'approche du crépuscule.

– Je peux t'épouser demain, dit le Pygmée en fixant des yeux rouges, tristes et sévères sur Dame maman qui continuait à tournoyer dans la pièce, le visage dément. Un mot de toi suffit et tu le sais, Bertha. Je ferai de toi une reine si tu le veux.

– Une reine ! s'exclama-t-elle d'une voix théâtrale. Il veut faire de moi la reine d'un royaume inexistant ! Quelle ineptie vraiment !

Et elle partit d'un éclat de rire nerveux qui se brisa. Peut-être sentit-elle le regard perçant du bon Blanc fixé sur son dos ? Un regard de qui avait besoin de quelque chose, un regard où se cristallisaient de façon inattendue des intentions claires que toute parole aurait embrouillées et voilées d'incohérence. Elle se tourna brusquement vers lui, les arguments contre lui déjà réunis :

– Et toi, dit-elle en pointant du doigt le bon Blanc. Que me proposes-tu ? Es-tu prêt à m'épouser sachant que je t'ai fait cohabiter avec un autre homme durant exactement douze ans et que, pas plus tard que ce soir, j'ai été la chose du chef ?

– Oui, Bertha. Je suis prêt à tout pour t'avoir. Tiens, on pourrait par exemple avoir d'autres enfants.

Il avait formulé la dernière phrase, précipitamment, comme pour s'en débarrasser. À voir l'intolérable confusion dans laquelle le jetaient ses mots, je me rendais compte qu'ils ne faisaient nullement partie du discours circonstancié, du monologue intérieur qu'il s'était résolu à dire à la femme. Mais que l'idée de l'enfant, qui jusqu'ici lui avait répugné de peur de donner à l'être chéri le sentiment de l'étouffer, avait depuis belle lurette entrepris son cheminement dans son inconscient. Et, brusquement, c'était la solution : un moyen de l'apprivoiser définitivement, de l'ennoblir, de chasser le Pygmée de leur vie – le tout d'un coup. Il se leva, jeta les bras autour des épaules de Dame maman et la serra.

– Je te veux enceinte, Bertha. Le ferais-tu pour moi ? Elle pencha la tête en arrière. Lui aussi.

– T'es complètement fêlé, dit-elle. Admettons que je trouve ton idée séduisante, de quoi vivrions-nous, tout Blanc que tu es ?

Le bon Blanc pâlit et s'écarta.

– Je dénicherai de l'argent, dit-il d'une voix pleine d'émotion. Il paraît que dans l'armée ils embauchent en ce moment à cause de la guerre qui menace... Je suis prêt à mourir pour toi, Bertha Andela. Et peut-être n'aurai-je pas besoin d'aller jusque-là, ajouta-t-il, un éclair dans les yeux.

– Que veux-tu dire ? demanda ma mère avec curiosité.

– Explique-toi, dit le Pygmée, soudain ravivé.

– C'est mon père, le Grec.

– Tu le connais ? interrogea Dame maman tandis que les yeux impassibles de celui qui avait subi toutes les trahisons des plus légères aux plus dures, le Pygmée, l'observaient.

Si le bon Blanc héritait, il était perdu. Et cette vérité n'avait rien d'un conte de fées, d'un jardin plein de roses en fleur, d'arbres fruitiers généreux. Elle s'appelait solitude, tristesse, oiseaux-mouches plantant leur bec dans la plaie du cœur rouge cerise que son grand amour pour Dame maman avait, à longueur d'année, maintenue béante. Cœur suspendu à un fil ultime, tendu, tordu au-delà du supportable, mais qui jamais n'a rompu. Elle serait simple cette vérité : la rupture du fil lui donnerait à connaître l'apaisement après le chaos. Mais le souhaitait-il vraiment ?

– Il pourrait brusquement se souvenir de moi au demier moment et me coucher sur son testament.

– Quel idiot ! se gaussa le Pygmée, soulagé, en se rejetant sur sa chaise.

– Tu peux te moquer, dit Dame maman, vindicative. Mais t'es pas mieux que lui. Toute ta vie, tu m'as donné de l'argent pour m'avoir et tu savais très bien qu'avec cet argent je nourrissais ce parasite. Celui qui corrompt n'est pas mieux que le corrompu. Qu'en dis-tu, mon amour ? dit-elle en observant le bon Blanc qui resta planté là, telle une souche.

– Je le faisais pour toi, se défendit le Pygmée.

– Pour moi, rétorqua-t-elle en ricanant. Pour moi ? Écoute-moi ces messieurs, continua-t-elle en me prenant à témoin. Ils disent qu'ils font tout pour moi. Mais, vous oubliez, messieurs, que vous êtes d'un égoïsme monstrueux, que vous êtes lâches. Vous ne respectez rien que vos pires instincts. Des larves, des larves, voilà ce que vous êtes. Je vous le pardonnerais au moins si vous étiez capables de reconnaître vos faiblesses. Toi, le Blanc, dit-elle en se retournant brusquement vers lui et en le toisant des pieds à la tête, tu es avec moi à cause des trois sous que cet idiot me donne. Je le comprendrais si tu étais complètement impotent. Mais ce n'est pas le cas. Tu vendrais ton âme au diable pour quelques francs. Quelle époque !

– Est-ce toi, Bertha, qui me parles ainsi ? cria le Blanc au comble du désespoir. Je t'ai tout donné, tout ! Et je suis prêt à te faire considérer comme la femme d'un Blanc quand toi-même tu sais ce que tu vaux. Je n'en reviens pas, je n'en reviens pas !

– Excusez-moi, dit Dame maman en riant. Je suis un peu énervée en ce moment. C'est peut-être à cause de mes règles. J'ai envie de laver le linge sale. En famille comme on dit. Mais quant à vous épouser, je ne me prononcerai pas là-dessus, je laisse ce soin à Mégrita. Je ferai exactement ce qu'elle me dira.

– Moi ? interrogeai-je d'une voix cassée.

– Tu as parfaitement compris.

– Laisse la petite hors de tout ça, compris ? l'apostropha le Pygmée.

– Kwokwomandengué, je ne te demande pas ton avis. Je t'ai trop obéi depuis plus de dix ans. Aujourd'hui, c'est terminé, tu m'entends, TERMINÉ ! Je reprends ma liberté. Petite, je t'écoute.

– Mais la petite…, insista le Pygmée.

– Je vois ce que tu veux dire, mon ami. Elle est trop jeune pour comprendre ces choses-là. Mais les seules fois où j'ai rencontré des gens sincères dans ma vie, c'étaient des enfants. Ils sentent les choses. Et ma fille est la seule personne qui ne trahira jamais ma confiance. N'est-ce pas, ma poupée ? ajouta-t-elle, la bouche toute colorée de tendresse.

– Elle est folle, murmura mon papa bon Blanc en aparté.

– Tu te décides, oui ou non ? s'impatienta Dame maman.

C'était pire que lorsque j'avais compris les premiers sous-entendus moqueurs sur ma famille. Un gosse me l'avait dit, je m'étais abstenue de le gifler parce qu'il n'y avait aucune méchanceté ni dans son regard ni dans ses mots. Il avait dit simplement : « Demande donc à ta mère ! » Et la boule était restée en travers, trop difficile de poser la question. Et j'avais eu envie de pleurer, sans pouvoir me retenir, la tête entre mes genoux.

Il était difficile de respirer et, si je m'étais écroulée là, à leurs pieds, je n'aurais rien senti, car je ne savais plus où étaient mes bras, mes jambes, mes pieds. J'avais l'impression d'être une feuille dans une mer houleuse, me fracassant sur les arêtes des choses qui m'entouraient. Choisir entre l'un et l'autre de mes pères. C'était pire. Pire que la mort de grand-maman, quand Dame ma mère avait ouvert la porte et dit : « Mégri, mamy nous a quittées. »

– Il ne faut épouser ni l'un, ni l'autre, dis-je d'une voix éteinte.

41

– La vérité vient de la bouche des enfants, ainsi soit-il, répondit-elle. Puis, pointant un doigt autoritaire vers mes papas : Kwokwomandengué, Yanish, vous avez entendu comme moi ce qu'a dit la petite ? Pas de mariage, et qu'on n'en parle plus !

– Tu nous renvoies ? balbutia le Pygmée d'une voix tremblante.

– Bertha ! articula le bon Blanc.

– Qu'avez-vous soudain ? demanda-t-elle en affectant la surprise. C'est trop fort. Elle propose que la vie continue comme avant et vous vous permettez de ne pas être contents. Que voulez-vous à la fin ?

– Rappelle-toi tes paroles d'avant, bégaya le Pygmée… Tu avais dit que… Et puis, bref, je renonce à comprendre les femmes.

– Voilà une attitude pour le moins intelligente. J'ai sommeil… À demain.

Elle pivota sur ses talons et se dirigea vers les toilettes pour s'adonner à des ablutions.

– Elle nous fait marcher, murmura le Pygmée. C'est pas une femme. C'est un monstre sans cœur.

– Pourquoi l'aimes-tu ?

Il haussa les épaules et les laissa retomber dans un geste de profonde impuissance. Toutes les souffrances du monde semblaient s'être donné rendez-vous sur son maigre visage sillonné de rides. Il se leva, se versa une rasade Hâa qu'il but cul sec, y puisant un supplément de chaleur. De la chaleur et des yeux rouges pour réprimer une irrésistible envie de pleurer. Il serrait les poings entre les genoux, non pour immobiliser ses mains, mais parce qu'il fallait se raccrocher à quelque chose, quelque chose qui lui donnait l'impression qu'il vivait, quelque chose qui justifiait sa virilité.

– Il est trop tard, pour moi, dit-il simplement. Peut-être un jour consentira-t-elle à m'épouser ? Qui sait… Alors…

Le alors fut dit avec une telle violence que le bon Blanc et moi-même le dévisageâmes, surpris.

– Épouser une femme qui ne vous aime pas ! Quelle bassesse, vieux. T'es dans l'égout et tu t'y complais comme un porc !

– Bertha n'aime personne en dehors d'elle-même, j'en suis parfaitement conscient.

– Alors, pourquoi insister ? T'as vu sa bouche ? Je veux dire voir et non regarder. Eh bien, mon cher, quand t'as bien vu cette bouche-là, tu comprends très vite qu'elle n'appartiendra jamais à personne !

– Je ne connais pas la bouche dont tu parles.

– Mensonge !

À l'instant même, une forêt jaillit entre eux. Impénétrable. Silencieuse. Pendant quelques secondes, ils se dévisagèrent, exaspérés, les nerfs à vif. Un motif futile, un mot imprudent auraient suffi à réveiller le volcan de haine en eux. La réprimer même si pour cela il fallait se battre comme des diables. Les mains tremblotantes, le Pygmée sortit de sa poche une photographie jaunie et, à la douceur qu'il mit à pousser la photographie sous les yeux du bon Blanc, à la façon dont il aplatit doucement les rebords du papier glacé, je compris qu'elle représentait quelque chose qui aurait dû l'anéantir.

Le bon Blanc la détailla.

– C'est pas la même femme, constata-t-il, simplement. Je suis conscient que Bertha avait une vie avant moi. J'ai tout simplement voulu construire un petit château de cartes à côté de son grand château de cartes. Le Blanc de la photo ? C'est pas bien grave. As-tu déjà vu une histoire importante entre un Noir et un Blanc qui méritât notre attention en dehors de querelles, d'exploitations, d'escroqueries, de vols, de mutilations, de viols ? Non, vieux ! Désolé, c'est le passé et je suis sûr que Bertha a oublié.

Et, brusquement, il se mit à parler de son propre papa. Comment sa maman et lui dormaient en se tenant par la main, leurs jeux et les éclats de rire qui accompagnaient leurs ébats ; il parla de son départ à lui après plusieurs années de vie commune, de sa silhouette se perdant au loin, des promesses qu'il avait faites mais qu'il avait dû oublier depuis. Quant à sa mère, elle était devenue folle. Oui, folle ! Comment décrire cette femme endimanchée même les jours de travail, un chapeau à fleurs sur la tête, jouant au poteau[1] sous les lampes électriques ? Non, tout cela n'avait aucune espèce d'importance.

Si bien que le Pygmée ne parla pas du Blanc sur la photographie. Il se borna à remettre subrepticement la photo dans sa poche, à reprendre son souffle et à plonger ses yeux dans ceux de Yanish. La conviction qu'il y lut lui fit douter qu'une jeune fille avait aimé un Blanc, que celui-ci lui avait fait un enfant, qu'il s'était barré, qu'elle l'avait collé aux deux autres pour s'en sortir. Non ! Une femme capable de commettre une telle bassesse n'aurait pas suscité tant d'amour.

– Je n'essaye pas de te nuire, Kwokwomandengué. J'essaie d'aimer et de défendre la personne aimée. Si j'étais sûr que tu ne fasses pas de mal à Bertha, je m'en irais sur-le-champ. Mais voilà, ta passion t'aveugle et c'est humain. Et, comme tout être humain, tu as l'esprit de revanche. Quand tu reçois un coup, tu ne peux le supporter sans rien dire. Si les circonstances t'y obligent, tu baisseras les yeux en attendant le moment propice pour riposter. Je ne te laisserai pas faire, répéta-t-il. Je ne te hais point, quoique les raisons ne me manquent pas. Il m'est arrivé de souhaiter ta mort. Pourtant, quand tu t'absentes pendant plusieurs jours, j'ai un manque. À mon insu, tu es presque devenu mon frère.

– Hum ! Hum ! fit le Pygmée en mâchonnant son brin de paille de balai d'après-dîner.

– C'est tout ce que tu trouves à dire ?

– À quoi bon ? J'aime la paix.

Et sans autre explication il tendit la main au Pygmée. Mais une expression inexplicable faite d'angoisse et de

1. Jouer au poteau : prostituée attendant un client.

méfiance se peignit aussitôt sur son visage et il la laissa retomber avant que l'autre s'en saisît. Il répugnait visiblement à sceller cette paix qu'il souhaitait lui-même, ce qui me contraria fort. Je me levai et allai derechef souhaiter bonne nuit à Dame maman.

La chambre de Dame maman était deux fois plus grande que la mienne. Une petite torche reflétait une fumée ocre qui allait s'effilochant. Sur la droite une commode habilement faite de six caisses de bière. Dans les caisses étaient rangés pêle-mêle les pagnes, les camisoles, les slips de Polyester blanc à l'éclat appauvri par la faible lumière de la pièce. Deux clous plantés dans la porte supportaient les grands boubous de fête. Quelques posters géants jaunis par les ans et la crasse occupaient tout un pan de mur de terre cuite. Les talents ménagers de Dame maman se limitaient au soin qu'elle apportait à ses toilettes lorsqu'elle sortait. Du reste, la pièce ressemblait à un grenier géant où seraient jetés pêle-mêle des vieux papiers, des bouts de coton échappés du matelas éventré, des boîtes de talc vides et des emballages de savon. En plein centre, était disposé le lit tendu d'un drap vert. À gauche une table de chevet où l'on trouvait depuis toujours une bible, quelques bijoux fantaisie jetés çà et là et dont la couleur or avait depuis longtemps cédé la place à la rouille. À droite, un fauteuil capitonné où personne ne s'asseyait jamais.

Dame maman était allongée, un pagne serré sur sa poitrine, les bras en croix, la tête penchée sur le côté, les yeux fermés, un sourire étrange sur les lèvres. Peut-être exprimait-il le dégoût ou une joie maligne qu'elle éprouvait à distiller le désordre ? J'étais à peine entrée qu'elle se redressa sur ses coudes en poussant un léger cri :

– Tu m'as fait peur !

– Pardonne-moi, Mâ. Je venais te souhaiter une bonne nuit.

– Viens t'asseoir, ordonna-t-elle.

Je m'assis à côté d'elle, au bord du lit. À la lueur de la lampe, nos deux ombres se heurtaient et se croisaient au plafond, telles deux épées. Cédant à l'habitude, Dame maman posa sa main sur la mienne. Un attouchement guère plus pesant qu'une plume.

– Ils ont parlé de moi ?

– Non.

– Très bien, dit-elle en se recouchant et en se verrouillant les yeux.

Une minute ou deux, elle demeura silencieuse, comme occupée à une réflexion de fond. Soudain, ses sourcils se froncèrent, sa respiration se précipita.

– Qu'ai-je fait ? Qu'ai-je fait au ciel pour mériter une vie pareille ? gémit-elle.

– La vie…

– T'es sûre qu'ils n'ont pas parlé de moi, qu'ils ne se sont pas disputés ?

– Je n'ai rien entendu de tel.

– Il y a quelque chose là-dessous. C'est pas normal. Ou alors, ils ne m'aiment pas. Dire que l'autre voulait un enfant ! Un enfant ! Écoute-moi, Mégri, je les ai tous jetés ! Mais elle, la première, je ne l'avais pas encore tenue dans mes bras qu'ils me l'ont arrachée.

– De quel enfant parles-tu, Mâ ?

– De ma fille. Ta sœur aînée. Son père me l'a enlevée alors qu'elle venait à peine de naître.

Cette nouvelle éclata à mes oreilles. J'ignorais tout de l'existence de cette sœur. Je n'eus pas le temps d'interroger Dame maman, de connaître chaque maille de l'histoire, qu'elle repartait dans ses délires :

– Ils veulent me tuer, Mégri. Ils ignorent que je le sais. Mais, ma fille, c'est moi qui les enterrerai.

Brusquement, elle serra ses mains autour de ses bras comme pour les empêcher de s'envoler. Puis, lentement, elle les délia pour les porter à son visage, longtemps, longtemps. Elle poussa de longs soupirs, comme moi, au temps où le gosse-pas-méchant m'avait dit : « Demande à ta mère. »

– Jamais je ne permettrai à quelqu'un de te faire du mal, tu comprends, ma fille ? Personne ne t'enlèvera. Jamais ! Tu resteras toujours avec moi, hein, Mégri.

– Oui, Mâ.

– Et eux, tu penses que je peux les rendre heureux ? J'ai fait des efforts, ma fille… J'en ferai encore. Tu me crois ?

– Oui, Mâ.

Quelque peu soulagée, elle ferma les paupières et s'assoupit. Je restai longtemps à la regarder, m'interrogeant sur cette sœur dont jamais personne n'avait parlé… Qui était-elle ? Où ? Comment Dame maman avait-elle pu me cacher durant ces longues années un secret d'une telle importance ? Certes je la connaissais, Dame maman, la femme des fuites, un cerveau capable de rejeter tout ce qui le gênait. Un cerveau toujours rassasié, incapable d'emmagasiner la souffrance, les regrets, d'emménager des places pour demain, sans parler d'hier : « Non, merci, j'ai trop mangé, je ne peux plus rien avaler. » Ainsi fonctionnait-il. Je me jurai qu'un jour je profiterais d'une plage de trouble pour l'inciter à me dévoiler l'identité de cette sœur.

Quand je quittai la pièce, sa poitrine se soulevait, retombait, se soulevait, retombait.

Cette nuit-là, bien après que Dame maman se fut endormie, je quittai la maison. La lune avait jeté sur tout ce qui vivait une mince couche argentée. Sur la terre blanche, sur l'herbe folle, sur les haricots en branches, sur les épis de maïs, et même sur l'eau du puits que je voyais scintiller, scintiller en suivant dans un léger murmure son doux balancement dans sa chambre ronde. Tout était muet, calme et semblait en attente de quelque événement. Une vague impression, certes.

Derrière notre case, il y avait un champ étroit qui s'arrêtait contre un ruisseau. Au-delà un terrain marécageux où s'élevait, plus haute que les murs d'un temple, une muraille de végétation. C'était là où se ponctuaient mes questions, celles qui ne se posaient pas, celles secrètes que je ne poserais jamais à personne d'autre qu'à moi-même. Et là, contemplant l'immensité grandiose de la nature, je repensais à l'Étranger… Je repensais à ses mots, tombant comme une pluie de menaces. Peu à peu, je pénétrais totalement au cœur de ses paroles. Quelles menaces y régnaient ! Mais, au lieu de me faire peur, elles me fascinèrent. Même les roulements de tam-tam derrière des rideaux d'arbres m'arrivaient vaguement soutenus et planaient bien au-dessus de mes pensées.

Certes, l'Étranger ne m'avait pas regardée, ce qui outre mesure ne m'avait pas surprise. Que pouvait donc apporter une fille de seize ans, longue et plate, à un homme fait ? Oui, j'étais longue, plate et je me sentais laide. Mes yeux gris, dans un visage trop émacié pour mon goût, étaient faits pour regarder et non pour séduire. Non que je fusse incapable de lever le désir. Il est de notoriété publique que n'importe quelle femme peut trouver un homme avec qui coucher à condition de ne pas se montrer trop exigeante. Bien sûr, il y avait eu le fils Donga, le plus riche héritier du village, dont la mère Pauline se donnait des airs et nous faisait sentir sa différence de femme qui habitait une maison à étage.

Tout avait commencé dans la grange de ses parents, il y a quatre pluies, par le jeu de « papa et maman » de petits enfants, puis au fur et à mesure que nos désirs changeaient le jeu se modifiait aussi. Silencieux, primitifs, nous produisions nos propres faims, nous les assouvissions nus, sur le paillasson. Puis, peu à peu, ces rencontres devinrent notre raison d'être. La faim originelle nous tenaillait. La grange, lieu privilégié, ne nous suffisait plus car nous risquions d'être surpris à n'importe quel moment. Amour ? Peut-être. Comment expliquer autrement cet élan qui nous jetait désormais dans les bras l'un de l'autre, n'importe où, à tout moment, dans une plantation de canne à sucre, dans les bois, dans la rivière ? Erwing disait qu'il avait faim et soif de moi, de mes cheveux rouges, de mes yeux gris, de mes fesses de Négresse, petites et rebondies sous la cambrure des reins, de mes jambes longues et fines. Il avait envie de me pétrir, de m'investir, de me dévorer, presque. Il disait qu'il découvrait le bonheur, que j'étais l'autre lui égaré, qu'il rencontrait enfin… Avec frénésie nous redécouvrîmes ensemble une vallée où des cactus les plus prodigieux montaient la garde, panoplies de heaumes verts, coings rampants aux piquants cachés, lierres resplendissants, enchevêtrés en contrepoints et rythmes ambigus. Quelquefois, en riant, nous grimpions sur le sommet flamboyant d'un corrosolier à la crête couronnée de corrosols mûrs que nous mangions en défiant la garde des piqûres sanglantes. De là-haut, le visage extasié, nous dialoguions avec les astres. Et nous habitait alors l'impression de retrouver le paradis. Quelquefois encore, nous courions jusqu'à un marigot aux premières heures du matin, à l'instant où l'eau revitalisée de sa longue nuit fraîche offrait sa figure pure, cristalline. Nous ébattant à l'endroit où nous avions pied, nous nagions sans nous résoudre à rejoindre les rivages quand le moment était venu de le faire. Nous étions si heureux, si bien soûlés d'eau que nous avions la démarche des personnes en état d'ébriété. Alors, nous offrions nos corps nus au soleil qui commençait sa ronde matinale dans le ciel, à plat ventre sur les herbes folles ou étendus sur le dos, les bras en croix.

– Je t'aime, amour…
– Moi aussi, Erwing. Je t'aime.

Ainsi parlions-nous la dernière fois, allongés sur un matelas d'herbe, échangeant des baisers dans la figuration proche du paradis retrouvé quand Pauline Donga, la maman d'Erwing, était venue. Sauvage. Destructrice. La tête haute. La chevelure en forme de casque. L'œil farouche, glorieux. Son ombre imposante et grasse s'allongeait jusqu'à s'étendre sur l'eau. Son visage rond avait un air tragique et farouche de tristesse égarée. Elle était debout à nous regarder sans geste, pareille à la forêt qui nous entourait. Plusieurs secondes s'écoulèrent, pendant lesquelles elle semblait plongée dans une méditation sans fin. Puis elle fit un pas en avant, lança ses bras scintillants de faux diamants et de fausses émeraudes au ciel, avec le désir irrésistible de le toucher, et en même temps les ombres vives foncèrent sur la terre, balayèrent le marigot, nous embrassant dans une étreinte obscure.

– Comment oses-tu ? Et avec cette traînée...

Elle se détourna et s'éloigna rapidement, dans un balancement de pagne lumineux, poursuivit sa marche le long de la rivière et s'enfonça dans les buissons sur la droite. Une seule fois, elle tourna le regard sur nous dans la pénombre du taillis, pointa un doigt menaçant et disparut.

– Je ne comprends pas, dit Erwing. Ça me dépasse.

– Que va-t-elle faire ?

– Peu importe. Je lui dirai ce qu'il en est. Je veux que tu deviennes ma femme.

– Elle n'acceptera jamais !

– J'en fais mon affaire.

– Erwing...

– Je sais ce qu'elle pense. Mais rien ni personne n'y pourra rien.

Moi, je savais ce qu'elle pensait. Ses ancêtres avaient traversé la savane et avaient gagné la région à coups de lance et de flèche, délogeant les Pygmées et les autres Lobolobos qui fouinaient aux alentours. Suant sang et eau, ils s'étaient installés, avaient construit les premiers campements de la région dans les années 1580. La fortune de la famille avait été assurée par la capture d'esclaves qu'elle vendait aux Blancs et qui en échange lui offraient sel, tissus, bracelets, sans oublier le fameux whisky dont son arrière-arrière-arrière-grand-père se gavait et qui avait conduit la famille à la ruine. Mais, de cet aïeul, il ne fallait pas trop parler. C'était la honte de la famille. Mais n'est-ce pas le propre d'une famille digne de ce nom que d'avoir ses clochards, ses drogués, ses originaux, ses artistes et autres parasites encombrants ? N'empêche, elle était une descendante en ligne directe du premier Wuel, et pour elle les autres étaient des *ûlos*, des bêtes à servir que l'interdiction de l'esclavage avait élevés au rang d'êtres humains. Même son mari ne trouvait grâce à ses yeux que parce qu'il était riche. Dans ses moments de crise, elle ne pouvait s'empêcher de pleurer sur cette mésalliance avec un petit-fils de « maîtresse à petits cadeaux », né sous la bonne étoile et qui, non content d'avoir fait un beau mariage, lui menait la vie dure ! Et dans les réunions de femmes, partout où elle pointait sa silhouette d'oie gavée d'avoine, alourdie sous ses faux bijoux qui, partant de son cou boudiné, descendaient en cascade sur son ventre bedonnant, elle étalait sa généalogie, dotant tel aïeul de qualités dont l'excès même le rendait si ridicule que l'assistance partait dans de gros rires amenant la colère à ses yeux et rarement, très rarement, un peu de violet à ses joues.

– Elle ne te laissera pas faire…

Je le savais – j'en étais sûre. Il le savait – il en était sûr. Je me cachais le visage dans les mains et pleurais. Il me semblait que le ciel nous tomberait dessus. Mais rien ne vint. Le ciel ne s'écroule pas pour de pareilles broutilles.

Flairant plus qu'une attirance physique entre nous, Pauline Donga convainquit Donga père d'envoyer son fils faire des études en ville avant qu'il ne soit entraîné dans la débauche et la délinquance. Mais auparavant, elle fit résonner dans le village ce qu'elle qualifiait de « honteux » dans mon comportement. Chez l'épicier lobolobo où les femmes s'approvisionnaient de sardines à l'huile venues de France, entre deux achats, elle racontait l'épisode du marigot, me faisant apparaître comme une précoce nymphomane.

Du coup, l'incident devint le sujet de conversation préféré de notre petite communauté ; aux champs où les femmes se réunissaient tantôt dans la plantation de l'une, tantôt dans celle de l'autre, on s'arrêtait entre deux coups de houe, on piétinait sur place pour raconter l'histoire jusque dans les détails, en ajoutant, si besoin était. À l'église, le père Humbala, entre deux sermons, y fit même allusion. À la fin de l'office, il me prit à part et me conseilla de laisser mon vase de chair libre, pour que dégoutte le sang offert par la lune. Ainsi devrais-je me tenir désormais, seule et tranquille, autour de ma propre chaleur en attendant qu'un homme de mon rang achète mon ventre et en jouisse. Voilà qu'arrivait cet Étranger. Et mes pensées oscillaient soudain dans le défendu. Que me recelait le futur sur cette immensité terrestre ? Je poussai un profond soupir et, lentement, je me levai et me dirigeai vers la case, vers Monsieur mon lit.

Des bruits inhabituels me tirèrent de mon sommeil dès l'aube. Halètements et chuchotements, halètements et murmures. Je quittai ma chambre en courant. Ils auraient dû entendre mes pas, mais non, rien. Au-dessus de la table, s'amoncelaient les restes du repas d'hier que personne n'avait enlevés. Dame maman était assise sur une natte, jambes croisées, tête penchée en avant. Elle était triste comme je n'avais encore jamais vu personne, même pas moi, il me semble, même pas ce matin terrible où elle m'annonça : « Mamy nous a quittées, Mégri. »

À côté d'elle, vêtu d'une djellaba bleue, le Pygmée lui tenait une main et la caressait. Le spectacle de ses doigts allant et venant sur sa peau était tellement merveilleux que me saisit une colère identique à celle que je ressentais toujours quand Dame maman faisait ou pensait quoi que ce soit d'où j'étais exclue. Je la vis lever la main, l'approcher du visage du Pygmée. Elle se mit à lui caresser la joue, avec une distante tendresse, comme on caresse un enfant pour lui signifier qu'on est content de lui. Ils sursautèrent lorsqu'ils se rendirent compte de ma présence.

– Quelque chose ne va pas ? demandai-je à brûle-pourpoint, consciente que dans ma famille il y avait des cycles réguliers, d'absence et de présence où il valait mieux que je ne sois pas là.

Alors, si j'interrogeais mes parents, ils ne me répondaient pas. Ou bien ils n'étaient pas très diserts et je finissais par deviner, par bribes, un peu de ce qui s'était passé avant mon enfance, leur adolescence, les premiers élans. Ils avaient créé tous les trois une sorte de pays intermédiaire, un royaume bâtard où ils s'étaient installés. Et j'ai compris très tôt qu'il me serait difficile d'entrer dans ce pays-là. Il me fallait être patiente, attentive, recouper des confidences pour reconstituer le passé.

– 666 est mort ! dit le Pygmée.

– En quoi cette mort nous concerne-t-elle ?

Il haussa les épaules et les laissa retomber.

Je tournai les talons et sortis. Le bon Blanc n'était pas arrivé, ou alors il attendait quelque part dehors. J'allai le chercher, tablant sur le fait que, loin des deux autres, il aurait pu m'expliquer. Je m'arrêtai pour regarder une sauterelle aller de feuille en feuille, de brindille en branche jusqu'à ce que je la perde, et même alors je continuai à marcher à reculons, espérant encore l'entr'apercevoir.

Je finis par me retourner et courus jusqu'à sa case. Debout devant une glace, il se rasait. Quand mon visage rejoignit le sien dans le miroir nous nous dévisageâmes.

– C'est toi, c'est toi qui l'as tué, je le sens.

– Qui ?

– J'ai vu à ton visage que tu le haïssais.

– Pas pour les raisons que tu crois.

– Lesquelles ?

– Il était témoin. Si je l'avais voulu, je l'aurais tué ! Mais ma haine n'était pas assez tenace ! Il n'était que le larbin du Blanc !

– Le Blanc qui était mon père, n'est-ce pas ?

– Attention à ce que tu dis, petite, dit-il en me saisissant brusquement par le bras.

Et, me dégageant, je courus le plus loin possible, dans la forêt, à l'endroit où le marigot chantait et m'assis. Là, seule, enveloppée de solitude, je me demandai si je ne m'étais pas trompée. Après tout, comment deux hommes, normalement constitués, auraient-ils pu accepter qu'une telle chose se produisît ? Je savais que la rivière était l'endroit où Dame maman, se faufilant hors de la maison paternelle, dans l'après-midi, au moment où sa mère et sa grand-mère avaient la garde basse, venait retrouver l'homme blanc. À l'heure creuse, quand on embrayait sur les occupations de la soirée. Non ! Impossible qu'il fût mon père. Je l'aurais su.

Certes, il fut un temps où j'aurais aimé en savoir davantage, où j'empruntai des chemins qui menaient à la vérité, à écouter la vérité, encore et encore… Mais, à chaque carrefour, je rencontrais le mensonge tant et si bien que j'avais fini par le connaître de l'intérieur. Oui, j'étais devenue le mensonge, lourde et envasée comme lui, et j'étais décidée à me laisser bercer dans ce prétendu amour que mes parents me vouaient, dans leur musique à charmer les sourds, leur Mégrita chérie, œuvre exceptionnelle, née de deux pères. Mais désirais-je vraiment que les choses changent ?

Je m'apprêtai à m'en aller quand, sorti *le diable seul savait* d'où, le visage de la Moissonneuse-du-mal se refléta dans l'eau. Je sursautai et eus juste le temps de me hisser sur mes talons qu'elle disparaissait au milieu des mètres d'eau.

Perturbée, je pris le chemin du retour, décidée à chasser à jamais de ma tête ces idées vagabondes, ces sentiments bizarres et terrifiants à propos de ma naissance et qui se rassemblaient en nuées serrées dans mon crâne. Coupant à travers champs où les grillons s'égosillaient, où le ciel dépouillé d'azur était blanc de chaleur, dès neuf heures du matin, je me retrouvai devant la maison du chef.

Là, un spectacle inouï m'attendait. Le village semblait s'y être donné rendez-vous. Hommes, femmes et enfants se tenaient en haie serrée dans la cour. Il se dégageait de là une odeur de fleurs pourries qui faisait tourner la tête mais n'éteignait en rien l'ardeur des villageois. Ils étaient là, en grappes, par familles entières, piaillant d'une voix aiguë.

On racontait que 666 avait été renversé par une voiture alors qu'il marchait tranquillement sur un accotement herbu, que ses bourses, *le diable seul savait* comment, avaient été retrouvées à dix kilomètres du lieu de l'accident et que tout cela ne pouvait que provenir du mauvais œil, que ce mauvais œil était engendré par l'Étranger, qu'ils le savaient de source sûre car il avait prédit hier qu'il y aurait mort d'homme, qu'ils avaient envoyé chercher la Prêtresse-goitrée pour désamorcer le mal.

Debout sous la véranda, l'Étranger se tenait impassible. Un homme lui cracha au visage mais son mépris fut désamorcé par les traces d'aliments sur son boubou, le trou à son pantalon et le rendit inoffensif. Un autre lui cingla le dos à l'aide d'un fouet. L'Étranger ne broncha pas. Il se contenta d'attraper le fouet d'une main et de repousser son agresseur qui se retrouva dans les bras bouffis de sa femme. Tout le monde éclata de rire. L'atmosphère se détendit. Alors que quelques instants auparavant on l'accablait d'insultes, certains envisageaient déjà la possibilité de lier connaissance. Quand la porteuse d'eau fit circuler à boire dans la foule assoiffée, un homme tendit sa calebasse à l'Étranger.

Excitée jusqu'au vertige à la pensée de tout ce qui allait suivre, je parvins au premier rang.

– Ah ! voilà un visage ami, dit l'Étranger en me voyant. Alors, Mégrita Mballa, d'après toi, suis-je un espion ou pas ? me demanda-t-il.

« Oh » fut le seul mot que je réussis à prononcer. Il connaissait mon nom, en entier, *le diable seul sait* comment. Titubant telle une femme qui a bu du champagne alors qu'il n'y avait rien à fêter, la respiration courte, je reculai de deux pas.

– Elle le connaît ? interrogea une dame du samedi soir, courte sur pattes.

– C'est son troisième père, se moqua quelqu'un dans la foule.

– Pauvre con ! hurlai-je au comble de l'exaspération.

– Et elle ose m'insulter ! vociféra un homme en fendant la foule.

C'était Zambo, un gaillard trapu qui avait fait un temps à la ville et qui disait être capable de piloter un avion d'une main. Pendant de nombreuses années, il y était resté et, traînant de boîte en café, sans travail, il était revenu chez nous. Vêtu comme un Blanc, il parlait de la même manière qu'eux, riait de leur rire et utilisait son corps de la même façon, jusqu'à sa démarche, la manière dont il bougeait ses mains, soupirait par la bouche, tenait la tête.

Et, tout en se frayant un chemin dans la broussaille humaine, il cria :

– Je veux des excuses !

– Non ! hurlai-je en serrant mes poings et en les plantant sur mes hanches.

– C'est ce qu'on va voir, dit-il en bondissant vers moi.

– Je vous fais des excuses pour elle, dit l'Étranger en s'interposant entre lui et moi.

– Vous ne pouvez pas faire ça. Vous ne pouvez pas vous excuser pour quelqu'un d'autre. C'est à elle de s'en charger.

– Voyons, monsieur.

– Elle est mal élevée !

– Vous êtes aussi méchant qu'elle.

– Merde !

– Quoi ?

– Merde ! Merde ! J'ai dit merde ! D'abord je me fais insulter une première fois par cette espèce de bâtarde à la peau rouge à qui personne n'a cru nécessaire de donner une éducation de jeune fille. Ensuite je me fais insulter une deuxième fois pour avoir demandé qu'on me présentât des excuses.

– Elle ne vous a pas insulté.

– Écoute-moi ça ! Je ne suis pas sourd, espèce de charlatan. J'ai fait des études supérieures, j'ai été à l'université et c'est pas un n'importe quoi qui viendra me dire ce qui est une insulte et ce qui ne l'est pas. Ces gris-gris et compagnie ! Des bobards !

– Vous croyez ?

– Je l'affirme !

– Alors, monsieur l'intello. Expliquez-nous pourquoi vous portez un collier de cauris sous vos pantalons ? N'êtes-vous pas en profonde contradiction avec vos théories rationalistes ? Ne niez pas. C'est votre oncle qui vous l'a donné sur son lit de mort.

Zambo baissa la tête, troublé. Il n'était certes pas affecté mais plutôt gêné par la perspicacité de l'Étranger. Comment aurait-il pu savoir qu'il portait sur lui un collier de cauris ? Il dit que ce n'était pas parce que cet homme savait l'existence du collier de cauris qu'il fallait lui conférer un pouvoir surnaturel. Peut-être l'avait-il guetté un jour à son insu pendant qu'il se déshabillait. C'était possible, plausible même. Il restait un point sombre : à savoir comment l'Étranger connaissait la provenance de l'objet.

– Vous désirez savoir sans doute de quelle façon je sais que c'est votre oncle qui vous a offert les cauris, eh bien sachez que...

Il se tut, regarda autour de lui avec inquiétude, puis se pencha jusqu'à avoir sa bouche sur les oreilles de Zambo et lui chuchota quelque chose. Zambo du noir vira au gris. L'Étranger eut un sourire bizarre, comme de triomphe mêlé à un peu de gêne...

L'un des jumeaux suivit avec une attention particulière la dernière scène. L'œil rond, les oreilles aux aguets, il tentait de capter le moindre mot, le moindre son, le moindre indice qui le mettrait sur la voie de ce qui était dit dans le plus complet des secrets. Il avait dû ne rien entendre et cela se voyait au tremblement de ses lèvres, aux veines de son cou qui doublaient de volume pour mieux cracher leur mécontentement. Et le voilà qui met son exaspération en scène, les mots tombent, provocants :

– On trame des complots contre le peuple, et ça jumeau Dongo ne peut le supporter.

– Oui, reprit son double, on manigance des choses contre le peuple, devant lui. Le peuple a besoin d'explications claires et nettes.

L'Étranger eut un bref instant de rire diabolique. Il se tourna vers les jumeaux, les toisa puis, d'une voix coupante qui fit courir un frisson d'angoisse dans la foule, il dit :

– Le peuple n'a rien demandé de tel que je sache. Mais soit : prenant à cœur votre souhait à tous deux de ne rien cacher au peuple, je vais donc faire des révélations, mais permettez-moi, messieurs, pour commencer, de vous poser une question.

– À votre disposition, dirent les gémeaux, moqueurs.

– Jumeau n° 1, celui que tes parents appellent le Perroquet, peux-tu me dire où tu étais hier soir quand tu m'as quitté chez le chef ?

À cette question, pour le moins déplacée, le jumeau, celui qu'on appelait Dongo, dit le Perroquet, changea de tête. Il eut celle d'un énorme sanglier. Ce phénomène dura quelques secondes à peine, ce qui donna l'impression que nous avions eu une vision collective. Mais, même quand il prit la parole, sa voix, elle, ressemblait étrangement à un grognement de truie.

– Mon frère avait rendez-vous chez le préfet de la sous-section de Sâa, dit l'autre jumeau, l'air hautain. Et si c'est à ce propos que vous voulez révéler des choses, je trouve cela franchement déplacé.

– Ne vous inquiétez pas, dit l'Étranger. Je ne parlerai pas de cette personnalité que votre frère n'a jamais rencontrée de sa vie, n'ayez crainte, cher ami. On vous a menti, honteusement menti. Hier soir, votre frère a été voir l'enfant qu'il eut avec une Nanga du nom de Kalanga, prostituée notoire, qui travaille chez Regine à Sâa. Et cette randonnée dura plus de trois heures.

– Atétééé! cria, de la foule, une voix empreinte de douleur feinte.

– Il lui a même demandé de l'épouser en secondes noces, continua l'Étranger. Pendant ce temps, toi le second jumeau dit le Lièvre, tu étais chez la sœur de ta femme qui est la femme de ton frère et vous avez fait des choses que font d'habitude un homme et une femme quand ils s'aiment.

– Ikékélékélé! s'étonna un monsieur Lamda, étranger à l'histoire, en claquant dans ses mains.

– C'est donc ça! cria le jumeau dit le Perroquet en filant une gifle retentissante et inattendue à son frère.

– Comment oses-tu! cria la femme du Lièvre en administrant un coup de pied magistral à son beau-frère. Espèce de porc!

– Laisse mon mari tranquille, tricheuse, dit l'épouse du Perroquet en empoignant sa sœur qui est aussi sa belle-sœur.

– Place à la bagarre! place à la bagarre! hurla un homme.

– Au ring, encouragea un autre.

Déjà la foule s'écartait, faisait la ronde pour laisser plus de place aux protagonistes. Les choses auraient pu aller plus loin si l'Étranger n'avait posé une main apaisante sur l'épaule de la femme du Lièvre et ne lui avait dit sur un ton empreint de compassion :

– Mais, madame, ce n'est pas avec la feuille de manioc mélangée à un peu de terre de cimetière subrepticement glissée dans la nourriture du mari volage, qu'on arrive à lui faire oublier ses escapades. Mais... (Il eut un instant d'hésitation avant de continuer :) Il faut aller cueillir du miel frais, le mélanger avec un zeste de jus de canne à sucre et l'enfoncer là où vous savez avant toute relation avec votre mari. Alors, croyez la parole d'un homme qui sait, il ne vous trompera plus. Voilà, cher peuple, ce que je suis capable de faire ou de dire !

– Bravo ! cria quelqu'un dans l'assistance.

– Bravo ! reprit en chœur la foule en tapant dans ses mains !

– Qu'est-ce qui se passe ici ? interrogea d'une voix atone le chef qui fit son entrée en scène, accompagné de la Prêtresse-goitrée.

Les yeux se braquèrent vers les nouveaux venus. Chacun présenta au chef ses vœux de longue vie, une main posée sur le cœur. L'Étranger, sans un regard pour le chef, se dirigea illico vers la sorcière, les bras grands ouverts, les yeux pétillants de joie des retrouvailles.

– Mais voilà ma vieille amie de toujours ! dit-il, en la serrant tout contre lui à l'étouffer. Comment allez-vous depuis la séance de la grotte ? Ne dites rien, laissez-moi vous regarder. Hum. Hum.

Il l'inspecta des pieds à la tête, plusieurs fois. La Prêtresse-goitrée se troubla mais ce trouble fut de courte durée et ne fut perceptible que de l'Étranger qui l'épiait de son regard froid et tranquille. Comme la plupart des gens de son espèce, elle avait un grand contrôle sur ses émotions. Elle ne connaissait pas l'Étranger et n'avait même jamais entendu parler de lui, du moins elle ne s'en souvenait pas. Je savais qu'elle pensa à part elle qu'elle profiterait d'une occasion pour l'interroger habilement sur les jours et lieux où ils se seraient rencontrés. Elle avait pu apprécier d'un seul coup d'œil que cet Étranger était peut-être dangereux. Il avait en peu de temps réussi à canaliser la violence du peuple qui l'écoutait, comme si ses paroles étaient lames sous les gorges de la vie. Ce peuple, elle avait eu le contrôle de sa destinée jusqu'ici par le biais de ses gris-gris, de ses fétiches et de son influence sur le chef.

Il faut dire que c'était une petite femme au corps aussi sec que sa langue et qui promenait son énorme goitre menaçant devant elle et distillait la terreur. Elle aurait déplu à d'autres qu'à moi. Tout son visage, d'ailleurs fort sec, était sillonné de rides, surtout autour des lèvres qu'elle avait minces et pointues. Il ne lui restait que quelques touffes de cheveux qu'elle s'amusait à aplatir à la chaux. Les ailes de son gros nez battaient constamment comme si elles savouraient quelque triomphe invisible. Une âme malveillante selon toute apparence. Elle s'était autrefois mariée avec un aventurier espagnol qu'elle avait envoûté et s'en était allée jusqu'à la plus radicale des dissimulations : la disparition physique. Il l'avait exhortée a ne plus se soumettre à des pratiques contraires à la sacro-sainte Église catholique apostolique. Il menaçait d'apporter de l'eau bénite à la maison, ce qui aurait pour effet de tuer ses pouvoirs occultes. Mais la Prêtresse-goitrée, capable de toutes les ruses, meurtrie des expériences avec d'autres hommes, s'en débarrassa pour ne plus avoir à redouter ses ordres : elle l'avait tué ! Mais ça, je n'aurais pu le certifier, ce sont des ouï-dire, puisque certains affirmaient qu'il avait quitté le village sous l'escorte de plusieurs policiers.

On racontait également qu'elle gardait cloîtrée dans une chambre, sous son lit, empli de cornes de rhinocéros et de crânes humains, une fille qui vraisemblablement était l'œuvre du diable. Certains prétendaient l'avoir entr'aperçue, durant des nuits sombres, se glissant furtivement dans sa maison.

Mais toujours est-il qu'elle organisait, les nuits de pleine lune, des messes noires dans la clairière, près de la rivière, là où les spores des fougères bleues poussent dans les creux, le long de la berge. Et là, entre les ronces hérissées d'épines sanguinaires grosses comme un couteau, les odeurs d'encens, les pluies de riz et les sacrifices de coq, il lui était facile de faire croire un instant à tout ce peuple hébété qu'il avait un futur. Et toujours, cela commençait de la même façon : chaque mois, à la lune pleine, entourée de ses neuf nains, elle allait prendre place au milieu des fougères bleues tandis que les gens attendaient parmi les arbres.

Après avoir sacrifié un coq rouge, la Prêtresse-goitrée courbait la tête et priait en silence. L'assistance l'observait depuis les arbres. Ils la savaient prête lorsqu'elle levait les bras au ciel. Alors elle s'exclamait :

– Venez à moi, enfants du monde !

Et les enfants sortaient des taillis et accouraient vers elle. Un à un, elle leur versait une goutte du sang de coq dans les cheveux.

– Que vos parents n'aient jamais à souffrir de vous !

– Oui, Mâ, répondaient-ils et, devant ce cri d'obéissance, les adultes ne pouvaient s'empêcher d'esquisser un sourire de satisfaction.

Et les enfants partaient.

Elle disait :

– Que les femmes s'avancent !

Une à une, elles sortaient à l'abri des arbres.

– Les dieux aiment votre corps, aimez-le ! Offrez-le aux hommes, vos dieux humains, pour qu'ils l'aiment ! Laissez-les se frotter à vous sans dégoût ni rébellion car leur dos, leur cou ont besoin de se reposer et de danser sur vous ! Donnez vos ventres aux dieux pour que naisse leur peuple. Et maintenant, oubliez-vous !

Et les femmes laissaient choir au sol qui pagne, qui boubou, qui robe, et se tenaient droites.

Elle criait : Que les hommes aiment et caressent ces chairs qui leur parlent. Et sans autre cérémonie, les hommes lâchaient leurs désirs. Et c'était ainsi : les enfants partaient, les hommes aimaient les femmes jusqu'à ce que repus, épuisés, les uns et les autres gisent, moites et hors d'haleine.

Sans se forcer, elle était devenue le genre de femme qui pouvait briser un foyer, le construire, ou détruire une réputation. Elle prédisait l'avenir, les catastrophes, les naissances. Dès huit ans, toutes les jeunes filles du village étaient soumises à ses consultations pour faire foi de leur virginité. J'avais quant à moi expérimenté la chose, à cet instant où elle m'avait obligée à me déshabiller et, d'un doigt à l'ongle racorni, elle m'avait pénétrée pour constater, preuve à l'appui, qu'aucun homme n'avait déchiré mon hymen, bafouant par là même mon honneur. J'en avais éprouvé tant de honte que dès lors la seule vue de sa maison alimentait mon corps d'horribles frissons.

Maintenant, dans la cour du chef, face aux villageois, elle jaugeait l'adversaire, l'Étranger.

Elle lui sourit.

– Pardonne-moi, mon ami, de ne pas t'avoir reconnu tout de suite. Mais donne-toi donc la peine de venir jusqu'à ma cabane partager mon vin.

– Certainement pas, dit l'Étranger en ricanant. Tu ne me connais pas, moi si. Et tu veux aller me faire boire ton poison qui délie la langue. Je refuse d'entrer en guerre contre toi car je suis le plus fort.

Devant tant d'insolence, les lèvres de la Prêtresse-goitrée tremblèrent d'indignation. De sa main tremblotante, elle leva sa canne noire et frappa la tête de l'Étranger. Chose bizarre, c'est elle qui poussa un hurlement et s'effondra, assommée.

– Houuuuuu ! se moqua la foule.

– Mes chers amis, dit-il, tranquille, comme si toute cette scène n'avait pas eu lieu, chantez donc pour la gloire de notre chef dont le pouvoir illimité, la bonne volonté, le courage, l'intrépidité ont permis au village devant son gouffre de faire un bond en avant. Chantez pour lui, ordonna-t-il.

Oh, vénérable, chef, berceau de nos rêves
que le crépuscule ni la brume ne t'arrête
Jusqu'à nos cœurs apporte la paix
Nous sommes dans le jour qui tombe
le cercle de fer autour du cou
Étends tes mains apaisantes et tendres
Oh, vénérable chef, nid de nos libertés.

Je ne saurais dire si cette chanson a vraiment existé, mais je sais que nous l'avions chantée en chœur comme si nous la connaissions depuis toujours. Mais quand les enquêteurs débarquèrent au village pour faire le point sur cette histoire, personne ne sut retrouver ces paroles, comme personne d'autre, en dehors de moi, ne put donner une description exacte de l'Étranger. Mes compatriotes étaient comme fermés à toute représentation de cet homme. Mais ce qui me surprit, c'est qu'il leur restait la certitude qu'il avait été là, qu'il avait habité notre village des mois et des mois durant, et qu'ils répétèrent inlassablement aux enquêteurs cette certitude en y revenant par toutes les ruses, toutes les obsessions comme des possédés. Mais ils ne purent rien décrire, se contentant d'énumérer son sexe, sa nuque, ses jambes, ses aisselles. Étrange. Toujours est-il que, ce jour-là, en ce deuxième contact avec cet homme qui demeurera fermé, retourné à la nuit, quand nous cessâmes de chanter, l'Étranger ainsi que le chef avaient disparu.

Les villageois parlèrent longtemps de cette histoire. Le chef, on ne sait pourquoi, installa l'Étranger dans la case attenante à la sienne. Ce qui, bien évidemment, ne plut pas à tout le monde. Durant les saisons qui suivirent, des bruits coururent qu'il causait des méfaits. Zambo, le seul homme à qui il avait chuchoté *le diable seul sait* quoi à l'oreille, décida un matin d'aller en ville signaler ces bizarreries aux autorités. On le vit partir, mais il ne revint jamais. Certains prétendirent qu'il avait renoncé à son dessein et que, craignant les remontrances et la colère de l'Étranger, il avait décidé de ne plus poser les pieds au village. D'autres dirent qu'il fut envoûté et envoyé au kong[1] par l'Étranger. Un voyageur qui s'arrêta deux jours au village prétendit l'avoir vu à la frontière gabonaise, totalement méconnaissable, la bouche déformée, le dos strié de fouet, la peau blanchie et qu'il travaillait dans un chantier, au pays des maudits, là où le pépé-soupe cuit tout seul, où le fourneau brûle nuit et jour. Qui l'avait expédié là-bas ? interrogea-t-il une fois son récit achevé. L'Étranger, s'exclamèrent les villageois ! Le causeur des méfaits. On racontait que, durant les nuits de lune pleine, il avait des rapports sexuels diaboliques avec les femmes, ce qui expliquait le nombre croissant de fausses couches et la mortalité infantile qui allait grandissant, les divorces, les querelles de famille. Les femmes perdaient la tête. Elles étaient toutes brûlantes d'amour et de passion. « Quel homme ! » avaient-elles coutume de dire, en jetant des regards méprisants sur leurs maris qui se curaient les dents pendant qu'elles sarclaient, bêchaient. Elles lui faisaient parvenir, dans des paniers en osier, des gâteaux de pistache, d'arachide et de miel. Certaines y glissaient leurs dessous. Et lui, une fois repu de toutes ces odeurs intimes, il les suspendait sur le corrosolier, dans sa cour.

1. Monde des morts-vivants.

Seul le diable savait pourquoi, le village était en ébullition. Mes compatriotes épousaient la métamorphose, changeaient dans leur comportement, leurs manières d'agir. Ils se trahissaient, brandissaient eux-mêmes les corps coupants de la lame qui les égorgerait. Les secrets d'alcôves s'installaient au grand jour, sur la place publique, comme s'il s'agissait d'affaires d'ordre général. Voleurs, violeurs, enculeurs se dénonçaient d'eux-mêmes. Tout acte commis par un individu, même dans le plus grand des secrets, était aussitôt su par toute la communauté. On vit une femme qui avait trompé son mari ouvrir grande la porte de sa chambre et y faire pénétrer les voisins pour qu'ils se rendissent compte des faits. On eût dit qu'un esprit malin sillonnait le village et exacerbait les méfaits. Dans ma seule famille, les événements qui se déroulèrent l'ébranlèrent avant de la détruire complètement. Peut-être est-ce là l'une des raisons qui m'ont poussée à m'installer à Paris ? À moins de commencer par l'argent. Non, d'abord les premières raisons qui m'ont incitée à quitter mon village. En fait, j'aurais pu rester sous mes cocotiers et regarder des cartes postales en imaginant Paris, ses monuments, ses cafés, ses intellos, fantômes attachés à leurs frivolités mondaines, ses élégantes croquis sur pattes, ses bourgeoises caniches en laisse, l'eau de mer dans la cervelle et Picasso à la bouche et qui vous en disent plus long sur telle récente découverte que le savant lui-même. Mais, au fil des ans, tout alla de bien en mal et ne cessa d'empirer.

L'école et ses longs trajets qui, à force, avaient fini par transformer la plante de mes pieds en peau de crocodile.

L'école et sa toiture de tôle ondulée, brûlante de soleil, ses murs étouffants d'humidité, ses murs gris, lézardés, dont la seule vue me donnait des envies de sieste.

À l'école où la mère supérieure soupirait de regret devant mes cheveux rouges en m'écoutant débiter des

« notre père » inachevés d'une voix si nonchalante qu'elle allait s'asseoir en bâillant. Force m'est de reconnaître qu'elle se donnait du mal. Quelquefois, dégoulinante de sueur dans sa longue robe de nonne, elle se traînait au tableau noir, accroché en haut de l'estrade qu'elle enjambait en relevant ses jupes haut sur ses mollets bien blancs, elle écrivait de longues phrases, en capitales, faciles à déchiffrer. Je la regardais, les yeux peints d'un sentiment qui semblait être de l'humilité, mais qui n'était en réalité qu'une simple curiosité. Je regardais ses chevilles blanches, ses mollets où poussaient de fins duvets blonds, je relevais doucement mes yeux sur ses genoux et continuais mon inspection, les cuisses, les hanches, le ventre, la poitrine, les seins où ils se rivaient comme pour en épouser les contours mous.

— Allons, mon enfant, disait-elle, fais un effort.

— Oui, ma mère.

Je laissais passer quelques secondes, les bras croisés dans l'attitude de l'élève modèle, les yeux fixes, j'ouvrais grand la bouche, je faisais comme si, d'un moment à l'autre, j'allais sortir les mots, comme ça d'un seul jet, sans contrôle. Et, entre des hoquets, des bégaiements, je me rendais compte qu'ils ne se décidaient pas à sortir, que je ne savais rien. Et mes grosses lèvres se refermaient, sèches. J'aimais dessiner.

— Reprenons ! tonnait-elle.

Et elle reprenait en solo… Et moi, pas une syllabe !

— Quelle conne ! pensait-elle, puis elle tournait vers moi des yeux débordants de compassion et disait : Ça ne fait rien, petite, Dieu ne t'oubliera pas.

L'école encore. Bulletins. Assauts de zéros. Parfois, hypocrites, l'air brodés au point de tige sur ma copie. Parfois, dictateurs, jumelés en cercles rouges. Démons familiers, ils m'accompagnaient partout, me persécutaient et symbolisaient ma tendance à être une teigne. Je les appelais Boblogang. Je me les représentais sous l'aspect de deux petits nains, aux longs boubous blancs qui faisaient la ronde autour de moi et s'efforçaient de me faire trébucher pour me couvrir de baisers rougeoyants, plus accablants, plus implacables qu'un soleil torride.

L'école et les autres gosses. Ils me harcelaient. Mes cheveux rouges, disaient-ils, les aveuglaient. Ma famille bizarre était sujet de raillerie. Ils me persécutaient. Au début, ils m'insultaient et, comme j'avais plus de gueule que de muscles, je me couchais par terre, le rouge de ma chevelure renversé, je me bouchais les oreilles en attendant qu'ils se calment. Mais, avec le temps, comme je redoublais ou triplais chaque classe, je me retrouvais la plus âgée, la plus forte. Après deux ou trois gifles à quelques-uns d'entre eux, ils comprenaient et me laissaient tranquille.

L'école et ses commentaires à la langue sévère. N'eût été mon papa pygmée et son fric, on m'aurait flanquée plusieurs fois à la porte. Mais, Dieu faisait des pieds à l'argent. Je passai trois fois mon certificat d'études primaires. Sans succès. Découragée, je décidai malgré les pleurs de Dame maman et les remontrances de mes pères qui prétendaient que le certificat d'études c'était l'avenir assuré comme secrétaire du maire de Sâa, je décidai d'abandonner les livres aux ânes.

Je devais avoir seize ans, si j'en crois le nombre de fois où j'ai eu mes règles. Elles se pointaient avec la minutie d'une horloge le vingt-sept de tous les six mois et demi. J'étais amoureuse de l'Étranger. Et cette constatation ravivait des blessures anciennes. Erwing qui, sous les injonctions de ses parents, m'avait abandonnée, oubliée. Cet arrachement, il m'arrivait de l'éprouver encore, d'une vivacité inaltérée, à des moments où, dérivant sans ordre aucun, mes pensées me ramenaient à des souvenirs anciens. Je me sentais blessée, bafouée, trahie, égarée de m'être laissé subtiliser un fragment de ma substance, dont l'absence se communiquait à ma chair tout entière.

J'avais peur d'une nouvelle séduction qui inexorablement conduirait à l'abandon. Dans les premiers temps où je m'aperçus que j'aimais l'Étranger comme beaucoup de femmes du village qui étaient tombées telles des mouches foudroyées sous ses sortilèges, je m'enfermais dans ma chambre, le croquais, le ressuscitais ainsi patiemment, page à page. Procédant à la manière d'un peintre, je le reconstituais à travers les photographies de ma mémoire, lui donnais une vie, des amis, des femmes qui l'avaient connu, des maîtresses passées dont j'étais jalouse. Ainsi, Erwing cédait le pas à l'Étranger, un jeune homme mi-prince, mi-bâtard mais terriblement humain.

Il avait un nom à présent et des prénoms minutieusement choisis par mon imagination fantasque, cet Étranger Jean-Pierre-Thierry-Jacques et John pour les femmes qui s'étaient agglutinées dans son lit semblables à des Papillons autour d'une lampe.

J'avais tapissé ma chambre de ses portraits retracés grâce à ma mémoire farouche de femme amoureuse, foudroyée par le charme d'un homme venu *le diable seul savait* d'où. Sur l'un, je l'avais dessiné le visage métamorphosé par un sourire de malice et d'intelligence qui l'illuminait jusqu'aux yeux d'un plaisir d'enfant.

Immobile, les bras croisés, la tête penchée vers la fenêtre, j'imaginais son rire jaillissant, son rire si communicatif qui avait frappé la mémoire de tous ceux qui le connaissaient, ses femmes, ses maîtresses, ses amis, que chacun évoquerait longtemps, bien longtemps après sa mort, un rire qui le soulevait comme une vague, cette jubilation qui courait par les muscles et les veines, coulant comme le fleuve après la retenue du barrage. Sur le mur, près de mon lit, j'avais punaisé un dessin de lui, celui que je préférais entre tous, voluptueusement allongé sur un lit, les joues ravagées par une barbe de plusieurs jours, l'air las, le regard interrogateur, un léger sourire sur les lèvres. Ce dessin me paraissait vivant, il irradiait l'air d'une vibration mouvante, persistante. Il parlait, bougeait, souriait. Le soir, au moment de dormir, il se détachait du mur, s'approchait de moi, harmonieux dans sa virilité, me prenait dans ses bras. À la fois terrifiée et ravie, je me soumettais à ses désirs, à sa sensualité dévorante, à ses fantasmes érotiques. Par moments, sa possession était brève et brutale. À d'autres au contraire, ses longues caresses préliminaires, ses baisers passionnés, ses attouchements précis me faisaient dériver dans les eaux troubles du plaisir.

Quand je me réveillais aux premières lueurs du jour, le portrait avait regagné sa place. Mais ses yeux, eux, semblaient détailler ma nudité avec une avidité si évidente que, frissonnante, je ramenais les draps sous mon menton.

Persécutée jusqu'à l'obsession, je ne mangeais plus, dormais peu, requise tout entière par l'Étranger qui, dès que je passais le seuil de ma chambre, me suivait et me prenait la main. On allait ainsi, sillonnant Wuel, lui à mon côté, sa main dans la mienne ; que j'essuie la sueur sur mon front, que je réajuste ma robe, que je lance un coup de pied dans les cailloux ou me penche pour lacer mes sandales, il me tenait la main. Je me dis que c'était bon signe. Une vie. Peut-être.

Me réveillant un matin de juin, je décidai de matérialiser notre relation. La température était douce. Les rayons de soleil sortant d'un long sommeil étaient bas. Dans la cour, des vieilles roses plantées douze ans plus tôt par Dame maman achevaient de mourir. Dans les concessions, des gosses nus couraient, riaient, criaient, se lançaient des pierres et des tomates pourries... Des hommes partaient au champ, des pieux sur les épaules. Les porteuses d'eau, les bébés dans le dos, s'en allaient vers le marigot, des bassines en équilibre sur leur tête. Déjà, certaines femmes cuisinaient, lavaient, repassaient, cousaient, nourrissaient les poules, les cochons, les chiens, trayaient les vaches, préparaient le feu… La vie simple comme le bonjour.

Et moi, moi la fille au cheveu rouge, avec en arrière-plan de l'esprit que si l'ombre de l'Étranger me persécutait autant, c'était la volonté des dieux et qu'il fallait m'y soumettre, je pris un bain, m'oignis de produits de beauté de ma fabrication. Du jus de mangue mélangé à un zeste de carotte et de citron, mariné dans du miel. Ce mélange apothéotique, sans lequel, pensais-je, je n'aurais pu devenir femme, je le laissai pénétrer dans mon corps, jusque dans ses ramifications. J'allai dans la salle de bains et, à l'aide des petits pots de couleurs, des flacons, des pinceaux, je façonnai le masque idéal de séduction qui me permettrait de conquérir l'Étranger. Satisfaite de l'image que me renvoyait le miroir accroché sur le mur, j'enfilai un soutien-gorge, cadeau d'anniversaire de Dame maman, que j'emplis au préalable de coton. Je revêtis une robe pure laine trop chaude pour la saison. Mais elle venait de France.

Je me jetai en avant dans la lumière bleue qui embrassait la terre. Dans les ruelles, des hommes, surpris, ouvrirent grands les yeux et poussèrent des sifflements admiratifs. Un chasseur m'aborda en riant. Il me dit qu'il trouvait les femmes fardées très sensuelles, qu'il n'avait jamais vu femme aussi fardée refléter autant de beauté. Il dit qu'il aimerait faire l'amour avec moi et, un doigt dans la bouche, il m'encouragea, dessinant le plaisir. J'ai fait non de la tête, il insista. Il dit que ses mains, qui d'un coup de flèche pouvaient abattre un singe, terrasser un lion, étaient capables de prodiguer un feu d'artifice. Il dit que sa bouche si apte à imiter certains cris d'animaux pouvait dire des mots, la sensualité, et élever dans les airs des notes qui m'étaient inconnues. Je dis non, il n'insista plus.

Quelques culs coutumiers me regardèrent, l'expression rétrécie par la colère ou la jalousie. Certaines crièrent : « Elle est habillée comme une pute ! » d'autres encore affirmèrent : « Elle court vers le péché. »

Je fus étonnée de découvrir devant la porte de l'Étranger un nombre important de femmes parmi lesquelles se trouvait Ngono, la dernière épouse du chef. Nous échangeâmes des saluts nerveux lorsque nos yeux se croisèrent, puis chacune s'enferma à clef dans son mutisme, ne laissant transpirer que le prétexte qui l'amenait là. L'une dit qu'elle souffrait du dos ; l'autre prétendit que des fantômes avaient laissé une odeur obscure dans sa maison ; une troisième dit qu'on avait jeté un sort sur la géographie de sa famille et que seul l'Étranger pouvait l'aider. Ni les unes ni les autres ne dirent espèce-de-petite-menteuse-t'as-le-feu-au-cul, et ni les unes ni les autres ne relevèrent les déhanchements excessifs qui nous faisaient ressembler à des chiens à trois pattes.

L'Étranger sortit enfin. Il portait un tee-shirt blanc qui laissait respirer l'architecture de sa peau luisante, un pantalon noir, des sandales à lacets montants. Il s'adossa à un mur, sous sa véranda blonde de soleil. Superbe. Quelque peu distant. Mondain, presque. Durant plusieurs minutes, il resta là, les bras croisés dans la réflexion, tout un geste d'attente et de repos sans doute hérité de quelques parents nobles. Et c'est en flâneur très désintéressé qu'il vint enfin vers nous ou plus précisément vers Ngono.

– Vous êtes bien matinale, madame, dit-il d'une voix alanguie comme celle d'une femme portée dix fois au septième escalier du plaisir et tout le reste du corps en accord avec son timbre. Les yeux noirs voilés et cernés tout autour ; la bouche gonflée et boudeuse comme lassée de trop de baisers ; la tête penchée sur le côté ; le buste jeté en arrière avec une nonchalance naturelle.

– Oui, s'empressa de dire, d'une voix chantante, Ngono, la dernière épouse du chef. C'est le devoir d'une femme que d'être debout au premier chant du coq, continua-t-elle en réajustant un vieux châle sur ses épaules fermes, et pleines.

Il savait pourquoi la Dame Ngono était là, il savait pourquoi Ngono avait ces mouvements doux dans les hanches. Pourquoi ses yeux se révulsaient comme s'ils partaient en syncope.

Elle était là pour faire valoir sa monumentalité de femme. Elle se pencha en avant, dangereusement, jusqu'à ce que son visage fût parallèle à la bouche de l'Étranger, comme pour mieux comprendre chaque mot qui tomberait de ses lèvres.

– Bien sûr, dit l'homme, en s'adressant directement à elle, c'est la base même de toute éducation féminine. Mais où ai-je donc la tête aujourd'hui ? continua-t-il, comme s'il venait seulement de s'apercevoir de la présence des autres femmes. Pardonnez-moi, mesdames, j'ai oublié de vous donner le bonjour.

Il nous serra la main, un sourire emphatique aux lèvres. Chacune s'efforça de lui sortir un mot gentil de sa fabrication dont la construction avait peut-être amputé une nuit de sommeil. Quand vint mon tour, j'étais si impressionnée, si éblouie, que je n'arrivais pas à articuler un mot. L'Étranger remarqua ma gêne avec plaisir. Il me prit la main et me chuchota d'une voix précipitée :

– Tu es parfaite, petite, originale. Pourquoi chercher à changer, si ainsi doit être le désir des esprits supérieurs ?

Je sentis mes joues me brûler tant mon émotion était grande, profonde. Mes yeux fixèrent la pointe de mes pieds et je n'émergeai qu'à l'instant où il déclara qu'il ne pouvait recevoir tout le monde aujourd'hui, qu'on pourrait revenir demain. Il prit résolument la main de la Ngono et l'entraîna à sa suite, dans sa case.

– Dire qu'elle est la femme du chef ! Ah ! s'il savait ! dit Étoundi, une apprentie commère, vexée.

– Quand elle me demandera du sel, et elle en manque souvent, dit une grande avec de longues jambes bancales, je ne la dépannerai plus.

– Personne ne l'aidera à récolter son arachide cette année. On verra comment elle se débrouillera, reprit Étoundi, les yeux méchants. Nous planter là et s'en aller comme une princesse !

– C'est une sorcière… Je l'ai vue faire la prière à la lune.

– Je ne vous croyais pas capable de telle bassesse, dis-je, poussée par Boblogang pour rompre la monotonie. Ce n'est pas parce que l'Étranger l'invite chez lui qu'il y a autre chose entre eux que la pure amitié. Vous ne croyez pas ?

Je dis cela d'un ton si violent qu'il souleva la surprise générale. Une Dame, celle qu'on appelait la Kaba, me toisa avant de lancer en ricanant :

– Pauvre petite ! Ses intentions sont si louables qu'elle ne peut en dénicher de mauvaises chez d'autres. Elle vient voir l'Étranger juste pour le regarder dans le blanc des yeux. N'est-ce pas, petite ?

Et toutes les femmes éclatèrent de rire. Et la Kaba riait plus fort que les autres. Je baissai la tête, pivotai sur moi-même et m'en allai, le cœur gros. Certes, je défendais l'Étranger, mais je le faisais non pas parce que j'étais convaincue qu'il ne se passait rien entre lui et la Ngono mais je considérais cette intervention comme une violence libérée vers d'autres pour soulager les blessures dans mon cœur. Je savais ou je m'imaginais avec netteté ce qui se passait dans sa case, mais, à force de le dire, j'étais presque arrivée à croire qu'effectivement il ne s'y passait rien qui pût me déplaire, et que seule la jalousie justifiait la mauvaise langue des femmes. À cette dernière hypothèse je m'accrochai l'espace d'une seconde. Durant cet instant où mes propres désirs m'aveuglèrent, embellissant le réel, ce moment rapide comme l'éclair, le sentiment d'amour pour l'Étranger, et la conscience de la vie se décuplèrent dans mon esprit. Tous mes doutes, mes angoisses, mes craintes se calmèrent.

Mais ce moment fulgurant céda aussitôt la place à Boblogang. Et, quand je me retrouvai assise, chez moi, dans la solitude de ma véranda, je me remémorai les faits et gestes de l'Étranger. Sa manière de parler à la Dame Ngono, de se pencher légèrement vers elle avant de lui prendre la main, tout révélait la trahison, la mystification. Je sentais, sans qu'il fût besoin d'une glace, mes traits se durcir, une veine traverser mon front de part en part et battre furieusement. J'étais comme la fiancée trompée, violentée dans son bonheur. « Une créature sans vergogne », pensai-je de la Ngono tandis que, sous mes yeux, défilait sans plage d'interruption l'image de leurs corps entremêlés, de leurs bouches humides de baisers, et… La souffrance sans contrefaçon. Avoir le cœur qui se serre. Arpenter des espaces autour d'une divagation exaspérée. Détourner juste à temps les yeux quand ils vont tomber sur les origines de la douleur. Je me levai brusquement, fermée dans ma hargne.

J'allai par les rues, je lançai des cailloux aux chiens pelés, bottai les chats, bousculai une femme qui se retrouva, elle et sa bassine d'eau, dans un ruisseau. Elle se releva, les vêtements boueux, et m'envoya une flopée d'insultes : « Sorcière ! Fille de pute ! » Je lui tirai la langue et partis. Je voulais que les gens disent : « Quelle peste ! » Ils ne s'en privèrent pas.

J'achevai de plier le linge et m'assis à table. Le bon Blanc qui n'avait pas bougé depuis que Dame maman et le Pygmée avaient quitté la pièce se curait les ongles. De temps à autre, il crachait dans un joli mouchoir brodé et le repliait avec les jolies manières des gens du monde. Il observa mon visage puis dit :

– Tu te comportes mal, Mégri ! C'est pas comme ça que tu as été élevée.

– J'en ai marre, tu m'entends, plus que marre ! Foutez-moi la paix !

Il se leva brusquement et abattit sa main sur ma joue. Je n'eus pas mal, non. Seulement un trou dans la tête.

– A zamba ! Comment oses-tu ? Comment oses-tu me parler sur ce ton ? Je t'ai tout donné, tout !

Déjà, il craquait. Dans son pantalon de toile noir, ses cuisses tremblotent. Il recula et s'affala sur une chaise. Il bafouilla, le visage dans ses mains :

– Je ne voulais pas, fillette. Je crois que je suis devenu fou ! Toutes ces années à aimer ta mère, à t'aimer. Tous ces efforts vains. Je n'en peux plus. Il faut que je parte.

– Tais-toi, Pa, ne dis pas des choses irrémédiables, sanglotai-je.

Il ne m'écouta plus. Il fourra l'index dans son nez et s'arracha un morceau de peau. Du sang coula. Il regarda ses doigts. Il les regardait comme s'il les découvrait pour la première fois. Soudain, il éclata de rire. Puis il dit :

– Je viens de m'apercevoir que des morceaux de moi tomberont l'un après l'autre. Aujourd'hui c'est juste un morceau de peau. Demain ça sera le tour des bras, des jambes, du nez, des dents. Peut-être que je me réveillerai un matin et me découvrirai en pièces détachées ?

Il ne partit pas tout de suite. D'abord, il se leva, vint vers moi et se mit à me caresser la nuque. Je gémis. Les doigts de l'homme étaient si chauds ! Ils se déplaçaient lentement vers la trachée-artère tout en décrivant de petits cercles. Soudain, il se pencha et m'embrassa les joues. Il me semblait que des lueurs de bonheur que j'avais entr'aperçues à la fenêtre des autres se glissaient enfin chez nous. Si seulement le bon Blanc pouvait accepter que les choses continuent comme avant !

Un père et sa fille dans une pièce. Elle, assise, abandonnant son cou aux mains bienfaisantes de son père, à quelques mètres de là, un couple étroitement uni, dehors, le soleil qui faisait craqueler la terre, formant des crevasses. Profondes. Toujours plus profondes.

– Dis à ta mère de ne pas me garder le repas de ce soir. Je rentrerai tard.

– Je sais.

Lentement, il se dirigea vers la porte. Quand il l'atteignit, il se retourna et me dit :

– À bientôt !

– Non, attends. Je t'accompagne.

Il m'attendit, m'enlaça et je lui passai un bras autour de la taille. Dehors, il y avait foule. Je rencontrai plusieurs Dames de celles qui revenaient de leur ronde chez l'Étranger : la Dame Ngono avec ses airs de dame de chef ; Lamka, une grosse saucisse noire qui promenait sa figure idiote dans les éclaboussures des hommes ; Étoundi traînant son éléphantiasis. Le bon Blanc donnait le salut à tout un chacun tous les vingt pas, faisait des plaisanteries sur le temps et son influence sur son humeur.

Maintenant, nous étions dans la forêt, près de la rivière où la Prêtresse-goitrée disait la messe et les roseaux frémissants de la berge nous enserraient, nous absorbaient et personne ne nous vit tomber dans l'herbe.

Au-dessus de nous, le ciel s'offrait comme une nouvelle maison. Quelques nuages d'été assez proches qui s'incurvaient suffisamment bas pour qu'on les lèche passaient et repassaient devant le soleil. J'étais allongée, les bras en croix. Le bon Blanc, dans la même posture que moi, se redressa soudain et resta un long moment à contempler mon visage, sourire aux lèvres.

– Il faut que je parte, dit-il.

Je me redressai à mon tour. Nous restâmes ainsi, rivés l'un à l'autre, parce que ni l'un ni l'autre ne savions comment mettre un terme à notre tendresse. Puis lentement, il se pencha et m'embrassa.

– Retourne chez toi.

– Je veux savoir.

– Non !

– Si tu es bien mon père, pourquoi t'en vas-tu ?

– J'ai tout donné, Mégri. Elle n'a jamais voulu comprendre… Et puis…

– Quoi, père ?

– Je l'ai touchée.

– Je ne comprends pas. Qui as-tu touché ?

– Une femme. Je l'ai touchée dedans.

– Je n'ai toujours pas compris…

– J'ai tout donné à ta mère, elle s'est toujours moquée de moi. Alors, j'ai pris une autre femme et je m'en vais.

– Tu nous abandonnes.

– Non !

– Si c'est pas de l'abandon, qu'est-ce que c'est ?

– La survie, Mégri.

Il se leva en murmurant : « Toutes pareilles ! Toutes pareilles ! » encore et encore. Doucement d'abord, puis de plus en plus fort tant et si bien que cela me déchira comme la lame d'un couteau. « Toutes pareilles ! Toutes pareilles ! Toutes pareilles ! » Il s'éloigna.

Je le suivis des yeux. Je n'arrivais pas à croire qu'il disparaîtrait, s'effacerait de ma vie, comme ça, sans repentir, sans lever la main et me faire un dernier signe d'adieu. Je ne me trompais point. Il revint sur ses pas, me serra dans ses bras et, les yeux mouillés de larmes, il dit :

– Je ne t'oublierai pas, ma FILLE. Ne me pleure pas.

– Au revoir, murmurai-je, droite comme une corde que l'on tire.

Après le départ du bon Blanc, je m'avançai jusqu'au bord de la rivière et m'assis. Là, ramassant des cailloux blancs, je m'amusai à les jeter un à un dans l'eau. Les chants des oiseaux, les hurlements stridents des singes, même l'immensité sombre de la forêt m'isolaient, me gardaient loin de certaines choses, des vérités lugubres, absurdes presque. C'était quelque chose de naturel, plein de bon sens. Parfois, une pirogue passait, ramenant le contact avec la réalité des hommes. C'étaient des pêcheurs. Et de loin, je voyais luire le blanc des yeux, leurs corps ruisselants de sueur. Ils riaient, chantaient, pagayaient avec une vitalité sauvage, une énergie intense de mouvement aussi naturel et vrai que la forêt environnante. Ils étaient chez eux, sans excuse, sans prétention.

Et moi, qui étais-je ? Où allais-je ? Vers quel but ? J'étais là absorbée dans mes pensées lorsqu'un léger tintement dans mon dos me fit tourner la tête. Une femme s'avançait. Elle marchait à pas mesurés, moulée dans un pagne rayé à franges, foulant fièrement le sol de ses pieds, dans le doux cliquetis des bijoux scintillants. Ses cheveux tressés étaient relevés haut au sommet de son crâne ; elle avait des jambières de cuivre jusqu'aux genoux, des bracelets en ivoire jusqu'aux coudes, une petite perle d'or dans le nez, d'innombrables colliers de verre ruisselaient le long de sa poitrine. C'était Laetitia, la « créature » comme tout le monde s'amusait à l'appeler ici. C'était la femme des privilèges, des cadeaux et de l'amour. Elle évoquait, pour la moitié des hommes du village, la sensualité violente, l'obsession sexuelle permanente, des fantasmes inavouables. Ils rêvaient tous de la transformer en esclave rétive et consentante, prête à tout ce qui leur ferait plaisir et les refusant, rebelle et déjà vaincue, docile, hurlante. Elle était belle, Laetitia ! Avec son regard de lynx, son abondante chevelure, ses seins arrondis semblables à deux avocats mûrs, ses jambes, longues, fuselées qu'on aurait dit taillées par la baguette magique d'une fée. Une beauté qui faisait pâmer de jalousie les fesses coutumières. À tous les grands bals qui avaient lieu deux fois par an, dans ces soirées où on se défiait par chiffons et bijoux interposés, la présence de Laetitia faisait éclater des querelles et des incidents.

Je levai les yeux pour rencontrer son regard. Elle fronça les sourcils.

– T'es bien triste, mam'selle. Le ciel t'est tombé dessus ?

– Peut-être bien. Peut-être bien.

– À qui sont ces larmes ?

Je ne répondis pas.

– Il y a rien qui guérisse sans douleur, tu sais.

– Laisse-moi seule. J'ai besoin de me retrouver.

– Alors, je reste avec toi.

– Reste, si tu veux.

Elle se laissa tomber sur l'herbe, remonta ses genoux sous son menton et se mit à chanter.

Quand la mère lune se couche
la fatigue doucement
berce la femme.
Quand la brise du soir fait couler son souffle doux,
dans les prés, dans les vallons
crisse, crisse au loin le chant des criquets
tandis qu'autour de la Reine-mère
les enfants font la ronde.

Brusquement, elle se tut et étreignit avec force ses genoux de ses bras robustes, les coudes posés dans ses mains très longues, très fines.

– C'est la chanson de ma grand-mère. C'est elle qui me l'a apprise.

Elle se leva, s'éloigna de quelques pas pour aller s'adosser à un baobab et continua de chanter. Elle revint quelques minutes plus tard et dit :

– Tu es toujours triste, Mégri, dis ?

– Toujours.

– Tu n'en es pas morte ?

– Toujours pas.

– Je te fais un pari. Si tu n'es pas morte ce soir c'est que tu n'en mourras pas et tu as bien raison. Il ne faut pas se laisser mourir pour un homme.

– Je sais pas.

– Elle ne t'a rien appris ta maman ?

– Si, des généralités.

– Et les livres ? Tu en as beaucoup, tu en as lu ?

– Bien sûr ! mentis-je en tâchant de préserver ma langue.

– Alors tu comprendras bien vite qu'un homme n'est qu'un homme.

– Mais un fils, c'est aussi un homme !

– Oui, cette pensée, dit-elle, est la pire de toutes et cela vous pénètre lentement. Un jour, tu rencontreras cette vérité-là. Sois confiante.

Je ne sais pourquoi, sa réflexion me mit mal à l'aise et j'eus brusquement envie de m'éloigner de la rive, de prendre le large. Serait-ce dû à mon incapacité de comprendre ? Elle me sourit mais son sourire se rétrécit, se figea. Ses yeux plantés dans les miens devinrent inquiets, suppliants presque, le regard d'une jeune femme comme les autres, qui voyait venir la mort et m'appelait à son secours. Elle me dit brusquement qu'il lui fallait partir, qu'il ne serait pas bon pour moi qu'on me vît en compagnie d'une fille de mauvaise vie. Elle frappa dans ses mains et éclata de rire. Elle riait, riait, le corps arqué, une pluie d'étincelles dans les yeux. Il me fallut du temps pour comprendre qu'elle pleurait. Quand je m'en aperçus, je posai mes mains sur ses épaules, les caressai, essayant de rompre le fil du désespoir qui émoussait sa vie. Elle s'essuya les yeux, entra toute vêtue dans le fleuve, avança jusqu'à avoir l'eau noire autour des reins. Pendant de longues minutes elle regarda l'horizon, où le soleil rouge dardait ses derniers rayons. Elle fendit la rivière en sens inverse et contempla mon visage.

– Je t'aime déjà, dit-elle.

Elle s'éloigna.

Pour la première fois, je fais le point. Il est bon, disait grand-maman, au carrefour des chemins, de se replier sur soi-même et de préciser sa position au milieu des courants, des vents, des idées de ce monde. Mais, moi, moi la fille au cheveu rouge, assise dans mon lit, les jambes tirées haut sous mon menton comme pour me protéger des frissons de la nuit, je n'arrive pas à rassembler mes idées. Ce soir à table, personne n'a mentionné l'absence de mon papa bon Blanc. Durant toute la soirée, le Pygmée a gardé une expression alerte, naturellement intéressée mais son visage est demeuré calme, même lorsque Dame maman a ricané en évoquant mon amour pour l'Étranger.

– C'est pas comme ça que je réussirai à te placer, se gaussait-elle.

Blessée, je pris mon assiette et quittai la table non sans avoir ajouté dans la platée que j'emportai une louche de saka-saka. De ma chambre je les entendis échanger des phrases courtes ; chuchotées, qui semblaient régler la question de l'aménagement de leur vie future. Et moi ? Quel devenir dans ce Wuel où m'abandonnait mon papa bon Blanc ? Si au moins j'étais Laetitia et si Laetitia était moi ! Avec sa beauté, ses connaissances, jamais ne viendrait le temps où je serais recroquevillée sur moi-même en attendant des lendemains fleuris. Il y aurait toujours des hommes, avec les bouches qui sentent bon, ils m'apporteraient des fleurs séparées de leurs feuilles. Ils m'apporteraient leur eau à boire sur leurs figures. Si j'étais Laetitia, si Laetitia était moi, la lumière du jour entrerait toujours dans la nuit de mon corps et j'aurais toujours son visage à l'endroit du mien. Ah ! si j'étais Laetitia !

Quand je quittai ma chambre le lendemain, Dame maman déjeunait et, comme d'habitude, la vaisselle de la veille jonchait encore la table. Et, comme toujours, à travers la vieille persienne entrebâillée, la lumière de l'aube se fracassait en plusieurs coloris. Comme d'habitude, le corps de Dame maman demeurait dans la zone

82

où ne parvenait pas l'arc-en-ciel. Elle ne me dit pas bonjour lorsque j'entrai mais son regard perçant me traversa. Je fus frappée du changement qui s'était opéré en elle en une nuit ; elle semblait amaigrie, vieillie ; de larges cernes noirs cerclaient son regard. Les pattes-d'oie aux embouchures des yeux s'étaient accentuées ; de nouvelles rides étaient apparues au coin de ses lèvres leur conférant une impression de dureté qu'elle ne possédait pas. J'observai cette bouche asséchée qui, durant ces années, n'avait pas esquissé à l'un de mes papas le OUI qui aurait apaisé leur éternelle incertitude, signant à travers le mariage le pacte de l'esclavage. Porter l'eau. Cuisiner. Repasser. Ouvrir son corps au mâle. Donner son ventre à la maternité.

— Tu es triste parce que ton amoureux ne veut pas de toi ou parce que ton père est parti, proféra-t-elle brusquement.

— Comment le sais-tu ?

— Il ne t'a rien dit ?

— Rien.

— Pas un mot ?

— Pas un.

— C'est qu'il est plus lâche que je ne le pensais.

Et elle éclata d'un rire dément.

— Tu es méchante, maman.

— Écoute-moi, ma fille. Écoute-moi bien. Le monde est ainsi fait. Même toi, ma fille, quand tu étais bébé et que tu me réveillais dans la nuit, il m'arrivait d'avoir des envies de meurtre, de te tuer, tu comprends ce que cela signifie ? Dieu seul sait combien je t'aime ! Et pourtant, j'avais envie de te tuer. Je ne sais pas ce que je serais devenue si je l'avais fait… Oh ! je n'ose même pas y penser, dit-elle en couvrant son visage de ses mains. Mais voilà, toutes les mères du monde ont eu une fois au moins dans leur vie le désir de tuer leur propre progéniture. Et toutes celles qui disent le contraire profèrent des mensonges. Menteuses !

Le dernier mot, elle le dit avec une telle violence que je sursautai. Elle resta de longues minutes ébahie comme si elle s'étonnait elle-même de l'agressivité de ses propos. Puis d'une voix basse et calme, comme si elle revenait de très très loin, d'un profond sommeil, elle dit :

– Il n'y a qu'à toi que je puisse dire certaines choses. Maintenant qu'il est parti, j'ai envie de tout casser. Tu me méprises ?

– Je ne te juge pas. J'essaie de me mettre à ta place pour voir ce que je ferais en pareil cas. Et, en me mettant à ta place, je deviens tolérante vis-à-vis de moi-même, ce qui en soi m'enlève toute objectivité.

– Donc, tu me méprises.

– Je te méprise, je me méprise, c'est du pareil au même.

Dans les jours qui suivirent, Dame maman eut un comportement pour le moins étrange. Elle s'en allait par les rues, les maquis[1], commençait par se soûler au vin de palme, puis, lorsque le vin l'avait bien attrapée, elle levait les bras au ciel, elle pleurait devant tout le monde, des larmes de l'ivrogne et se lamentait à tout venant de la désertion du bon Blanc. On aurait dit qu'elle prenait plaisir à jouer le rôle de l'épouse trompée et à étaler son infortune « conjugale » avec des détails choquants sur son intimité.

Beaucoup prétendaient qu'elle jouissait à se donner ainsi en spectacle, mais ça, je n'aurais pu le certifier.

À d'autres moments, seulement connus de moi et de mon papa pygmée, elle redevenait sérieuse, grave. Elle restait prostrée des heures durant, ne mangeait ni ne buvait. Au bout de plusieurs heures de cette pénitence, elle tournait lentement la tête :

1. Maquis : café-restaurant.

– Mégrita ! Mégrita ! viens, viens vite, ma fille ! hurlait-elle comme face à un grave danger.

– Je suis là, Mâ.

– J'ai rêvé qu'il t'emportait avec lui, dans un trou noir. C'est le démon, ma fille, c'est le démon. Viens dans mes bras, serre-moi fort. Où est le Pygmée ?Je ne le vois pas, disait-elle en fouillant la pièce des yeux. M'a-t-il abandonnée lui aussi ? Va ! Va vite le chercher. Non, reviens. Ne me laisse pas seule. J'ai peur, Mégrita, j'ai si peur ! Dis-moi, est-ce que le Pygmée m'aime toujours comme avant ? Dis-moi toute la vérité, la vérité tout entière, insistait-elle.

– Oui, Mâ. Et il ne t'a pas abandonnée. Il est au salon.

– Mais qu'attends-tu pour le faire entrer ? Allez, dépêche-toi, ordonnait-elle avec exaltation.

De force, elle me poussait vers la porte, puis allait se rasseoir.

Je faisais signe à mon papa pygmée. Sans bruit, il entrait et allait s'asseoir en face de Dame maman, sans mot dire. Elle le regardait, comme si elle ne le voyait pas. Ses yeux se posaient ailleurs comme si à se frotter au corps de l'homme qui lui avait été si familier, si proche physiquement, elle en éprouvait du dégoût. Et dans la pénombre, sans le regarder, ses lèvres se contractaient en une grimace qui se voulait sourire, elle prononçait ces mots :

– Pourquoi m'as-tu abandonnée ?

Le Pygmée la regardait sans rien dire, durant de longues secondes. Il lui prenait simplement les mains. Dans la semi-obscurité, ses yeux brillaient. Elle n'arrivait pas à préciser ce que ces yeux exprimaient. De l'amour ? De la pitié ? Elle ne pouvait supporter la seconde hypothèse. Elle faisait un effort surhumain pour libérer ses mains et bondissait sur ses jambes.

– Je te hais ! hurlait-elle. Je te hais ! Allez, fous le camp ! Sors d'ici immédiatement. Tu pensais m'avoir, hein, dis ? Tu pensais que c'était cuit et que tu n'avais qu'à tendre la main pour m'avoir ? Eh bien, détrompe-toi ! détrompe-toi !

De ses poings serrés, elle le frappait, à coups redoublés, sur la poitrine. Puis, brusquement, sa colère tombait pour céder la place à un éclat de rire moqueur :

– Tu as cru que je ne voulais plus de toi, hein ? Je jouais, je jouais. Viens, mon amour, viens.

Je quittai la pièce sur la pointe des pieds en prenant soin de refermer doucement la porte derrière moi.

Le temps passait. Les saisons se succédaient, sans rien apporter de nouveau. L'Étranger était toujours le centre d'attention de tout le village. Il était notre miroir, exacerbait nos sentiments et les portait à leurs propres limites. Les hommes, poussés dans les derniers retranchements de la jalousie, organisèrent une réunion en session extraordinaire, à laquelle n'aurait droit d'assister aucune femme (à une exception près : la Prêtresse-goitrée car, disait-on, ayant vendu sa fertilité aux forces du mal, et ayant quatre yeux, elle n'était plus une femme) ni étranger pour décider de la conduite à suivre.

La réunion eut lieu un jeudi, très tôt à l'aube car, pensaient-ils, c'était l'heure où vampires et sorciers s'adonnaient au sommeil et qu'ainsi, privé de ses sources d'informations, l'Étranger ne saurait rien de ce qui se tramait. Ils arrivèrent de tous les coins du village, suant, puant, traînant des pieds, mâchant de la noix de cola. Certains avaient revêtu leur boubou de fête, un tissu pagne imprimé aux couleurs du drapeau avec, au centre, la figure de notre plus haut dignitaire. Durant des heures, ils discutèrent. L'expulser du village était contraire aux lois de la tradition. Le tuer risquait d'attirer le mauvais œil car cet Étranger avait certainement signé un pacte avec le diable. L'un des orateurs lut un poème de Baudelaire où il était question des *fleurs du mal* qu'étaient les femmes et dit que le poète français avait raison, car cela se confirmait ici même par le fait que l'âme de toutes les femmes du village était possédée par le démon. D'ailleurs *le diable seul savait* pourquoi ils avaient tant tardé à unir leurs forces pour le combattre. C'était probablement l'esprit envoûté de leurs épouses qui les avait retenus. Après maintes discussions et palabres où chacun essayait de se montrer au meilleur de lui-même, ils passèrent au vote. La majorité opta pour l'ensorcellement, l'appel aux forces de la nuit. Extirper le mal par le mal.

Les arrangements décidés, ils se serrèrent les mains et se mirent aux préparatifs. Toute la journée, ils sortirent les dieux des cachettes. Tout un assortiment de dieux à faire pâlir d'envie une cour des miracles. Il y avait là le dieu nain, le dieu épileptique aux yeux vrillés, le dieu en paille avec son masque de la mort, le dieu moderne avec son képi et sa culotte courte, le dieu en plastique, le dieu phosphorescent. Ils n'avaient pas l'air bien sérieux. Mais ils étaient des dieux, et nous, de simples mortels soumis à leurs caprices : ce qui expliquait le sérieux avec lequel les hommes s'adonnaient à l'ouvrage, leur visage crispé, leurs gestes d'adoration et de supplication chaque fois que l'un d'eux bousculait un dieu ou le laissait choir. Seule la déesse de la pluie avec ses longues mamelles, sa cambrure marquée et ses jambes fortes et musclées semblait vraiment menaçante. Mais un homme qu'on appelait la Chouette, petit, avec de vieilles lunettes cerclées d'écaille portées bas sur le nez et son dos voûté, proposa de ne pas la sortir car ses formes si opulentes, si généreuses, risquaient de détourner l'attention des dieux, ce qui amusa beaucoup l'assistance et détendit du coup l'atmosphère générale. On blagua, on blasphéma beaucoup. Jusqu'au moment où les ténèbres accoururent de l'horizon et s'étendirent sur le village. *Seul le diable savait* pourquoi.

La route principale qui reliait Wuel aux centres nerveux du pays disparut. L'insondable obscurité qui descendait du ciel engloutit les rivières, les cours d'eau et avala le buste à l'effigie du haut dignitaire du pays qui trônait sur la place. La nuit mangeait tout, semant une panique brusque et incontrôlable sur tout ce qui vivait et bougeait. Même moi, la fille au cheveu rouge, cachée dans un coin, invisible aux mortels, je sentais son ventre mou et noir s'alourdir sur mon crâne et s'appesantir sur les dieux que les hommes avaient hâtivement fini de disposer. Ils allumèrent rapidement un feu de bois, sous le baobab, ce qui ne rassura personne, même si certaines lèvres esquissaient des sourires qui zébraient les visages. Le joueur de tam-tam s'attela à l'ouvrage. D'abord crispées, ses mains insistèrent, trottinèrent longuement sur le tambour avant de trouver le rythme qui forme la parole du messager. Alors, les hommes se mirent au pas. Ils dansèrent, ils sautillèrent, tourbillonnèrent, tapèrent des pieds. Mais un observateur avisé aurait vu que quelque chose d'anormal se préparait. L'air était chargé, suffocant. Il pesait sur les danseurs qui, dès les premiers mouvements, s'étaient retrouvés oints de sueur et qui, malgré tout, éprouvaient des difficultés à entrer vraiment dans la danse. Et c'était à peine si quelques-uns firent allusion à la chaleur pour expliquer la cause de l'inefficacité des danseurs.

Un carillon lointain sonnait les douze coups de minuit quand un des danseurs, le petit voûté, celui qu'on appelait la Chouette, tomba, comme frappé de plein fouet par un coup de poing invisible. Les jambes écartées, le torse cambré loin en arrière, les yeux exorbités, révulsés. Il criait : « Oh non ! oh non ! Je vous en prie ! Je vous en prie ! Lui ! lui ! » et ses doigts montraient une silhouette invisible, en même temps qu'une voix basse tonitruante lançait des menaces :

– Connards ! bande de vauriens ! salauds ! Vous voulez m'avoir, ha ha ha ! Vos dieux, quelle banalité ! Tuez-les vous-mêmes, allez ! Tuez-les ! vos saletés de dieux !

88

Cette voix, venait, *le diable seul savait* d'où. Elle distillait le poison de la peur. De temps à autre, une forme se dessinait, lumineuse, et prenait l'aspect d'un homme, d'une consistance translucide. Il avait une taille gigantesque avec une tête chauve et flottait dans un boubou blanc, presque aérien, et sa physionomie était sarcastique. L'homme qu'on appelait la Chouette pleurait, suppliait, la bouche grande ouverte, et poussait des hurlements de terreur.

Tous s'arrêtèrent de danser, affolés. Un homme dit qu'il était possédé des esprits. Le jumeau, celui qu'on appelait le Perroquet, affirma que les démons n'existaient pas, que c'était un fantasme pour se faire peur. Il dit qu'il s'agissait d'une crise d'épilepsie. Il s'élança pour aider le malade mais ce dernier lui planta des dents acérées dans la chair. Il poussa un hurlement, se libéra et se perdit dans la foule.

– La rage ! La rage ! criait-il d'une voix terrorisée.

Et moi, j'étais immobilisée comme clouée sur place, les yeux exorbités, la bouche grande ouverte. La Chouette, toujours allongé, était saisi de convulsions et de mouvements spasmodiques. Ses muscles se contractaient ; de grosses veines sillonnaient son front, le durcissaient. Ses hurlements de terreur n'avaient plus rien d'humain.

Et puis, brusquement, ses cris se transformèrent en un rire démoniaque, de rancune malveillante. Et aussi soudainement que la crise était apparue, elle disparut. La Chouette ferma les yeux et s'assoupit.

Je n'étais pas revenue de mes émotions que la forme se matérialisa. L'air se fit plus dense. Une chaleur lourde traversa l'espace. Elle nous happa. Quelques secondes troubles. La foudre traversa les regards. Les lèvres s'ouvraient, quêtant désespérément l'air. La chose se passa très vite. Une scène de théâtre rouge se déploya. Le rideau se leva. L'Étranger apparut. Il n'était pas seul. Deux animaux l'accompagnaient : un énorme chien roux debout sur ses pattes arrière et une cane boiteuse, habillée tout de rouge et d'or.

Je fus frappée par le naturel de mes compatriotes. Ils semblaient soudain à l'aise, comme si la scène, devant eux, était la suite normale et attendue des événements de la soirée. Seul un vieux fonctionnaire sembla trouver à redire. Il interrogea d'un ton malveillant :

– Que signifie cette mascarade ?

– Qu'est-ce que la vie sinon une mascarade ? répondit l'Étranger. Vous avez peut-être besoin d'un remontant pour vous remettre de vos émotions.

Il sortit du bec du canard un verre de liqueur d'une couleur ocre.

– Voilà qui vous remettra en forme.

Il lui tendit la boisson. Un ah ! de surprise saisit la foule. Vivats et applaudissements saluèrent la performance.

– Vive l'Étranger !

– Vive le progrès de la science blanche !

– Vivat !

Le canard fit une révérence. L'excitation était à son paroxysme. Une minute s'était à peine écoulée lorsqu'une lumière jaune zébra la scène. Le chien sortit un canapé. Il s'assit et se cura les ongles, tout à fait à son aise. Personne ne broncha. La Prêtresse-goitrée se planta au milieu de la scène :

– Cc soir, notre ami Étranger s'est enfin décidé à nous montrer son fameux spectacle. Applaudissons-le !

Elle se mit à frapper dans ses mains, mais le public ne suivit pas. Ce que voyant, elle s'arrêta et adressa un sourire fabriqué à la ronde et s'éclipsa dans la foule.

– Que pensez-vous du peuple de Wuel ? demanda le chien à la cane.

– Le peuple wuel a beaucoup changé. Il ne rêve plus que de lumière, de voiture, de frigo, de tout ce qu'il ne peut pas avoir, il se tourne vers le futur.

– Normal, reprit le chien.

– Et leur village était au bord du gouffre. Personne ne faisait d'effort pour le combler. Le chef qu'ils se sont donné leur a fait faire un bond en avant.

Le chef, pensant qu'il s'agissait d'un compliment, s'avança de trois pas vers la scène et promena un regard hautain sur la foule. Il dit :

– La vérité vient toujours de la bouche des étrangers et nos amis ici présents, toi la cane entre autres…

– Ne me tutoyez pas, dit la cane, je n'ai jamais joué à papa et maman avec vous que je sache.

Ce qui souleva des hoquets de rires. Le chef se racla la gorge et continua :

– J'apprécie ce que nos nouveaux amis viennent de dire. J'apprécie toute l'admiration qu'ils ont pour notre peuple et pour nos coutumes. J'apprécie toute l'étendue de leur amitié.

– Avons-nous jamais dit que nous admirions le peuple de Wuel ? demanda le chien à la cane, bougon.

– Je ne le crois pas, ces humains ont le mensonge dans l'âme. Bien sûr si on peut appeler cela une âme car, pour quelques billets, ils la vendraient au diable en personne. Beurk !

– Pas d'insultes, la coupa sèchement le chien. Tu es comme toutes les femmes, tu as la langue trop pendue.

La cane fit une moue et toisa le chien.

– Oui, je suis comme toutes les femmes et j'ai l'instinct très développé. Je suis sûre que, pour mille francs, ils vendraient leur âme au diable en personne. Tu peux essayer.

– Si ça ne marche pas, je te promets que…, menaça le chien.

– Oui, tu ne m'aimeras plus. Tu m'as déjà dit ça, inutile de le répéter, je ne suis pas sourde.

– Mesdames et messieurs, déclama le chien en se tournant vers l'assistance. J'ai dans ce paquet cent mille francs C.F.A. Cent mille, répéta-t-il pour que tous puissent bien comprendre la situation. Je vais les jeter dans le feu. L'argent appartiendra à celui qui le retirera du feu avant qu'il ne se consume. Cent mille francs C.F.A., vous entendez ! Tenez-vous prêts !

Déjà le public s'agitait. Tous se bousculaient, se piétinaient. Même mon papa pygmée. Il tremblait mais ne pouvait détacher son regard du paquet. Beaucoup se signèrent comme pour invoquer, aux côtés des autres dieux, le Dieu tout-puissant auquel ils ne croyaient qu'à demi. Un homme malingre, fiévreux, s'était déjà posté près du feu. Mais le chien, en arbitre méticuleux, lui fit signe d'aller reprendre sa place.

– Qu'est-ce qui nous assure qu'il y a vraiment cent mille francs dans ce paquet ? dit le jumeau Perroquet, d'une voix provocante. Vous, les Étrangers, êtes toujours en train de dire des conneries. D'abord l'argent. Après on verra !

– Ha ! Ha ! ricana méchamment le chien. Je l'attendais celui-là. Quel bavard ! Que peut-on faire pour qu'il arrête de parler ?

– Lui couper la langue, dit la cane.

– Ainsi soit-il, dit le chien.

Et, sans savoir comment, la langue du Perroquet se retrouva dans ses mains. Une langue longue, pointue et rouge qui s'agitait dans ses mains comme un poisson pris à l'hameçon.

– Ma langue ! ma langue ! Rendez-moi ma langue ! Au secours ! Au secours !

C'est à peine si quelques regards se tournèrent vers lui pour aussitôt se détourner et se porter de nouveau comme hypnotisés par le paquet que le chien tenait.

– Hum ! hum ! fit le chien. Ils me donnent la nausée.

– Je te l'avais dit ! je te l'avais dit, s'enorgueillit la cane en remuant son derrière de plumes.

– Cessez de vous moquer, trancha l'Étranger qui était resté silencieux, un sourire énigmatique sur les lèvres. Ce peuple aime l'argent comme tous les peuples du monde. Ne vous faites les juges de personne ! Combien de fois vous l'ai-je dit ? Car chaque fois qu'on se fait juge, on est aussi l'accusé. Et nous ne sommes pas là pour cela, n'est-ce pas ? Amusons donc le peuple !

Cela dit, cela fait.

L'argent ? L'argent !

L'argent était dans le paquet que le chien approchait, tendait dangereusement vers les flammes, jetait au feu. L'argent ! L'argent !

Mes compatriotes se précipitèrent. Avides. Plus de distinction. Rien qu'un amas de chair porté par le même désir.

– Je brûle ! Je brûle ! hurlait un homme qui se mit à courir en tout sens, les vêtements en flammes.

Et MOI ? moi la fille au cheveu rouge qui vous raconte cette histoire de ma vie, j'avais mes yeux ancrés dans ceux de l'Étranger. Beaux, l'homme ! Il souriait. Il traversa la foule, s'avança vers moi et posa une main apaisante sur mes épaules.

– Ne crains rien, petite, dit-il. À présent, l'homme se prosterne et se rend noir devant son dieu. Ne crains rien, moi aussi j'ai connu cette folie où l'homme est capable de tout pour de l'argent. Mais malgré tout, il reste encore d'autres convictions. Un jour, un jour, qui sait s'il...

Il s'interrompit brusquement, laissant sa phrase inachevée. Puis lentement, très lentement, comme si toute brutalité aurait interrompu le rêve, il se retourna, vers sa case. Je le suivis, marchant à quelques pas derrière lui.

– L'homme est devant son maître. N'en doute pas. Il existe ce maître du monde et il orchestre, orchestre, indéfiniment. Chaque chose à sa place.

Mais je ne l'entendais pas car il marchait vite et j'avais du mal à accorder mon pas au sien.

Je courus à sa suite juste avant qu'il ne se confonde ton sur ton, noir sur noir, avec la pure étendue de la nuit. J'avais l'angoissante impression que c'était aujourd'hui ou jamais ; si je ne le rattrapais pas, il allait disparaître et je ne le verrais plus jamais. Et voilà qu'il s'arrête tout à coup et m'attend. J'arrivai à sa hauteur. Il me prit la main. Nous marchâmes en silence. Puis, alors que nous approchions dangereusement de sa case, il me dit :

– Je savais que c'était pour aujourd'hui. Notre rencontre était prévue. Je suis venu te chercher.

– Si tu le savais déjà, pourquoi ne l'as-tu pas dit plus tôt ? interrogeai-je, étonnée avec une pointe d'hostilité dans la voix.

Et je compris sans qu'il ait besoin de me l'expliquer que, depuis toujours, il m'aimait, que je l'aimais et que nous étions ancrés dans cette certitude. Qui a dit qu'un tel amour n'existait pas ? Qu'on lui coupe la langue à ce scélérat ! Qu'on le brûle comme hérétique !

La porte s'ouvrit sur une petite pièce à moitié plongée dans l'obscurité. Dans le foyer, une bûche flambait. Reflets de nous dans les yeux des flammes. Multipliés. Indéfiniment. Sur les murs, divers objets rapportés de ses précédents voyages à travers le monde. Un portrait attira mon attention. Il représentait le général de Gaulle, l'air sévère, narquois sous son képi et ses galons. Il y avait aussi d'autres images, des icônes représentant le diable, avec sa longue queue, ses cornes, qui brandissait une épée vengeresse entre ses doigts sombres et cornus. Un frisson de peur me traversa. L'Étranger le perçut et me prit par les épaules :

– Ça te déplaît ? me demanda-t-il.

– C'est laid.

– De même que Dieu est à l'image des hommes, de même le diable est à son image. Il ne faut pas en avoir peur. D'ailleurs, qui a dit que le diable avait des cornes et une queue ? M'est avis qu'il a l'air plus angélique, plus attrayant qu'on se l'imagine. En outre, il a son rôle à jouer. Que serait le monde s'il n'en faisait pas partie ? Pour naître, l'enfant a besoin de son père et de sa mère ; l'homme a besoin de ses deux jambes pour marcher et il en est ainsi de Dieu et du diable.

– Qu'est-ce que tu racontes ?

– Des sornettes. Laisse-moi t'embrasser, dit-il en prenant mon visage entre ses mains.

Je me détournai brusquement et allai m'asseoir à côté du feu.

– Qu'y a-t-il, Mégri ?

– Il y a des choses... Des choses horribles.

– Tu les as vues ?

– Je les ai faites.

– Pourquoi les as-tu faites si tu penses que c'est horrible ?

– Parce qu'ils disaient que je suis laide. Parce qu'ils disaient que j'ai deux pères. Je voulais savoir.

– Écoute. Écoute-moi bien, petite. La laideur appartient à ceux qui la définissent. Tu me suis ?

– Non !

Il m'agrippa le bras. Il m'entraîna devant une glace. Il remonta la mèche de la lampe à pétrole et la souleva jusqu'à ce qu'elle fût parallèle à mon visage.

– Regarde, dit-il.

J'eus un choc et en restai saisie. Une femme me regardait, une femme que je ne connaissais pas. Je m'appuyai au bras de l'Étranger et me regardai fixement.

Les yeux... Oui, c'est ça, mes yeux avaient changé. Je les avais toujours crus ronds, ils étaient en amande. La forme du visage aussi n'était plus la même... Il n'y avait plus là cette maigreur, mais deux creux dans les joues qui les accentuaient, lui donnant du caractère... Et cette bouche. Une bouche pleine, charnue, ces sourcils bien dessinés comme passés au pinceau, d'une régularité parfaite. Une teinte rouge ébène coloriait uniformément mon visage. Mes cheveux crépus et rouges ondoyaient naturellement sur mes épaules...

J'avais l'impression de rêver, mais je ne rêvais pas quoique le bonheur comme je l'apprendrais plus tard fasse partie de cette dimension.

– Je ne rêve pas, n'est-ce pas ?

– Non, Mégri. On peut très bien se regarder, le matin, le soir, longtemps, et ne rien voir du tout.

– Comment as-tu fait ?

– Mais je suis le diable.

Il me serra les mains. Soudain, toute cette affection que j'éprouvais pour lui exigeait son incarnation. Et tous mes autres désirs, besoins, projets pâlissaient auprès de celui-ci. Je voulais l'Étranger. La nécessité de la possession amoureuse s'empara de moi.

Vertige, le contact de sa peau me saisissait. J'aurais voulu écarter, anéantir d'un coup de rasoir tout ce qui m'éloignait de sa peau : boubou, pantalon, slip. L'arracher à toutes ces pelures.

Sans grande hâte mais sans perdre de temps, l'avidité griffue dans les mains, je l'entraînai vers le lit, le regard crispé et raidi sous la tension du désir charnel. Bretelles, agrafes, fermetures, tristesses, angoisses, étoffes, toutes ces interférences furent balayées par les lames violentes du désir.

Il m'embrassa les joues, les lèvres. Sa langue à la saveur de mangue et de tabac me fait défaillir. Lentement, ses lèvres descendent, dessinent des arabesques sur mes seins, sur mon ventre. Encouragé par mon trouble, il saisit mes jambes, l'une après l'autre, les porte sur ses épaules et s'enfonce en moi. Le contact de son membre dans ma chair m'arrache un léger cri. Honteux mais souriant, il me demande s'il m'a fait mal. Comment lui expliquer ce désir d'une intensité incommensurable qui me prend jusqu'à la douleur et dont l'effet persiste alors qu'il se trouve comblé ? Lentement, il m'éduque, il me disloque, il me réinvente. Sur nos corps, la sueur. De l'index, il déplace une goutte, sourit. Nos hanches s'épousent, s'élèvent, synchronisées, langoureuses, flottantes comme pour arrêter l'espace et le temps. Le temps qui s'efface. L'espace aussi. La proximité du plaisir accélère nos mouvements, encense la nuit d'un doux bruissement de voix qui, bientôt, débouche sur une plage de cris et de râles. Il s'écroule sur moi tel un chêne abattu. Saisie des braises de merveille, je ferme les yeux pour relire des moments déjà perdus, presque invisibles. La lampe des souvenirs s'éclaire. Je comprends enfin qu'avant, avec Erwing, c'était un jeu. Une petite fille raide babillait des niaiseries à un Prince immatériel en lançant gauchement vers le ciel des mots d'amour.

J'étais demeurée intacte dans l'attente du roi, celui qui dispense le salut.

Allongé à mon côté, l'Étranger a la beauté d'une statue, les muscles saillants et durs. D'un étui de métal, il pique une cigarette, gratte une allumette, l'embrase.

– Tu pourrais me faire un bébé, dis-je.
– Je sais.
– Cela t'effraie-t-il ?
– Oui. Faudrait être une famille.
– Si on se mariait ?
– T'es folle ?
– Si ! Allez, viens !

Entortillés dans un même drap, nous nous sommes mis à la recherche d'une aiguille, chacun aidant l'autre à rester sur ses pieds, riant d'une chute et chaque chute redoublant notre plaisir. Nous avons trouvé ce que nous cherchions. Les doigts intimement entrelacés, nous nous sommes piqués, c'était excitant mais douloureux. Et le « aïe » que m'arracha la douleur fut suivi d'un éclat de rire. J'aspirai son sang tandis que ses lèvres arpentaient sensuellement mes mains où s'écoulait un mince filet de liquide rougeâtre.

– Tu m'aimes ?

Il ne me répond pas, rit et me mordille les lèvres. À nouveau, le temps s'est effacé. La terre ne nous retient plus. La gravitation cesse. Je joue de mes mains comme d'un éventail pour percer son mystère. Et je voudrais, oh, combien je voudrais ne plus être une novice qui s'exerce à déchiffrer toutes les notes des partitions inconnues pour rejouer toujours et encore !

À présent, alors que je suis nichée au creux de son épaule, l'empreinte résiduelle de son sexe dans le mien persiste. Cette sensation qui au-delà de la coupure, de la séparation de nos ventres perdure à l'instar d'une brûlure et m'empêche de dormir. Sensation hallucinatoire, comme si mon corps avait ressenti une amputation d'une partie de lui-même. Oscillante, recherchant en vain le sommeil, bribes éparses de conversations, visions fragmentées de l'Étranger m'assaillent, me torturent. Enfin, la fatigue, l'épuisement ont raison de mon énervement.

Une âcre odeur de brûlé embaumait la pièce. L'Étranger debout, loin de moi, avait les yeux tournés vers le lointain. Il scrutait la nuit, déjà les autres. Et sans se tourner vers moi, il ordonna :

– Prépare-toi, Mégri. Il faut partir.

– Où ?

– On ne peut pas prendre de risque.

– Mais pourquoi ?

– Viens, dit-il en m'ouvrant ses bras, viens voir.

Dehors, la cour était illuminée. Des spots rouges, verts, jaunes, parsemés partout dans les arbres, flamboyaient. Au milieu de la cour une place avait été aménagée : des tapis rouges, des poufs, des doubles rideaux. Des glaces éclairées de côté par la lueur orangée des tubes fluorescents. Deux énormes enceintes lumineuses s'éteignaient et s'allumaient sans cesse projetant tantôt mon nom, tantôt celui de l'Étranger. La foule des villageois avec, à leur tête, le chef engoncé dans des vêtements bariolés, attendait je ne savais quel événement. Dame maman, toute vêtue de rose, était plongée dans un dialogue animé avec le Pygmée et, à l'annonce de mon nom, je tendis promptement les oreilles.

Il s'agissait d'un mariage qui semblait être le mien et le récit de Dame maman devait avoir quelque chose d'enchanteur car tous les villageois s'étaient arrêtés de parler et l'écoutaient béatement. Elle jetait pêle-mêle un flux de paroles passionnées et tumultueuses qui exprimaient un chaos de pensées enthousiastes et désordonnées qui s'entrechoquaient. Elle exposait avec la voix dangereuse de la femme comblée les raisons pour lesquelles les dieux lui avaient donné une fille comme moi et comment, en mère dévouée, elle avait souffert et comment, aujourd'hui, tout le bien qu'elle avait fait au monde lui revenait par l'heureux mariage de sa fille avec un Étranger.

Le Perroquet en smoking et nœud papillon sortit de la foule. Son épouse vêtue elle aussi d'une robe de soirée noire se porta à son côté. Il parla d'une voix douce et chantante quoique enrouée, modula des mots qu'on avait du mal à entendre mais qui, à en juger par les mines satisfaites de l'auditoire, devaient être des plus intéressants.

– Dot. Dix têtes de bœufs, trois cents sacs de riz. Deux cents kilos de manioc. Six cents régimes de bananes.

– Si cela ne suffit pas, brailla le chien qui venait lui aussi de fendre la foule, accompagné de la cane, vous pouvez continuer. Vous êtes libres de demander ce qui vous plaira et tous vos désirs seront satisfaits, acheva-t-il, grandiose !

– C'est pas à lui à fixer le montant de la dot de ma fille, intervint le Pygmée d'une voix cassante.

Ses yeux fulguraient et il regardait autour de lui comme pour embrasser l'assistance d'un seul coup d'œil.

– Allons ! allons, mon ami, dit le chef en lui tapotant les épaules. Ce qui se passe aujourd'hui ici n'a rien d'ordinaire et nous n'allons pas respecter les règles de la tradition comme s'il s'agissait d'un événement coutumier, banal. Tout le monde connaît la lourdeur de la tradition, ses impostures, son fanatisme, ses superstitions, ses mensonges. Elle se joue des sentiments populaires les plus sacrés, les plus naïfs octroyant des droits à ceux qui n'en ont pas et lésant les autres. Aujourd'hui, nous avons devant nous des Étrangers imposants et nous n'allons pas leur faire subir l'affront de l'attente, des formalités coutumières et administratives. Il faut savoir quand alléger les structures. En outre, le peuple a faim, il faut lui donner à manger, rapidement. On peut considérer cela comme un état d'urgence. Ce qui signifie qu'il faut aller à l'essentiel !

– Voilà des paroles intelligentes ! brailla le chien. Que la fête commence !

Des voix se firent entendre. Un mouvement de foule. Les cous imprimèrent une volte-face vers le lit du soleil. Enfin, plusieurs jeunes filles vêtues de pagnes blancs coupés court, leurs seins d'adolescentes hauts et pointus en l'air, apparurent sur la scène en chantant à la queue leu leu. Certaines portaient des sacs de riz, d'autres des sacs d'argent, d'autres encore des paquets de tissus wax, bazin, sicam ; des coffrets de parfums. Elles descendaient, aériennes, l'escalier de la scène et venaient déposer à tour de rôle leur chargement aux pieds du chef, et disparaissaient sous les regards à la fois ravis et interloqués des villageois. Quand la dernière eut déposé son paquet, la foule demeura, un bref instant, dans un état second.

– Allons ! Mesdames, messieurs, servez-vous ! dit la cane.

Un remue-ménage, mais personne n'osa bouger. Enfin, une petite vieille s'avança devant le chef, se baissa, ramassa un rouleau de tissu et, au moment où elle allait se fondre dans la foule, la cane l'interpella, vola jusqu'à elle et l'embrassa sur les joues. À cet instant précis, la vieille femme se transforma en une jeune fille de vingt ans, belle, jeune, pleine d'assurance, à la peau extrêmement claire, qui toisa le public, remercia la cane sur un ton hautain et s'en alla. Dès lors, les digues furent rompues, les gens se bousculaient. Certains s'emplissaient les mains, couraient déposer leur chargement chez eux et venaient se resservir. On entendait : « C'est à moi ! Ne touche pas ! Salaud ! Vampire ! Despote ! » Mais personne n'y attachait une attention excessive. La scène était en proie à un incroyable désordre. Les villageois raflaient des choses sans même les essayer. On vit un homme revêtir deux Kabas, s'emparer de flacons de parfum, d'un sac d'argent et s'en aller en courant.

L'Étranger suivait tout cela, un sourire mystérieux sur le visage. Puis, d'un ton doux, il me dit qu'il était temps, qu'il fallait vraiment partir. Éperdue d'un bonheur auquel j'étais peu habituée, je me pavanais dans ses bras et poussai un long soupir. Au loin, un hélicoptère ronfla, s'approcha et se posa au milieu de la scène, mais personne n'y fit attention, trop occupés qu'ils étaient à s'emparer des victuailles.

L'Étranger me porta jusqu'à l'hélicoptère où il me hissa et me fit asseoir.

– Mais je suis nue, dis-je soudain en me regardant, scandalisée. Il faut que j'aille m'habiller.

– Non, petite, ce soir est un soir particulier. Tu n'auras pas besoin d'habits mais de ton âme.

– J'aurai froid !

– Non, rassure-toi.

Nous nous envolâmes.

Nous survolâmes les cases du village et prîmes de la hauteur, bientôt Wuel ne fut plus qu'un point noir audessous de nous. Partout en moi, bouillonnait la délectation, une joie comme des bulles qui picotaient chaque cellule de mon corps. J'étais libre, libre de toute entrave, les autres, les villageois, les commérages, les racontars, je laissais tout derrière moi. Je comprenais que, née de deux pères, je n'étais pas tout à fait comme les autres et que ce qui m'arrivait ne pouvait arriver qu'à moi.

Je fermai les yeux et me laissai bercer par le ronflement de l'appareil. Nous traversâmes plusieurs villes. L'Étranger regardait fixement le tableau de bord, demandait des informations aux tours de contrôle, virait à gauche, puis à droite, toujours prudemment. Nous survolâmes le Nigeria, Abidjan, Dakar, l'Algérie, la Méditerranée, Nice, enfin nous atterrîmes à Paris sur la place de l'Étoile.

Plusieurs personnalités nous attendaient. Elles ne semblaient pas surprises de me voir sans vêtement. Tout paraissait normal et l'accueil qui nous fut réservé était des plus solennels. Mes cheveux furent ceints d'une couronne en diamants. Mes pieds chaussés de sandales en pétales de roses. L'Étranger passa à mon cou une lourde chaîne en or.

– Ce soir, tu es la princesse, me dit-il en m'embrassant le cou. Vu ton titre et ton rang, tu devras te comporter comme telle. Ne pas beaucoup parler, et écouter les gens même si ce qu'ils disent te déplaît. Le sourire, ma chérie, le sourire comme une arme et tu seras récompensée au centuple ! Tu promets que tu ne seras pas méchante ?

– Oui, balbutiai-je en ouvrant des yeux ronds sur ce qui m'environnait.

Des lunaires de soie brodée habillaient l'Arc de Triomphe. Des guirlandes ondoyaient joyeusement sur les Champs-Élysées. Des flics qui faisaient la ronde s'arrêtèrent et vinrent nous faire la révérence. Un monsieur long et chauve au nez aquilin qui semblait être un représentant officiel nous salua respectueusement et sans un mot nous conduisit à une Mercedes noire, décapotable, dont il ouvrit cérémonieusement la portière. Un chauffeur en livrée nous conduisit lentement, le long des rues brillamment éclairées, peuplées de tous côtés d'hommes blancs, entièrement nus, coiffés de bérets bleu, blanc, rouge et qui brandissaient des drapeaux et hurlaient des paroles de bienvenue sur notre passage. J'actionnai le bouton de commande de la vitre et leur fis des gestes amicaux de la main. Je voyais leurs visages pâles virer au cramoisi quand l'un réussissait à toucher mes doigts. Je me sentais autre, irréelle, presque. Quelques minutes plus tard, nous nous sommes retrouvés à l'Élysée.

Sur le perron où était déroulé un tapis rouge, un homme et une femme, entourés de plusieurs chats noirs qui semblaient être des gardes du corps, nous attendaient. Je descendis de voiture, au bras de l'Étranger, le cœur battant, les nerfs broyés, mais je n'avais pas peur. Non. C'était quelque chose d'autre comme une secousse violente provoquée par un orage intérieur qui menaçait de tout ravager.

Sans savoir comment, je me retrouvai propulsée devant, serrant la main à nos hôtes, que je détaillais sans gêne.

– Heureux de faire votre connaissance, princesse **Mégri**, me dit le monsieur, un sourire affable sur les lèvres. Il y a longtemps que j'ai entendu parler de vous et je suis reconnaissant à notre ami d'avoir eu l'obligeance de vous amener ici ce soir.

Le ton de ces aimables paroles me déconcerta, moi, la fille au cheveu rouge, habituée à recevoir des injures, je le regardai fixement, m'efforçant de comprendre quelque chose. Je demeurai muette malgré les coups de coude de l'Étranger.

– Excusez la timidité de la princesse, monsieur le Président, dit l'Étranger. Comme vous le savez vous-même, elle vient juste d'entrer en fonction et ne tardera pas à montrer à tous combien elle est aimable, douce et prévenante !

– Je n'en doute pas ! Je n'en doute pas ! glapit le Président en me prenant la main pour m'accompagner dans la salle.

Le monsieur que l'Étranger appelait le « Président » était un grand bonhomme dont la taille avoisinait le mètre quatre-vingt-dix. Il frappait par l'irrégularité de ses traits. Ses yeux étaient placés un peu n'importe comment dans un visage anguleux et maigre. Ses rares cheveux grisonnants parsemés çà et là témoignaient d'une vie déséquilibrée propre à ces personnes qui, de toute leur existence, ont tenté de faire du bien sans y parvenir et que les épuisements, les recherches du possible et de l'impossible ont vieillies prématurément. En lui se lisaient de hautes aspirations et des intentions louables mais jamais concrétisées. Il avait certainement dû souffrir quoiqu'il apparût comme un triomphateur, orgueilleux et même impertinent. Il m'examinait attentivement tout en marchant à mon côté dans le long couloir qui conduisait à la pièce principale tandis que son épouse, une petite blonde qui aurait pu passer inaperçue (si son regard sombre n'avait témoigné d'une puissance et d'une grande profondeur), bavardait avec l'Étranger.

– Dites-moi, princesse, interrogea le Président, dites-moi pourquoi, lorsque j'ai une jolie dame à mon bras, je me sens toujours aussi stupide. Dieu sait que j'ai rêvé de vous rencontrer. Je me suis laissé dire que vous étiez intelligente, réfléchie, et que vous vous occupiez de choses sérieuses et, notamment, de la mauvaise répartition du bonheur dans le monde. Pardonnez-moi, ce n'est pas le moment d'en parler, mais nous avons tant de choses à nous dire !

– Oui, bien sûr ! Je suis là en tant que représentante de mon pays pour discuter de la question de la dette du tiers monde, j'estime qu'il est temps d'en parler sérieusement…

Sans être consciente de ce que je disais, les mots tombaient de mes lèvres, froids et hautains. Je ne reconnaissais plus ma voix, elle ne m'appartenait plus. C'était comme si quelqu'un d'autre s'était introduit en moi et prononçait ces paroles. Je demeurai de longues minutes comme soûle, incapable du moindre mouvement. Le Président m'inspecta et, visiblement satisfait de mon audace, m'adressa un sourire encourageant.

– Je ne m'attendais pas à moins de votre part.

La salle où devait avoir lieu la réunion était une grande pièce au plafond haut, ornée de gravures dorées de l'époque napoléonienne. De nombreuses personnali-

104

tés nous attendaient, vêtues princièrement. Un jeune homme à lunettes s'avança vers moi. Il me baisa la main et me demanda avec des gestes grandiloquents d'avoir l'obligeance de m'asseoir à son côté. Je pris place dans un fauteuil Louis XVI et l'homme aux lunettes glissa à mes pieds un coussin brodé d'or. Immédiatement, un autre homme en uniforme bariolé et perruque poudrée se mit à m'éventer. Je promenais un regard distrait sur l'assistance. La majorité des femmes en vêtements scintillants buvaient des coupes de champagne au son d'une musique lente tandis que les hommes en habits de cérémonie ne se privaient de rien. De tous côtés on entendait des conversations politico-intellectuelles, si solennelles, si ennuyeuses qu'elles en devenaient ridicules. Je cherchai l'Étranger des yeux. Il se tenait près de la maîtresse de maison dans une attitude pompeuse. Et, comme s'il avait saisi ma muette interrogation, il vint vers moi, d'un pas lent, traînant.

– La séance va commencer, princesse Mégri. Ne t'inquiète pas.

– M'inquiéter ? Mais je suis ravie !

– Tant mieux. Tiens, voilà Bernadette et Jacques.

En effet, le chien et la cane firent une entrée très remarquée, un bouquet de lilas à la main, qu'ils vinrent déposer à mes pieds.

– Excusez-nous, ô princesse, d'être arrivés en retard. Mais le protocole a ses exigences, aboya le chien.

– Oui, fit la cane, volubile. Des exigences. Mais voilà le Président !

– Princesse Mégri, commença le Président d'un ton grandiloquent. Permettez-moi de vous dire, devant l'assistance ici présente, combien je suis heureux que me soit échu l'immense honneur de présider ce soir la séance internationale où sera décidé le sort du tiers monde. Tout d'abord, en tant que président de cette assemblée, j'adresse mes excuses aux hommes, aux animaux, aux plantes de votre pays pour tout le mal que le reste du monde lui a fait. Et, c'est en tant que dernier homme de mon siècle que je me présente…

– Trop long, interrompit le chien. Abrégeons !

– Oui, abrégeons, brailla la canne. La princesse est fatiguée.

– Je disais donc que, reprit le Président sans se départir de son ton hautain qui semble recenser chaque mot, s'arrêter sur chaque syllabe, je disais que le problème de la faim dans le monde…

– Je crois que la montagne va accoucher d'une souris, glapit le chien !

– D'un caillou ! vociféra la cane. Il veut parler de la dette. Il n'y a jamais eu dette !

– Taisez-vous et respectez le protocole, criai-je excédée. Laissez le Président parler.

– Vous ne sauriez croire, ô princesse, combien votre bonne volonté me réconforte, reprit le Président dont les yeux bleus, des yeux à fleur de tête de déséquilibré, brillaient de satisfaction. Mais je ne saurais abuser plus longtemps de votre patience. Qu'on fasse entrer les responsables.

On entendit une sorte de cri, une plainte presque, se répercuter dans la pièce et, dans un flamboiement de lumière, le premier homme apparut. Il portait autour de la tête un grand turban comme pour se protéger du soleil. Il regarda autour de lui avec assurance puis, alerte, se dirigea vers moi. Ensuite, comme s'il avait répété ce geste des milliers de fois, il plia un genou et me regarda droit dans les yeux.

– Je vous présente un homme des plus intéressants, dit le Président. Monsieur Brazza. Un explorateur acharné.

– Un pilleur ! me souffla la cane.

– … qui a découvert beaucoup de contrées. De l'Ogoué, en passant par l'Oubangui, continua le Président.

– Un aventurier, me chuchota le chien.

106

– Il a permis à la France d'étendre ses frontières depuis Dunkerque jusqu'au Congo, acheva le Président.

– Princesse, balbutia Brazza, ému.

– La princesse est heureuse de faire votre connaissance, aboya le chien.

– Nous sommes heureux ! renchérit la cane en se donnant deux coups de bec pour rajuster sa cape rouge brodée d'or.

Et se penchant vers moi et s'assurant que personne ne pouvait l'entendre, elle ajouta :

– Pas très intéressant quoi qu'en dise le Président. (Puis, à voix haute :) Au suivant !

– Mais…, protesta Brazza. J'avais des choses personnelles à dire à la princesse. Des événements de la plus haute importance !

– Elle est déjà au courant, dit le chien avec un sourire affable.

Déjà, le chien le repoussait vers la foule. Un nouvel invité entrait, la cinquantaine bien sonnée, la face rubiconde de l'éternel mécontent, barbe longue et fournie, vêtu d'une culotte kaki, d'un béret style colonial, de sandales et chaussettes blanches.

– Monsieur Paul Soleillet, me glissa la cane. L'homme de l'Or du Bambouk. Il collectionne dans ses tiroirs une tonne de mouchoirs.

– Et pourquoi ? interrogeai-je.

– Il ne se consolera jamais de n'avoir pas réussi à convaincre ses contemporains de la nécessité d'intégrer les Nègres par le métissage. Et depuis, il pleure nuit et jour. Sa présence ici ce soir est de la plus haute importance.

Paul Soleillet s'avança vers moi, s'inclina et me baisa la main.

– Princesse, pleurnicha-t-il…

– Nous savons, nous savons, chantonna la cane. Votre épouse restée en France n'a plus rien à se mettre sous la dent alors qu'il y a tout l'or de Bambouk. Allez donc rejoindre les autres. La princesse s'en occupera.

– Merci, merci, balbutia-t-il.

Trois autres hommes attendaient, M. Colins, M. Olivier de Pastré et M. Denis de Revoyré.

– Ceux-là, dit le chien en les toisant, ceux-là sont les déçus du colonialisme. Ils poursuivaient deux chats à la fois, que voulez-vous. Ils voulaient d'une part servir leur patrie humiliée par la perte de l'Alsace-Lorraine. D'autre part, ils voulaient vivre en Afrique l'aventure de l'explorateur en communion avec la nature !

– Mais où sont leurs épouses, leurs familles, leurs enfants ?

– Que feraient-ils là ? Ils n'ont pas pillé l'Afrique, eux ! Ni avancé des idées pour une meilleure exploitation du Noir ! Ils n'ont rien à faire ici.

De loin, tous ces hommes en habit colonial paraissaient semblables. Ils s'agglutinaient, se poussaient comme pour prendre d'assaut le trône où j'étais assise. Je voyais affluer ces corps blancs, rougis par le soleil ou mangés par la saleté de longues traversées de fleuve, de trajets à pied entre poussière et moustiques. Il y avait aussi bien ceux qui avaient réussi leur mission de colonisation que les autres, le marquis de Compiègne, Binger, Monteil, Brière de l'Isle, Bolève, Gallieni ; des courtiers de Gold Coast, du Dahomey, du Bénin et des négriers d'Angola et du Mozambique.

Durant plus d'une heure, je donnai ma main à baiser. À la fin, je la gardai constamment tendue pour économiser le geste, un immuable sourire de bienvenue figé aux lèvres.

– Nous sommes heureux, chantonnait la cane.

– Ravi ! s'égosillait le chien.

– Celui-là, marmonnait la cane, a fait périr dix mille Noirs sur son bateau dans des conditions atroces, lors de la traversée pour l'Amérique. Cet autre a écrasé un mouvement de résistance noire, et cet autre encore, après avoir fait un enfant à une femme noire, l'étrangla pour étouffer le scandale... Ce jeune blond avait un comptoir d'esclaves à Dakar, il porte sur sa conscience près de cinquante mille morts. Voilà M. le commandant Marchand. Tenez, voilà Léopold II et Otto Bismarck, le naturaliste Marche.

Le défilé continuait. Ma main était devenue si sensible que le moindre attouchement me faisait souffrir. Une chaleur suffocante régnait dans la salle. Je commençais à être réellement fatiguée. Je m'enquis :

— Il y a encore beaucoup de monde ?

— Non, princesse, voilà le dernier.

Un homme maigre et sale se tenait à trois pas du Président. Les yeux hagards, il fouilla la masse des invités, cherchant sans doute quelqu'un. Bientôt, un sourire pâle et froid s'esquissa sur ses lèvres. Et, tel un possédé, il fendit la foule et planta un couteau dans le dos de Colins. Le visage du poignardé se crispa. Des rides de douleur se creusèrent sur le front, autour des lèvres. Sans un cri, il tituba, chancela. L'espace de quelques secondes, je crus qu'il s'affalerait là, sur ce sol moquetté. Mais, non ! Il se retint de justesse et, d'une démarche oblique et trébuchante, il disparut derrière un rideau.

C'est à peine si les quelques femmes présentes esquissèrent des gestes d'émotion. Un homme, le nommé Bolève, proposa de lever un toast au coup de couteau car, dit-il, Colins avait toujours été un insolent. Qu'avait-il à se faire nommer, sans l'accord de la France, représentant légal de celle-ci en Afrique ?

— Mort aux insolents, clama-t-il d'une voix qui semblait remonter des profondeurs d'un puits.

— Mort aux insolents, répéta l'assistance.

— Taisez-vous ! gronda le Président. Vous, Bolève, aviez refusé à Colins l'aide qu'il sollicitait à Senoudébou. Vous l'aviez anéanti ce jour-là en empêchant qu'il réussisse ses projets. Que voulez-vous de plus, rapace ?

— Pas si vite, monsieur le Président. Peut-être que mes actions, présentes et passées, paraissent condamnables. Mais je dis bien paraissent. Car au fond, un utopique comme Colins n'a pas sa place dans le monde, croyez-moi. Toute sa vie, il a été persécuté et même au-delà de sa mort. Son assassinat physique est pour lui libérateur. Car, voyez-vous, il est parti se reposer pour toujours et, là où il est en ce moment, il est en lieu sûr. Une place lui est maintenant réservée au Paradis. Il y sera à l'abri des gens qui le jalousaient, des petits fonctionnaires, des voleurs d'idéaux, qui sont, dès à présent, obligés de réciter pour lui un *De profundis*. Quant à moi, je reste à votre disposition et vous servirai fidèlement jusqu'à expiation de ma peine.

– Bravo ! hurla quelqu'un dans l'assistance.

– Merci, merci, dit Bolième, une main sur le cœur en remuant son crâne squelettique. Je vous revaudrai cela.

– Assez ! aboya le chien. Passons à l'essentiel. La princesse est là pour festoyer et non pour écouter des sornettes.

– À l'essentiel ! cria la cane.

Des phrases isolées se firent entendre encore durant quelques instants, ensuite ce fut le silence. Le Président avança de trois pas, se racla la gorge, puis :

– Mesdames et messieurs, nous sommes réunis ici ce soir pour trouver des solutions aux problèmes du tiers monde.

– Ennuyeux ! intervint le chien.

– Problème mal posé, chantonna la cane.

– Oui, continua le chien. C'est un problème qui se pose à leur conscience, pas au tiers monde. Qu'en penses-tu ? dit-il en pointant son museau dans le bec de la cane.

– Tout à fait d'accord. Voyez-vous, continua la cane, c'est en vous jugeant responsables du mal des pays du tiers monde que vous vous libérerez du diable que vous servez depuis près de deux siècles. Pour soulager votre conscience, voilà ce que je vous propose : nous remontons le temps. Nous revenons tous en arrière. Nous effaçons l'histoire. L'Afrique n'a jamais été colonisée.

– Nous avons nos habitudes, claironna la foule.

– Dans ce cas, dit la cane en haussant ses ailes, nous n'avons plus rien à faire ici.

Le chien me tendit la patte et je fis mine de me lever.

– Attendez ! dit Boliève qui ne cachait plus sa peur. Attendez et discutons.

– Pas de discussion possible, tonna le chien. C'est à prendre ou à laisser.

– Ce soir, fit l'Étranger d'une voix grandiloquente, nous faisons la fête, l'histoire n'a jamais existé.

Ce soir, l'histoire n'aura jamais existé.
Il n'y aura jamais eu d'histoire.
Cette nuit-là, dans les bibliothèques, les écoles, les centres de recherche, de Paris, de Londres, de Genève, de New York, de São Paulo en passant par Nairobi, Addis Abeba, Dakar, Abidjan, Hong Kong, tous, absolument tous les documents traitant de la relation Nord-Sud, de la traite des Noirs, de la conquête de l'Afrique disparurent comme par enchantement.

Le diable seul savait comment, je me retrouvai, devant ma case, en face de l'Étranger, mes deux mains dans les siennes, à l'heure où le jour, riche d'illuminations incandescentes, triomphait de la nuit.

– Il faut qu'on se sépare, dit-il.

– Mais… Mais nous sommes mariés.

– Mariés ? demanda-t-il en arc-boutant ses sourcils. Disons que c'était un rêve.

– Un rêve ? interrogeai-je, ahurie. Et les autres, ils ont rêvé eux aussi ? hurlai-je.

– Calme-toi, dit-il. Disons que nous avons fait un rêve collectif. Ça arrive, tu sais ?

– Oui, fis-je, la larme à l'œil.

Il tournait les talons et voulait s'en aller lorsque l'un des jumeaux, celui qu'on appelait le Perroquet, tendit sa langue qu'il ne gouvernait pas et nous héla.

– Frère, dit-il en lui tapant dans les mains et en se livrant à une étrange contorsion des yeux, je t'ai cherché toute la nuit pour te poser une question. Où as-tu pris l'argent que tu as distribué hier soir ?

– Quel argent ?

– Après tout, dit le Perroquet, j'ai dû m'endormir la nuit dernière et rêver tout cela. Et si j'admets cette hypothèse, il convient d'ajouter que les autres aussi ont fait exactement le même rêve et qu'il s'est concrétisé.

– Oui, acquiesça l'Étranger. Il y a des rêves étonnants et, quelquefois, ils deviennent réalité.

Dans les jours qui suivirent, il flotta dans le village un état d'esprit étrange. Dans la société des hommes, surtout, régnait une sorte d'insouciance. Ce fut une période facile sans être à proprement parler agréable. Un certain désordre était de mise. Personne n'allait aux champs. Les récoltes y pourrissaient. Les rats et les oiseaux engraissaient à vue d'œil. L'argent, si généreusement donné, abondait. Certes, on s'était soucié de sa provenance, mais très vite nous acquîmes la conviction que c'était l'œuvre des ancêtres qui, ayant eu pitié de nous, avaient distribué nourriture et cadeaux à chaque famille. La bonne conscience acquise, on vivait allégrement. On vit même de simples villageois aller en ville, commander une bière et laisser un pourboire de cent dollars au garçon qui, ravi, s'en allait en sifflotant. Plus tard, quand tout fut fini, on accusa l'Étranger, son influence et son argent maléfique, mais, pour le moment, nombreux étaient ceux qui vantaient ses capacités à avoir sorti de la misère tout un village. On le louait à l'envi. Il y eut quelques scandales auxquels l'Étranger n'était pas mêlé et tout le monde à l'époque se contenta d'en rire. Même ceux qui avaient une opinion bien à eux ne trouvèrent rien à dire en me voyant vivre à l'écart, loin de mon mari. Je me souviens que tout naturellement, vu l'oisiveté qui régnait alors, des cercles se formèrent, on y discutait politique, philosophie, littérature. La jeunesse, soudain oisive, organisait des pique-niques, des soirées, parfois des courses à travers la forêt. On vivait d'aventures, on allait jusqu'à s'en inventer afin d'avoir quelque chose à raconter pour amuser la galerie. Mais, paradoxalement, le chef, qui n'avait toujours eu pour tout signe de distinction que sa fortune, traînait son ennui, donnait des ordres que personne ne respectait, et attendait, cigarette aux lèvres, les temps bénis où argent et nourriture manqueraient à nouveau.

Dame maman, libérée des contraintes financières qui la liaient au Pygmée, s'adonna à cœur joie à la débauche. D'abord, elle alla trouver le Perroquet à son champ, et l'entraîna au ballet des corps, heureuse, ne craignant point d'être punie car, pensait-elle, infidèle lui aussi, il fermerait la bouche. Non seulement le Perroquet pérora dans tout le village mais encore un soir, lors d'une veillée autour du feu, alors qu'il prenait son tour de raconter, il trouva très spirituel d'avouer, dans un rire déployé, qu'il avait culbuté Dame maman. Il dit ses cuisses entre ses hanches, lui cavalier, elle monture anticipant ses fantaisies. Il dit la danse chaude, bain des sources célestes. Il dit elle criant plus fort couvrant ses halètements. Il acheva son récit en déclarant qu'elle en valait la peine mais qu'en homme qui gouvernait ses élans il l'avait rejetée et renvoyée aux bras de son mari, le Pygmée. La foule éclata de rire. L'homme pygmée, vexé, administra une gifle retentissante à Dame maman. Celle-ci, au lieu de s'enfuir comme il convenait, se jeta à son cou et joua les chatons :

– Je traîne mes regrets depuis cette histoire, dit-elle. Désormais, je ne permettrai pas au mensonge de s'interposer entre nous.

Ému par ces mots, il la serra si fort que Dame maman entendit craquer ses os.

– Il vaut mieux qu'on se quitte, clama le Pygmée théâtral, en la lâchant.

– J'ai moi-même pensé qu'il vaut mieux se quitter, dit Dame maman. Nous avons trop vécu dans l'erreur.

– Oui, renchérit le Pygmée, mais si un jour, vers la fin, tu te retrouvais seule, n'hésite pas à m'appeler, je viendrais…

– Qu'ai-je fait au bon Dieu pour être aussi insensée ? Je suis mauvaise ! J'ai toujours été mauvaise. Et, ce soir, je perds ce que j'avais de plus cher au monde. Kwokwomandengué, je crois que je t'appellerai en dernier ressort et que tu viendras. Pourquoi ? Pourquoi ferais-tu une chose pareille ?

– Parce que je sais qu'en fin de compte, un jour, je t'aurai pour moi, pour moi seul. Et j'attends ce moment.

– Et si après tout je ne t'appelais pas ? Que ferais-tu ?

– Je ne m'inquiète pas. Je sais que tu m'appelleras.

– En voilà du mépris !

– Pas que cela.

– Un peu quand même.

– Oui et beaucoup d'amour.

Elle éclata en sanglots. Pitoyable, la Dame mère ! Son corps ramassé dans les pleurs tressautait. De grosses traces de larmes sillonnaient son visage.

– Tu as besoin de moi, tu as besoin que je te soigne et te garde contre ta volonté, pour ton bien. Peut-être n'as-tu pas besoin d'un mari. C'est un garde-fou qu'il te faut !

Il la prit dans ses bras et commença de la dorloter. Certes, il pensait qu'elle était malade et les sentiments qu'il éprouvait à cet instant étaient voisins de l'horreur, horreur non de la femme mais de la conviction certaine que la femme qu'il aimait était folle. Il la voyait déjà, déchirant ses vêtements et se baladant toute nue à travers les ruelles du village, poursuivie par la huée moqueuse des enfants. Imagine cela, cher lecteur, et tu comprendras la nature des sentiments qui habitaient mon papa pygmée.

La foule, touchée au plus sensible par cette histoire qui ressemblait au scénario d'un film, versa quelques larmes et porta des toasts à la santé des mariés.

– C'est ça l'amour, glapit une commère envieuse en jetant des regards assassins à son mari.

– Non, rétorqua une autre. Tout le monde trompe tout le monde. Mais on n'a pas besoin d'étaler cela en public.

– Je ne voulais pas les offenser, protesta le Perroquet. C'était pour rire, ajouta-t-il, la voix basse.

– Oui c'était pour rire, répondit sèchement le Pygmée qui avait entendu la dernière phrase. Et en outre, vous nous avez rendu un grand service, ajouta-t-il, le visage élargi d'un grand sourire.

Il prit Dame maman dans les bras et l'emporta à la maison en la serrant si fort qu'elle comprit qu'en le trompant elle lui devenait plus précieuse, plus délicate. Elle décida de ce fait de rencontrer plus d'hommes. Et elle rencontra de plus en plus d'hommes. Ensuite, quand le Pygmée la retrouvait, elle s'ouvrait avec empressement, sans remords, éprouvait une délicieuse douleur à lui confier ses escapades, le regardait pleurer et l'aimer plus fort, jusqu'au jour où l'émotion le terrassa dans le lit. Sur elle.

Oui, sur elle.

C'était une nuit d'averse. L'orage cernait la case dans un tumulte de rivière en crue, maculant ses murs de feuillage et de boue. Le vent s'était levé, *le diable seul savait* d'où, en plein mois de janvier, au milieu de la saison sèche. L'eau déferlait à torrents sur le toit, menaçant de l'emporter, comme amenée au comble de sa colère par la joyeuse insouciance qui régnait au village depuis quelque temps.

J'étais dans ma chambre où l'odeur de la terre détrempée se mêlait à celle tenace du cacao dont toute la maison se trouvait imprégnée en cette période de récolte, mangeant des cacahuètes, buvant des rasades de vin de palme. Cela me permettait de maîtriser l'absurdité des sens qui me changeait en petite fille apeurée, à chaque assaut de l'orage, quand Dame maman surgit dans ma chambre, les nerfs défaits, cheveux hirsutes, un pagne autour des reins.

– Il est mort !

– Qui ? Qui ? hurlai-je en essayant de couvrir le fracas épouvantable.

L'orage redoublait de fureur, secouant la terre, prêt à dévisser rochers et arbustes, à souffler la case comme un château de cartes. L'effroi aux tripes, je sautai à bas du lit et courus vérifier la fermeture des volets. Le cœur renversé, je m'adossai à la fenêtre pour contrôler mes émois.

– Qui est mort ? interrogeai-je de nouveau, tentant de gouverner le rythme précipité de mon cœur.

– Qui veux-tu que ce soit ! cria Dame maman. Ton père ! merde.

– Lequel ? demandai-je et, avant que la question n'eût sa réponse, j'éclatai d'un rire nerveux.

Il me semblait qu'en demeurant ainsi, toute ma vie, je serais protégée du verdict. Mais le rire se dilua comme du sel sous la langue. Il n'y avait plus que les murs froids pour m'abriter. Et quand la bouche grimaçante de Dame maman lâcha les mots que je ne voulais pas entendre, je fermai les yeux et me mis à sangloter, désespérée.

Elle me saisit par les épaules et se mit à me secouer en criant :

– Le Pygmée ! Le Pygmée ! Tu m'entends ? Il vient de mourir.

Et elle m'intima l'ordre de la suivre.

Je lui emboîtai le pas. Plutôt mal que bien. Malgré ma peine, un nœud glacial entourait mon nombril. Je n'avais jamais vu de mort, l'idée ne me plaisait pas, mais je jugeais qu'il était préférable de me donner ce mal pour me rendre compte de l'évidence. Et, en outre, je ne voulais à aucun prix que Dame maman se rendît compte que la peur me tenaillait.

Depuis mon adolescence, mes relations avec elle se traduisaient souvent par de menues manifestations de révolte et de courage qui me remplissaient de joies. Je me suis souvent demandé si, à charge plus élevée de ma révolte correspondait une augmentation proportionnelle de mon plaisir.

Le Pygmée avait l'air de dormir, un bras pendant hors du lit, les yeux grands ouverts, la bouche grimaçante comme s'il avait goûté un plat amer. Je fus si secouée que, tombant sur le fauteuil le plus proche, je me mordis le doigt jusqu'au sang. Comment était-ce possible ? Pas plus tard que ce soir, j'avais parlé au Pygmée, il m'avait embrassée sur les joues en me souhaitant une bonne nuit. Voilà que…

– Lève-toi de ce fauteuil ! hurla Dame maman. Tu vas me l'abîmer.

– Quel fauteuil ?

– T'es folle ou quoi ? Regarde où tu es assise.

Je me levai d'un bond, en proie au désarroi et à la confusion. Je m'étais écroulée dans ma frayeur et ma peine sur le fauteuil de velours rouge, plus important que les prunelles des yeux de maman. Durant de longues minutes, je me tins au milieu de la pièce, ne sachant que faire. Dame maman, toujours assise dans le lit, était grisâtre. La seule vue du mort éveillait en elle toutes les affres de la pitié pour elle-même. Ce sentiment de commisération, douloureuse jusqu'à la démesure, lui arrachera encore durant de longs mois de délicieuses larmes de joie.

– Ma fille, dit-elle sur un ton où transpirait la frayeur, je voulais te dire que j'aime cet homme qui s'en va aujourd'hui. Oui, je l'aime, ajouta-t-elle, l'exaltation à la bouche. Je l'ai toujours considéré comme le meilleur des hommes.

– Tais-toi, hurlai-je au comble de l'énervement. Tu n'as jamais aimé personne. À cause de toi, mon papa bon Blanc est parti. Et maintenant à cause de toi mon papa pygmée est mort. Je te déteste !

– Calme-toi, Mégri. Je sais que j'ai eu tort. Mais, cette nuit, je ne veux pas avoir honte.

– C'est un peu tard.

Dame maman éclata.

– Aucun d'eux n'a mérité de m'avoir pour lui tout seul ! Pas un ! Tous autant qu'ils sont ne valent pas mon petit doigt, ni mon esprit, ni mon cœur, ni mon corps qu'ils utilisaient ! Parfaitement ma fille ! Tu veux des détails…

– Tais-toi, Mâ.

– Considère que je vis un accès de folie. Il est mort ? L'autre est parti ? Bien. Je suis de trop et je m'en irai moi aussi.

Sur ce, elle se laissa tomber sur le lit à côté du mort et pleura en silence.

– Mâ, dis-je en posant une main sur ses épaules, il faut avertir le village de la mort du Pygmée.

Elle me regarda, ahurie, les yeux hors de la tête comme si je venais de vomir une insanité.

– Tu n'y penses pas…

– Bien sûr que j'y pense ! On ne va pas l'enterrer ici.

– Qui parle de l'enterrer, idiote ? Ô Seigneur, qu'ai-je fait pour avoir une fille aussi stupide ?

Elle resta à fixer le vide pendant de longues minutes. Cette supériorité que lui octroyait l'âge sur moi l'incitait à sauter sur la moindre occasion pour me faire sentir toute ma stupidité. J'étais agacée car, moi, la fille au cheveu rouge, je savais qu'en son for intérieur elle me trouvait spirituelle, originale, qualificatifs qu'elle ne m'attribuait tendrement que dans son cœur. Elle était convaincue que nulle part au monde il n'existait de fille aussi excentrique. Quelquefois, devant mes désirs les plus bénins, elle s'en allait de case en case demander conseil aux autres mères :

« Est-ce que ta fille veut mettre un pantalon ? La mienne si. J'ai dû la supplier à genoux pour qu'elle ne fasse pas cette bêtise. » Ou encore : « Elle veut se couper les cheveux, je lui ai dit que si elle le faisait, elle devrait aussi me rapporter ses mèches pour que je puisse y verser mes larmes. Et la vôtre ? » Puis elle revenait rassurée ou encore plus inquiète.

« Une folle ou une idiote », me répétait-elle à tout bout de champ.

Sotte, certainement pas, et elle le savait puisqu'elle n'hésitait pas à demander mon avis sur tel problème insoluble pour elle. Quelquefois, elle respectait à la lettre mes prescriptions, ce qui flattait mon orgueil.

– Qu'est-ce qu'on fait ? demandai-je.

– Il faut se débarrasser du corps, sinon, on va nous accuser de meurtre, j'en suis certaine. Comment ? Je ne le sais pas encore. Et comme je suis la seule à réfléchir dans cette maison…

Elle se tut, à la fois bouleversée et, assez fière de sa dernière tirade, elle me mesura de la tête aux pieds et se retourna vers le mort.

Son attitude-guêpe me piqua. Une idée germa en moi. D'abord en bourgeon. Elle s'ouvrit, fleur organique à l'aube des printemps. Je la cueillis, je l'installai dans la vase ouverte de ma bouche. En jouir avant qu'elle ne se fane. Lèvres frémissantes, je dis :

– J'ai une idée. Il faut le ramener chez lui. Ni vu, ni connu ! Personne, m'entends-tu, personne ne viendra nous accuser.

Dame maman bondit sur ses pieds et m'intima l'ordre de l'aider. Je demeurai paralysée, *le diable seul sait* combien de temps. J'avais peur de beaucoup de choses, je l'avoue, et je sentais avec douleur la progression affreuse de cette peur. Je pensais au départ du bon Blanc, à sa dernière phrase : « La survie, Mégri. »

Je dis d'un ton ferme :

– Allons-y !

– Non ! trancha Dame maman. Il est nécessaire de vérifier que personne ne vous verra. J'y vais.

La perspective de me retrouver seule avec le mort ne me réjouissait pas. Nausée. Contractions dans le ventre. Pire était l'idée d'aller seule dans les rues, dans le noir. Et si le mort ressuscitait soudain et me sautait dessus ? Et s'il m'attendait tapi dans un coin au détour d'un carrefour ? Je crois aux histoires des revenants qui vous tirent le pied dans le sommeil. Grand-maman parlait des zombies surgis des eaux qui se transformaient en princes charmants, séduisaient les jeunes vierges et les entraînaient avec eux au royaume des eaux. Elle narrait les tempêtes des vents, expression de leurs colères. Ils grondaient dans les rivières de Wuel, soupiraient dans les arbres, chevauchaient les montagnes et zébraient les cieux. Non, les morts ne sont pas morts. Ils fourmillent dans l'agitation de la jungle. À travers les oreilles de la terre, on peut entendre les gémissements de ceux qui ne se satisfont plus des monticules qui les recouvrent.

À tout prendre, je préférais rester là, le surveiller et l'affronter en pleine lumière. Je décrochai le crucifix en bois suspendu au-dessus du lit et le passai à mon cou.

– Très bien, dis-je à Dame maman. Très bien. Je resterai là et je t'attendrai.

Dame maman m'observa longuement, elle fut sur le point de dire quelque chose, se ravisa et sortit.

Dehors, la tempête s'était apaisée aussi soudainement qu'elle était apparue. Le lourd nuage chargé d'eau et de feu filait par-dessus la montagne, semblant se diriger vers le nord. Le ciel s'éclaircissait à petits bouts, bientôt on y verrait comme en plein jour. Dame maman s'avançait péniblement, trébuchant et glissant dans les caniveaux, s'agrippant à ce qui lui tombait sous la main.

Les pieds dans l'eau jusqu'à la cheville, elle atteignit bientôt la concession de mon papa pygmée.

Elle crut distinguer au loin le rougeoiement d'une cigarette. L'apparition fut brève et lui laissa une désagréable impression.

Elle revint à la maison, rasant les murs des maisons endormies et m'expliqua brièvement et sèchement ce qui s'était passé, mais ajouta d'un ton méprisant que, quoi qu'il en fût, il ne pouvait plus rien lui arriver de pire.

Tout se déroula très vite. La petite taille du Pygmée nous facilita les choses. Dame maman l'avait attrapé par les jambes tandis que je me chargeais de ses petits bras maigres, semblables à ceux d'un adolescent chétif.

Jamais la distance qui séparait notre case de celle du Pygmée ne m'avait paru si longue. À chaque pas, mes pieds s'enlisaient de trois pouces dans la boue. Plusieurs fois, je manquai de partir à la renverse.

– Soulève un peu plus, grogna Dame maman.

Elle comprit, la femme, très vite, que je ne lui serais pas d'un grand secours et que je la retardais. Elle décida de porter le cadavre sur son dos. Elle attrapa les bras que j'avais laissés tomber dans la boue et, se penchant d'un geste rapide, elle le jeta sur ses épaules et reprit son avancée pénible. Le tronc du petit homme ballottait. Résolue comme seul peut l'être quelqu'un qui est en train de sauver sa peau, elle serrait les dents, contractait mâchoires et muscles. Je suivais Dame maman, effrayée, regardant de gauche à droite, fouillant l'ombre des vérandas où je croyais apercevoir chauves-souris et têtes de morts.

Enfin, nous arrivâmes devant la maison du Pygmée. L'entrée était sombre mais sa chambre était éclairée. Dame maman lâcha le corps et pénétra dans la pièce. Il y régnait un désordre indescriptible. Le lit était défait. Des vêtements jonchaient le sol. Un bol de lait refroidissait sur la commode.

– Il faut partir d'ici, dis-je à Dame maman.

Nous quittâmes la maison à grandes enjambées, l'esprit torturé par ce désordre indescriptible qui n'était pas dans les habitudes du Pygmée. On avait fouillé sa maison. Quelqu'un cherchait quelque chose. Quoi ? Il faisait toujours aussi sombre et il était difficile de distinguer des objets à plus de trente pas. À mi-chemin, une forme apparut, vêtue de blanc.

– On prend de l'air ?

– L'Étranger ! m'exclamai-je.

Depuis la messe qui avait célébré notre lien de sang, que je nommais notre mariage, je l'avais peu vu, malgré ce désir qui me brûlait, me poussait à le vouloir pour moi, à le dissoudre dans mes entrailles. Il m'évitait. Sa volonté tout opposée à la mienne annulait mes désirs. J'étais devenue l'ombre de ses pas sans qu'il semblât manifester l'envie de renouer notre étreinte. Pourtant, je m'étais efforcée d'être une femme docile dont il aurait pu user à sa guise. Je regrettais qu'il fît montre à mon égard d'une telle réserve. Blessée par son indifférence, j'aurais souhaité qu'il me frappe, qu'il m'attrape par les cheveux et m'entraîne entre boue et épines, qu'il me punisse de la faute que je n'avais pas commise ! J'aurais tout accepté, pourvu que cessât cette abominable indifférence qu'il me témoignait, donnant à chaque minute de mon existence la saveur d'une nourriture rance.

Je ne m'étais pas senti la force de lui avouer que j'attendais un enfant, maintenant qu'il semblait ne plus rien attendre de moi. Toutes les nuits, me tenaillait le brulant désir de le rejoindre. Mais m'aurait-il seulement ouvert sa porte ?

– Ainsi c'est toi…, balbutiai-je pour moi-même.

– Je vous ai fait peur. J'en suis désolé. Me permettez-vous de vous accompagner jusqu'à votre porte ? Je crois que vous n'allez pas très bien.

– Ce n'est rien, dit précipitamment Dame maman. Ne vous dérangez pas. Vous nous avez fait peur, voilà tout.

– Cela ne me dérange pas, insista l'Étranger. Et, posant une main cérémonieuse sur son cœur, il ajouta : Tout le plaisir est pour moi.

Nous cheminâmes, silencieux. Quand nous fûmes devant la porte, Dame maman lui tendit la main pour le remercier.

– Pourriez-vous m'offrir un thé ? demanda-t-il à brûle-pourpoint.

– Un thé ? Maintenant ? tout de suite ?

– S'il vous plaît.

À contrecœur, Dame maman le fit entrer. Elle aurait voulu rester seule, laisser ses souvenirs se dérouler

123

sous ses yeux en bribes incohérentes. Elle aurait voulu que la mémoire retraçât pour elle, à sa manière débridée, le destin d'une femme fatale qui avait grandi sur cette terre et bu jusqu'à satiété le désir des hommes. Mais voilà que cet Étranger, qui n'avait jamais mis les pieds chez elle, choisissait cet instant pour s'incruster dans sa vie.

L'Étranger s'était assis sur une natte, près de la chambre. Je m'assis près de lui. Il me dévisagea d'un coup d'œil rapide.

– Il faut que l'histoire reprenne, dit-il soudain.

– Bien sûr, répondis-je platement.

– Il était temps. Je tiens énormément à toi, Mégri, malgré les apparences. Si seulement…

– Si seulement…, répétai-je à sa suite.

– Mais peut-être est-ce mieux ainsi ? Si notre mariage avait été rendu public, si tu étais venue vivre avec moi, je ne sais pas comment notre couple… tout cela aurait fini. J'y ai pensé et plus souvent que tu ne te l'imagines. Aujourd'hui, je vois clairement. Le bonheur est imprévisible. Il est difficile d'aimer. L'amour ne dure qu'un instant. Le quotidien l'étouffe.

– Cela m'aurait suffi.

– Je m'en doute ! fit-il, hargneux.

– Ce n'est pas ce que je voulais dire. De toute façon, tout aurait pris fin un jour, d'une manière ou d'une autre. La mort serait venue…

Doucement, je me mis à pleurer. Comment lui dire que j'acceptais tout, un bref instant, une parcelle du temps qu'il m'accorderait aussi mutilée fût-elle ? Comment lui dire que j'étais une femme, prête à me livrer sans rémission aux caprices de ses plaisirs, à puiser dans son corps le réconfort qui abolirait les nuits de solitude où j'avais mouillé mes oreillers de mes larmes ? Comment lui annoncer la nouvelle que je ne pourrais plus cacher longtemps ? J'allais sur mon troisième mois de grossesse et, à mesure que le temps coulait, mes reins se creusaient, mes hanches s'élargissaient, mes jambes s'alourdissaient. Comment lui, si apte à déchiffrer le destin, à lire la géographie du futur, ne voyait-il pas les transformations que mon corps avait subies ?

L'Étranger me prit dans ses bras, caressa mes seins, mon ventre. Puis, d'une voix assourdie, il dit :

– L'existence a une fin, la vie, elle, continue toujours. Aujourd'hui, notre amour se prolonge dans ton corps. Es-tu courageuse ?

– On n'a pas besoin de courage pour faire un enfant.

– Je ne te parlais pas de la vie, mais de la mort et du courage en général.

– Je ne crois pas que je sois courageuse. Non… Peut-être pas. Le courageux est celui qui voit le danger et n'hésite pas à l'affronter. Celui qui affronte le danger parce qu'il a le dos au mur n'est déjà plus courageux, dis-je après un moment de réflexion. Cette conversation n'a pas de sens et me déplaît.

– Je sais tout, Mégri. Ce n'est pas par hasard que je me suis trouvé sur votre chemin.

– Que dois-je faire ?

– Aie confiance, Mégri. Je serai toujours à tes côtés. Jamais, je ne t'abandonnerai. Il ne faut jamais fuir ses responsabilités. La confiance en soi est toujours le meilleur avocat.

– Qui a parlé d'avocat ? dit Dame maman en entrant, une théière dans les mains. Cette année, ils ne seront pas beaux car il est tombé beaucoup trop d'eau.

Et, sans attendre sa réponse, elle lui versa un bol de thé qu'il but d'un trait.

Dame maman, toujours debout, prit place en face de l'Étranger et demanda :

– Pourquoi êtes-vous venu ?

– Pour vous tirer d'affaire. Mais, ajouta-t-il après un bref moment de réflexion, ça n'a plus d'importance. Il faut que je parte, dit-il en bondissant sur ses grandes jambes. Ce soir, il ne fait pas bon être dehors. Fermez bien votre porte, n'ouvrez à personne sous quelque prétexte que ce soit. Et n'oubliez pas de dormir avec un couteau sous le lit.

– Un couteau ? demanda Dame maman, incrédule.

– Un couteau chasse les mauvais esprits, dit-il en lui baisant la main.

Il me fit un signe poli de la tête et disparut.

Un grand silence s'établit entre nous, palpable. Dame maman semblait ne pas s'apercevoir de ma présence. Elle s'était caparaçonnée dans une retraite solitaire où personne ne pouvait la retrouver, où enfant, dans les bras de sa mère, elle écoutait les histoires de fantômes et de revenants, toutes ces histoires qu'elle-même m'avait racontées plus tard, entre autres celle de la femme méchante, sans enfant, qui préférait laisser pourrir ses mangues dans le jardin plutôt que de les donner à quelqu'un. Un jour, pendant qu'elle sarclait son terrain, un oisillon vint se poser sur une branche et lui demanda :

– Femme, j'ai volé pendant trois jours et trois nuits, je suis fatigué, assoiffé, affamé, puis-je picorer un peu de tes mangues ?

– Quel culot ! hurla la méchante femme. T'as qu'à aller travailler si tu veux te nourrir, allez ouste ! dit-elle en chassant l'oisillon.

Il s'envola.

Quand la femme mourut, elle fut envoyée dans la vallée des mauvais, là où le soleil brûle nuit et jour, où les fourneaux cuisent la peau. L'oisillon alla consulter les dieux et plaida la cause de la femme en arguant qu'un jour, aussi méchante fût-elle, il s'était reposé sur son manguier.

– Très bien, lui dirent les dieux. Tu iras tendre la patte pour l'enlever de là, tu as trois minutes pour toute l'opération. Si au bout de trois minutes elle n'est pas sortie de son trou, elle y restera pour toujours.

Satisfait, l'oisillon vola jusqu'à la vallée des morts maudits et appela la femme.

– Femme, les dieux m'ont envoyé te chercher. Je vais te donner la patte et te tirer de là.

Cela dit, il lui tendit sa patte. Ce voyant, d'autres condamnés s'agrippèrent à la méchante femme.

– Lâchez-moi, hurla-t-elle, allez, ouste dans le trou. C'est pour moi que l'oiseau est là et non pour vous !

Elle s'acharna tant à se battre contre les malheureux qui s'agrippaient à elle, que les trois minutes données par les dieux s'écoulèrent. L'oisillon s'envola en pleurant.

Ce soir, Dame maman était un peu cette femme.

– Il faut aller se coucher, dis-je.

– Où ? demanda-t-elle. (Elle ajouta comme pour elle-même :) Je ne coucherai pas dans cette morgue. Son fantôme est encore là, dit-elle en pointant un index accusateur vers sa chambre. Il va m'entraîner à sa suite.

Elle s'agenouilla, les doigts fortement entrelacés, et se mit à prier. Ses lèvres étaient tendues en avant et des profondeurs de sa gorge montaient des supplications.

– C'est ça ! Mâ, prie, prie fort, vas-y, vas-y carrément.

Et trouvant qu'elle n'y mettait pas assez du sien, je m'agenouillai à son côté dans mes pagnes couverts de boue pour prier avec elle. Pour tout avouer, c'était la première fois que j'adressais vraiment quelques paroles à Dieu. Dame maman me jeta un regard en biais et se signa, surprise de découvrir que j'étais capable de prier. Les paroles de l'Étranger avaient fait leur chemin et trouvaient soudain leur écho en moi. Il avait parlé de courage et je me rendais compte brusquement que j'étais incapable de faire face et j'aurais voulu être à mille kilomètres de là. Enfant, il y avait un lieu que j'affectionnais. C'était un arbre à espoir un peu en dehors du village. De là, on pouvait voir à la fois le village, la montagne au loin, le filet gélatineux d'une cascade et une vieille cabane abandonnée. Oh ! Combien j'aurais voulu m'y réfugier.

– La Sainte Vierge ! J'ai vu la Sainte Vierge ! hurla Dame maman, les cheveux dressés comme un porc-épic.

– Comment cela, tu as vu la Sainte Vierge ?

– Oui, elle était là, dit-elle tremblotante, en m'indiquant un point sur le mur. Elle tenait l'enfant Jésus dans les bras et il y avait autour d'eux une auréole de lumière éblouissante !

– Mauvais présage, fis-je, préoccupée.

– Mais on n'a rien fait de mal ! hurla-t-elle au bord de l'hystérie.

– Ne crie pas, Mâ ! m'exclamai-je à mon tour. Je ne voulais pas t'effrayer mais, quand ces gens-là prennent forme humaine, c'est toujours pour annoncer une catastrophe.

À cet instant, quelqu'un frappa à la porte. Je fis signe à Dame maman de se taire. Mais portée par son idée, elle ne prit pas la peine de m'écouter et alla ouvrir.

– C'est toi, Mongaba. Que veux-tu à cette heure ?

– Te parler. Puis-je entrer ?

– Entre, entre, dit Dame maman, aimable. Excuse-moi, mais comme je n'attendais plus personne... Tu comprends. J'étais sur le point d'aller me coucher.

La Prêtresse entra, son goitre en avant, droite, raide, sa canne à la main. Une jeune fille, à peine plus âgée que moi, l'accompagnait. Je ne savais rien d'elle, ni son origine, ni son nom. Seulement consciente qu'elle était plus jeune que ses vêtements le laissaient croire – jupe plissée, col rond –, que sa peau était sans défaut à l'exception d'un bouton sur la joue – si joliment tourné qu'on l'eût pris pour une mouche –, qu'elle était, malgré son aspiration à détruire, de celles qui allument les flammèches bleues de l'espoir. À sa vue, pour une raison que je ne m'expliquerai que bien plus tard, Dame maman poussa un « Oh » ! et éprouva un désir irrésistible d'aller aux W.-C.

Elle revint quelques minutes plus tard, titubante, comme incapable de porter le poids de son corps :

– C'est elle, n'est-ce pas ? demanda-t-elle à la Prêtresse.

– Ça n'a pas d'importance. Je veux te parler.

– C'est ma fille, c'est l'enfant que ton frère et toi vous m'avez enlevée il y a dix-huit ans pour rembourser ma dot.

– Cesse de dire n'importe quoi. Cette enfant est morte.

– Magda n'est pas morte ! Si elle l'était, elle est revenue de l'au-delà. Elle est là et habite le corps de cette jeune fille. Je la vois. Elle a le même visage, le même âge. Elle est assise dans une prairie. Elle écarte l'herbe, cueille des marguerites qu'elle met dans un panier d'osier. Les fleurs ne sont pas pour elle. Comment posséder quelque chose alors qu'on ne possède même pas de passé ? Comment être quand on ignore le ventre qui a donné le soleil ? Cette fille est là avec le visage, les cheveux de mon bébé, ses cheveux neufs et doux que je n'ai pas pu peigner et qui continuent à flotter dans le vent.

Dame maman délia sa mémoire. D'abord des nœuds. Puis les filaments. Elle avait quinze ans quand sa mère, la prenant par les cheveux, l'avait donnée à Ndonksiba, le frère de la Prêtresse-goitrée. Elle savait qu'il avait déjà une femme, et elle ne voulait pas être la deuxième, pourtant, il le fallait bien puisque sa dot avait été payée bien avant ses huit ans. Il n'avait pas été méchant avec elle, mais elle ne voulait pas être la seconde même si elle ignorait ce qu'était devenue sa première épouse. Il avait toujours été gentil même quand, submergé par la faim vitale, il lui retroussait ses jupes. Il n'avait pas été méchant même si s'accoupler avec lui n'était pas amusant. Il n'avait pas été méchant avec elle même si sa gentillesse l'encombrait. Elle ne comprenait pas. Un jour, n'y tenant plus, elle s'était enfuie chez ses parents. Ndonksiba l'avait suivie, l'avait traînée par les cheveux et enfermée dans une petite cabane. Plusieurs fois par jour, il venait la voir.

Tantôt il suppliait, pour lui faire entendre raison, tantôt il menaçait, demandait le remboursement de sa dot, tantôt, ne réussissant plus à se dominer, il la jetait sur le matelas de paille, il se débattait dans le désir qui le noyait, l'obligeait à remonter en elle comme s'il avait cherché l'air libre à la surface de la mer. Ensuite, échoué, cherchant désespérément sa respiration, hésitant entre répulsion et honte, lui venait aussi la conviction d'avoir été entraîné en un lieu profond comme la mer d'origine.

Jusqu'au jour où il s'aperçut que Bertha était pleine.

– Bientôt, nous allons être une véritable famille, dit-il.

– Jamais !

– Bertha !

– Je veux être libre ! Libre !

– Je t'aime…

– Je veux partir, tu m'entends ? Jamais, jamais je ne resterai avec toi…

– À ta guise. Mais sache que je garderai l'enfant.

Et le temps passa, dissolvant la menace en atomes de poussière flottant dans l'air. Elle ne l'avait plus revu que de loin en loin. Ndonksiba sortait dès le troisième chant du coq, quand Dame maman livrait encore son corps au sommeil et revenait tard dans la nuit, épuisé, les paupières alourdies de fatigue. Il lui parlait peu, lui apportait le nécessaire à la survie et attendait le jour où Dame maman ouvrirait ses cuisses à la vie. Serait-ce son indifférence qui lui fit le désirer ? Toujours est-il qu'à mesure qu'il s'éloignait d'elle elle se rapprochait de lui, mais lui ne semblait pas s'en apercevoir… Elle comprit qu'un homme n'était pas un roseau que l'on pliait à son gré.

Le bébé naquit.

La Prêtresse-goitrée, appelée d'urgence par son frère, était venue la délivrer.

Elle avait enveloppé le petit corps du bébé dans une couverture et, le portant vers le soleil, elle avait dit :

– On l'appellera Magda.

Dame maman épuisée mais confiante s'était endormie. À son réveil, son mari et son enfant avaient disparu.

Elle avait porté plainte. Le juge avait ri : « C'était le droit du père, le bébé remboursait la dot. »

Elle retourna vivre chez ses parents. Elle avait repris l'apparence d'une jeune fille. Mais il lui restait une cicatrice. D'autres hommes l'aimèrent. Une femme peut tout oublier. Sauf son enfant.

– Bertha, dit la Prêtresse-goitrée. Beaucoup de choses se sont passées… J'ai appris à te détester, à te mépriser, mais aujourd'hui je me rends compte que nous sommes tous embarqués dans la même galère. Et que… Le mieux à faire dans ce cas est de s'entraider… Je sais pour le Pygmée. Je t'ai vue.

– Alors c'est toi ? C'est toi qui as fouillé sa maison ?

La Prêtresse-goitrée se troubla mais son trouble fut de courte durée. Elle se ressaisit aussitôt et dit sur un ton détaché :

– Tu vas être accusée de meurtre. Rien ni personne ne pourra te sauver. Il faut quitter le village.

– Pour aller où ?

– Il y a Ndonksiba. Il pourrait t'aider.

– Jamais !

– Il t'aime malgré tout, Bertha. Ne l'oublie pas.

– Il ne m'a jamais pardonné.

– Tu parles sans penser au temps, Bertha. Il efface tout, même les souvenirs les plus cruels. Je lui ai parlé de toi. Il t'attend.

Sur ce, elle tourna les talons, suivie de la jeune fille.

Mais, moi, moi la jeune fille au cheveu rouge, je me remémorai les paroles de l'Étranger. « Il faut toujours faire face à ses responsabilités. » Sauf que je n'avais pas ce courage.

131

Tandis que Dame maman se remettait doucement, je m'éclipsai dans nos chambres et entassai dans un balluchon quelques vêtements de rechange, des vieux souvenirs, des allumettes, une lampe de poche.

– Il faut partir, dis-je à Dame maman.

– Déjà ?

Comme ivre, elle se leva.

– C'est étrange ! Oui, bien étrange ! proféra-t-elle au bout de quelques secondes. Cette maison a été construite par mon père, bien avant ma naissance, et je viens juste de m'apercevoir qu'elle me ressemblait. De jour comme de nuit, elle est semblable à elle-même, toujours sombre et quand une lumière y pénètre, c'est soit dû à une main humaine, soit à un accident de la nature. C'est peut-être ça mon destin ? Qu'importe ! Toute ma vie j'ai voulu devenir une autre, je ne sais qui, mais je voulais devenir. Cependant cela m'était impossible. Seule une vérité ressortait : la sensualité, la volupté bestiale, la sexualité jusqu'à la cruauté, jusqu'au bout du crime. J'ai vécu ainsi jusqu'à vingt ans, jusqu'à trente ans, jusqu'à quarante ans, me plongeant dans le plaisir, la tricherie, le mensonge. Il me fallait toujours utiliser mon corps pour survivre. Bassesses de ma nature pour survivre. Ou alors... Me détruire. Mais pour cela, je n'étais pas assez courageuse. Je n'ai jamais eu cette force qui affranchit l'homme et fait de lui un Dieu en lui permettant de se tuer. Oui ! Toute ma vie, j'ai été l'esclave de la peur. Couarde..., ajouta-t-elle après un bref silence. Mais qu'as-tu à me fixer ainsi ?

– C'est que...

– Tu penses que je suis folle, n'est-ce pas ? À moins que tu ne t'imagines que je suis trop vieille pour avoir de telles préoccupations et nourrir encore la moindre illusion ici-bas. Tu as sans doute raison. Je vais mourir bientôt. D'ailleurs, même toi, tu ne veux plus de moi !

– Ne dis pas...

– Je sais… Il y a l'Étranger qui apporte avec lui le changement. Ton corps…

– Mon corps ?

Dans ses yeux, je me vis : langoureuse, songeuse, sévère, rieuse, debout, assise, en plan américain au profil perdu, je tapissais sa rétine. J'occupais la première dimension.

Je jetai mon balluchon sur mes épaules et sortis, suivie de Dame maman. Nous cheminâmes, silence aux lèvres, accompagnées des aboiements des chiens, du bruit de nos pas prudents et des effluves de la peur jusqu'à l'orée de la forêt.

Le balluchon imprimait mes épaules du feu de ses lanières. Dame maman, à l'aide d'un bâton, frappait la végétation pour éloigner serpents et autres reptiles. De temps à autre nous parvenaient les hululements de hiboux, les plaintes d'une hyène ou les rugissements d'un lion.

Une grande cour. Partout des arbres fruitiers rendus identiques par leurs vêtements de nuit. Au fond, une case à la toiture en forme de niche. Un chat miaula et disparut dans le noir, derrière un arbuste. Un chien se précipita vers nous en aboyant.

– Couché ! ordonna Dame maman.

Le chien nous renifla tour à tour, remua la queue et alla se recoucher sous la véranda en soupirant. Dame maman traversa la cour et frappa.

La porte s'ouvrit aussitôt. Un homme d'une soixantaine d'années apparut, une torche à huile à la main. Visiblement, il nous attendait. Il portait un pantalon bleu défraîchi sur lequel il avait jeté négligemment un boubou blanc. On le disait sauvage, renfermé… Et FOU. Mais aujourd'hui, avec du recul, je ne dirai pas qu'il était déplaisant. C'était plutôt un bel homme ou du moins il avait dû l'être. Sa taille était haute, ses cheveux crépus, ses moustaches recourbées comme un croissant de lune, ses poings déliés. Je ne sais quelle puissance émanait de ses yeux gris entourés d'un nid de rides. Son parler rare mais direct mettait mal à l'aise ! Il disait que si lire dans les astres était important, il convenait de disséquer les astres pour en extraire les secrets. Je ne sais pas s'il était mauvais, peut-être l'était-il devenu ou s'obligeait-il à l'être à force de s'entendre dire qu'il était méchant ! Toujours est-il que la solitude dans laquelle il vivait engendrait commérages et doutes.

– Je vous attendais, dit-il en s'effaçant pour nous laisser entrer.

Il y avait très peu de meubles dans la pièce. Une table en bambou, deux chaises de rotin beige.

– Ainsi te voilà chez moi ! tonna-t-il en portant un regard appuyé sur Dame maman. Toi qui n'as jamais voulu !

– Ndonksika, dit Dame maman, si ça n'avait été les circonstances, jamais je ne serais venue chez toi.

– Je sais que pour toi ce n'est pas le moment de faire la difficile, n'est-ce pas ? Tu n'es plus aussi belle qu'avant, ricana-t-il, méchant, en la détaillant des pieds à la tête.

– Toi non plus.

– Oui, mais moi je m'estime à ma juste valeur. As-tu au moins appris à cuisiner ?

– Un peu.

– Va donc me préparer un pépé-soupe.

– Maintenant, tout de suite… ?

– Oui. Si tu dois vivre chez moi, il faut bien que tu me montres de quoi tu es capable. Je suis devenu calculateur. Comme toi, ma chérie. Je ne mise plus que sur la bonne carte. Toujours, tu as fait en sorte que je demeure ton débiteur. Ton amour éclopé (si l'on peut qualifier ainsi ces brefs instants de chair que je t'arrachais) tombait à mes pieds et je devais le ramasser et dire merci alors que je te donnais ce que j'avais de plus profond et de plus pur en moi : ma vie. Tu as toujours tout perverti. Tu ne m'as jamais écouté. Ou alors distraitement en caressant tes jolies nattes. Tu as toujours fait comme si tu savais déjà tout. J'ai toujours été pour toi le plus mauvais des amants, il m'a fallu arracher des cris de plaisir à quelques Dames bien plus expérimentées que toi pour m'apercevoir que tu me dupais. Maintenant, j'ai les yeux ouverts. Je vois tout.

Ces flèches lâchées d'une voix tranquille étaient aiguisées. Il se conduisait avec Dame maman comme s'il était impossible de tenir avec elle un langage subtil : Dame maman continuait d'ignorer les pointes et les insultes qu'il ne prenait même pas la peine de dissimuler. Mais, au fur et à mesure, ces mots, si négligemment déversés, produisaient leur effet. Les yeux de Dame maman se remplissaient de larmes.

– Tu es ignoble ! criai-je, la colère dans les tripes.

– On m'a souvent parlé de toi, petite. On m'a dit que tu avais la langue bien pendue, mais te mêle pas de ce qui se passe entre Bertha et moi, ajouta-t-il en me lançant des yeux de défi.

– Si tu la maltraites…

– Tu ramasseras la flèche empoisonnée, voilà tout.

– Il a raison, dit Dame maman, le timbre faible. Il vaut mieux que tu ne t'en mêles pas.

Soumise, elle s'en alla vers la cuisine, le dos voûté.

Demeuré avec moi, notre hôte resta une minute ou deux, debout, le buste penché, les deux mains posées sur la table, apparemment plongé dans une profonde réflexion. Il s'assit, ferma les yeux et s'assoupit.

Il dormit longtemps, près d'une demi-heure, le visage figé, parfaitement immobile, les sourcils bourrus, rapprochés. C'est à peine si je percevais le bruit de sa respiration. Plusieurs fois, ne pouvant supporter cette immobilité léthargique, je fus tentée de le réveiller. Mais il ouvrit soudain les yeux, et, toujours sans un geste, il resta de longues minutes à examiner un quelconque objet dans un coin. En dehors de la photographie d'une fillette que je ne connaissais pas, je ne voyais là rien d'insolite.

Enfin résonnèrent les pas de Dame maman. Elle s'était débarbouillée, recoiffée, avait enfilé un boubou propre. Elle portait dans une main une calebasse d'eau, dans l'autre elle tenait un plateau en aluminium où était posé un pépé-soupe fumant qu'elle déposa devant l'homme.

Méfiant, il puisa dans la soupe et porta une cuillère à ses lèvres.

– Je vois que, pour une fois, tu as su te juger à ta propre valeur. En effet, tu sais cuisiner. Je reconnais là que tu as fait des progrès depuis la dernière fois. Oh ! oui, il y a un peu plus de dix-huit ans. Tu estimais alors que tu étais beaucoup trop belle pour moi.

Il repoussa le plat, et pivota son regard vers la photographie qu'il ne quittta plus des yeux. Il continua :

– *Le diable seul sait* pourquoi la femme a été créée avec de tels défauts. Perverse. Menteuse. Prête à corrompre la morale la plus pure, à briser, à vaincre le courage le plus entêté. Peut-être Dieu n'a-t-il pas mesuré toute la dimension du mal auquel il exposait son monde en créant une telle créature ? Vivre avec toi me corrompra comme ta respiration seule empoisonne mon souffle. Aujourd'hui, tu viens vers moi pour que je te sorte des ombres qui menacent de te posséder. Aujourd'hui, tu es là et pourtant, je n'en suis pas heureux.

Il se tut, considéra Dame maman de longues minutes et reprit :

– Ton refus a préservé mon indépendance. Vaincu par le mariage, j'aurais été à tes pieds, je n'aurais pas pu bénéficier de ces jours de solitude. Je m'employais à pénétrer dans le monde plus opaque des idées... Un jour, j'ai aimé une femme et, malgré cela, je n'ai pas été corrompu.

– Arrête, je t'en prie... Tu étais déjà marié, tu le sais.

136

– Marié ? (Son expression avait changé.) Viens, je vais te montrer qui est ma femme et l'a toujours été.

Il l'attrapa par le bras et l'entraîna dehors.

Je les suivis, enfermée dans une coquille d'angoisse. La nuit bruissait encore de ses appels familiers. Criquets, grillons, sauterelles caquetaient autour de nous dans un vacarme qu'amplifiait la voûte sombre des arbres. Les lucioles voletaient, brillantes dans leur habit de lumière. Un vent se leva, agita les fourrés, comme si des puissances invisibles se rassemblaient là, prêtes à nous donner assaut. Plusieurs fois, je fus tentée de les laisser là et de m'en aller en courant, vers la chaleur rassurante de la case. Une crampe douloureuse me nouait l'estomac.

Soudain, nous entendîmes des bruits de voix, escortés d'une flambée de lumière. Nous eûmes juste le temps de nous glisser derrière des buissons pour éviter d'être aperçus. Quatre hommes nus, le corps luisant d'huile et de sueur, la respiration courte, passèrent, brandissant au bout d'une perche un crâne humain. Trois femmes, de blanc vêtues, une torche à huile dans les mains, les précédaient, illuminant leur route. Ils laissaient derrière eux une odeur de mort. Tout le monde savait que, par des nuits de tempête et de pleine lune, il ne faisait pas bon traîner au-dehors. Nuits de présages. Nuits de malédictions. D'effroi. Et qui avaient présidé à la chute de l'homme dans les noirceurs éternelles. Sinistre destin d'un peuple chez qui la mort se flairait partout, embusquée dans le paysage, piaffant d'impatience entre les mains du vent, prête à broyer de ses dents acérées toute vie qui oserait se mettre sur son chemin. Car vampires et morts-vivants, maîtres de toutes les déchéances, assoiffés de sang, sortaient des ténèbres et allaient chasser d'innocentes victimes qu'ils sacrifieraient au pied des baobabs.

Nous attendîmes que le funeste cortège se fût éloigné avant de reprendre notre chemin.

Bientôt, nous débouchâmes dans une clairière isolée où je découvris une case de lianes et de bambous soigneusement dissimulée par des fougères.

– Cuit ! Kut ! Kat ! cria Ndonksiba.

Il attendit quelques secondes puis reprit :

– Cuit ! Kut ! Kat !

Bientôt, la petite cabane s'éclaira. Une silhouette frêle se dessina dans l'encadrement de la fenêtre, l'ouvrit, s'y pencha :

– C'est toi, Ndonksiba ? demanda tout à coup une voix féminine.

La femme referma la fenêtre, traversa la distance qui la séparait de la porte et l'ouvrit. Ndonksiba franchit le seuil, passa devant la femme sans la saluer, ramassa une torche à huile suspendue au mur de terre battue et se dirigea vers une chambre. Il sortit une clef rouillée de sa poche. Elle s'ouvrit sur un paysage chargé à l'excès. Scaphandre, combinaison de plongée sous-marine, loupes, morceaux de fer rouillé, cleveau, corbeau, aigue-marine, mégalithe, lorgnon, lentille, barbelés, vases, plaques de verre, de ciment. À côté de ces éléments, signés de l'homme, s'ajoutaient des matériaux bruts, critérium, pierre de touche, des reptiles, des chauves-souris. Tout ce qui vole, rampe trouvait une place dans la pièce. C'est là que Ndonksiba s'adonnait *le diable seul savait* à quelle alchimie. Dame maman et moi demeurâmes quelques instants interdites.

– Allons, grogna Ndonksiba. Le temps presse.

Nous le suivîmes. Nous traversâmes un long couloir sombre où la profanation de nos pas rythmait la marche, et faisait s'enfuir rats et cafards dans le concert hideux de leurs membres crasseux. Ndonksiba s'arrêta devant une porte, hésita quelques instants et l'ouvrit brusquement. Je m'attendais à voir un décor féerique dont même Jules Verne n'aurait pu décrire l'étrangeté envoûtante. Mais la pièce semblait vide. Un léger bruit attira notre attention. Je retins mon souffle.

Une femme d'une maigreur impressionnante, sale, et le crâne rasé, se tenait dans un coin. Sa bouche édentée n'était plus que cloaque boursouflé. Ses membres étaient rongés par la lèpre.

– T'as passé une bonne journée, Bouba ? demanda Ndonksiba à l'étrange créature.

Pour toute réponse, elle se jeta sur lui dans un cri de bête blessée et se mit à le frapper. Angoissées, Dame maman et moi regardions cette scène, sans bourgeons de geste. Une minute ou deux. Ndonksiba se laissa tomber, face contre terre. Bouba, délivrée de toute hantise, s'allongea et vint se lover contre lui telle une couleuvre. Son regard brillait du souvenir éblouissant de quelque extase enfoui dans sa mémoire malade. Bientôt, elle s'assoupit. Ndonksiba se leva, enleva la poussière de ses vêtements.

– Voilà ma femme, dit-il.

– Mais…

– Voilà l'épouse que ma sœur m'a choisie dans une famille à dix générations de fous. Bouba a tenté de me tuer la nuit des noces. Aurais-je dû la laisser au village pour que les enfants la brutalisent ?

– C'est absurde. Ta sœur t'a toujours beaucoup aimé.

– Amour et jalousie. Ça oui.

– Je suis désolée.

– Je ne te crois pas. Tu n'as jamais éprouvé de la compassion pour personne. Même pas pour notre fille.

– Elle est vivante, n'est-ce pas ?

Les paupières de Dame maman gonflèrent. Deux grosses larmes roulèrent sur ses joues, s'allongèrent, longues, longues comme son désarroi.

– Pleure, femme, dit Ndonksiba, pleure pour celle qui est orpheline de tant de choses. Tu sais, moi aussi, j'ai pleuré longtemps. Quand la nuit venait, je m'enveloppais dans un long boubou noir pour n'être reconnu de personne et j'allais sous tes fenêtres. Je regardais la lumière filtrer de ta chambre et je… je m'imaginai ce qui se passait à l'intérieur. Lentement, bien avant le jour, je rentrais chez moi, en raclant les murs de peur que les gens que j'aurais rencontrés ne lisent mon chagrin sur ma figure.

– C'est ta sœur qui a élevé mon enfant, n'est-ce pas ?
– Non ! hurla-t-il.
– Menteur !

Il haussa les épaules et quitta la pièce…

Nous prîmes la route du retour. Entre les troncs d'arbres, le ciel était gris. La forêt était remplie de cris, de froissements d'ailes et de chants. Et, dans ce matin blanc, nous cheminions, silencieux ; l'homme, devant, faisait du bruit exprès pour éloigner d'éventuelles bêtes venimeuses, Dame maman, le pagne relevé jusqu'aux genoux, luttait contre la rosée, et moi je fermais le rang. Bientôt, nous vîmes la maison de loin.

Tous les villageois semblaient s'y être donné rendez-vous. J'eus une brusque sensation de froid. Le danger titillait mes sens et les plongeait dans la confusion.

– Allons-nous-en d'ici, soufflai-je à Dame maman.
– Où ?
– Peu importe. J'ai pas envie de me faire étriper.
– N'ayez pas peur, dit Ndonksiba. Restez ici. Je vais leur parler. Si ça tourne mal, courez jusqu'à l'endroit où nous étions tout à l'heure. Zomba vous protégera, vous pouvez lui faire confiance.

Et c'est un homme extrêmement vieilli qui se dirigea vers le groupe.

– Le voilà ! s'exclama quelqu'un dans l'assistance.

Aussitôt, ceux qui étaient assis se levèrent. Un homme petit et trapu, avec des biceps comme des bûches, se détacha des autres, fit deux pas menaçants vers Ndonksiba.

– Où est-elle ?
– Qui ? demanda-t-il, feignant la surprise.

140

– Joue pas les idiots ! Tu sais de qui nous parlons.

– Que leur voulez-vous ?

– L'homme Pygmée est mort, et on les a cherchées partout pour les avertir. Ta sœur nous a dit qu'on les trouverait chez toi.

– C'est tout ? interrogea Ndonksiba, méfiant.

– Hé ! mon ami, que veux-tu qu'il y ait d'autre ?

– Serais-tu encore amoureux d'elle ? dit le Perroquet en éclatant d'un rire impudent. Pauvre ami, voilà plus de vingt ans qu'il a vendu son âme au diable.

– Mon amour, dit-il sur un ton faible, je le donne à qui je veux et n'ai de comptes à rendre à personne. Excusez-moi. Il faut que j'aille m'allonger et compter mes vertèbres. Je n'ai pas fermé l'œil de la nuit.

– Doucement, l'ami, dit le Perroquet en le retenant par sa chemise. D'abord, il faut nous dire où se trouve la femme.

– Je n'en sais rien.

– La protégerais-tu encore si on te disait qu'elle a tué son mari ?

– Bertha est incapable de faire du mal à une mouche.

– Quel avocat, ma foi ! Il est encore sous le charme et tout cela l'aveugle.

– Fouillons sa maison, clama quelqu'un, il la cache.

– Oui, allons-y !

Dame maman, tapie derrière un buisson, contemplait la scène. Puis, sans crier gare, elle se leva.

– Que fais-tu ? lui demandai-je, inquiète. Baisse-toi, ils vont te voir.

Elle secoua la tête, ses cheveux s'échappaient de partout, comme des milliers de pointes. Je n'avais jamais discerné autant de résolution dans un visage.

– Je viens de comprendre quelque chose, dit-elle. Seuls les coupables prennent la fuite. (Et elle cracha.) Toute ma vie, j'ai fui et j'en ai marre ! (Elle cracha de nouveau.) J'ai fui la prison du mariage. (Elle cracha.) J'ai fui la responsabilité de t'élever sans père. (Elle cracha.) J'ai fui la faiblesse de l'Homme : avec deux amants, l'un complétait les manques de l'autre. (Elle cracha.) Aujourd'hui, j'en ai marre de la facilité. Il est temps que j'assume mes responsabilités.

Elle leva les yeux au ciel. Ce n'est que lorsqu'elle les baissa de nouveau pour me regarder en face qu'elle fut saisie d'un étrange tremblement. Elle vacilla.

Sans moi, elle se serait écroulée. Mais le malaise ne dura pas. Déjà, elle s'était ressaisie. Elle ne tremblait plus.

– Tu as exprimé tout à l'heure le désir de t'enfuir. Va-t'en, ma fille. J'espère que ta chance sera plus grande que ta beauté.

Elle m'embrassa tendrement la joue.

– Mais...

– Je suis vivante, enfin. Mon cœur bat, je l'entends. Bonne chance, ma fille.

Déjà, elle s'avançait vers la foule, résolument décidée. Je la regardais agir, le cœur empli d'une douloureuse appréhension. Je me retrouvais seule. Qu'allais-tu faire, espèce de Mégri ? Partir, recommencer ailleurs ? Ou pis n'en être pas capable... Et alors survivre jusqu'à ce que mort s'ensuive ?

Le premier pas jaillit de mes jambes. J'ai couru rejoindre Dame maman qui, entourée de plusieurs personnes, avait pris le chemin du village.

Le village était en ébullition quand nous arrivâmes. Partout, des gens couraient, criaient. Des coqs se lançaient des défis. Des chiens aboyaient. Des bébés, énervés par l'excitation générale, se livraient à un concert de pleurs. Coude à coude, nous avancions entre les bousculades, les piétinements, la chaleur matinale. J'étais mouillée de sueur et je marchais, bouche ouverte ; la respiration coupée mais quelque peu rassurée sur le sort qui nous était réservé puisque personne ne semblait vouloir nous accuser de quoi que ce fût.

Dame maman avait expliqué son absence par le fait qu'elle avait été appelée d'urgence auprès d'une amie mourante qui habitait à dix kilomètres du village et que la mort emportait. Et l'assistance avait accueilli cette explication tant soit peu plausible par quelques quintes de toux et de simples battements de paupières.

Ceux qui n'avaient pas fait partie du cortège lancé à notre recherche se joignaient à nous. Certains, tirés de leurs ébats, achevaient d'attacher leur pagne. Mécontents, ils l'étaient et ne s'en cachaient pas. Ils auraient préféré s'adonner plus longuement au sommeil et aux plaisirs du lit. C'était le cas de Donga, le père d'Erwing. Il devisait tranquillement avec Pascal, un freluquet qui avait trouvé fort intelligent de faire des études avancées mais qui, s'étant retrouvé sans boulot dans la ville, avait préféré retourner au village, là où, disait-il, sans argent, on avait toujours malgré tout de quoi se nourrir. Mais, en réalité, Pascal était un nigaud à qui il manquait la véritable intelligence. Il était juste doté de la compréhension du subordonné, de celui qui se dévoue à la cause commune, aux idées de masse et qui exécute fanatiquement et puérilement ce qu'on lui ordonne de faire. C'était un de ces hommes comme on en voit des milliers et qui aurait pu assister sans haine personnelle, sans sourciller, à la mise à mort d'un innocent du moment que la majorité l'approuvait.

– J'étais chez Laetitia cette nuit, dit Donga à son voisin.

– La garce !

– Ça te gêne, je le comprends. Mais, en y réfléchissant bien, elle a raison. La sélection par l'argent... Tiens, depuis que l'argent coule à flots au village, tout s'est totalement désorganisé. Le chef a perdu son pouvoir. Les hommes et les femmes se sentent libres de faire exactement ce dont ils ont envie. L'argent peut rimer avec liberté ! C'est pourquoi, de tout temps, l'homme riche a été le plus chéri, le plus adulé. Quant aux autres...

143

Et il haussa ses épaules énormes.

– Et les connaissances ancestrales, qu'est-ce que t'en fais, s'il n'y a plus que le fric qui compte ?

– C'est décevant d'entendre des doutes sur la question, venant de toi, l'un des hommes les plus lettrés du village. Tu es déjà au courant de toutes ces théories nouvelles qui ne sont plus un secret pour personne. Mais tu mérites mon indulgence, car ton cas vient renforcer la théorie selon laquelle, dans la misère, l'homme se retourne vers les dieux. Mais sache que toutes ces croyances font désormais partie du passé. Personne ne se prosterne plus avec la même foi devant les dieux. On ne fait plus appel à eux qu'en cas d'extrême nécessité. L'argent tout-puissant offre toutes les jouissances de la terre, c'est prouvé.

– Vraiment ?

– Oui. Une lampe est utile parce qu'elle sert à éclairer ; une assiette, une table, un verre, tous les éléments de la nature sont indispensables et nous prouvent leur utilité, à l'instant. Mais l'existence d'un Dieu (entre nous hypothétique) n'est qu'un instrument pour rassurer les esprits faibles. Les pauvres en l'occurrence. Mais, dès que le pauvre devient riche, il se hâte de reléguer toutes ces connaissances archaïques dans les caves de la mémoire. Le matérialisme, mon cher… Je vois que tu souris ironiquement, tu ne me crois pas…

– Ce n'est pas ça… Je me demandais simplement si Laetitia a accepté de t'épouser car j'ai ouï dire qu'elle ne voulait pas en entendre parler.

– Elle va vite changer d'avis. Dis-toi bien que mon fric la convaincra… Même si c'est toi qu'elle aime. Non ! ne proteste pas, on me l'a dit et j'ai pu le vérifier par moi-même. Ne t'en défends pas car je ne t'en veux nullement. Qui peut ne pas succomber ? Même l'Étranger n'est pas indifférent. Mais je ne te demande qu'une chose, qu'une fois mariée avec moi, vous vous comportiez différemment, si tu vois ce que je veux dire…

144

– Tu me laisserais la voir ? Tu m'étonnes ! (Il resta pensif un moment et ajouta :) Sache que je n'aurais pas vis-à-vis de toi la même générosité si jamais c'est moi qu'elle épousait…

– Tu vois, même la générosité est un sentiment réservé aux riches.

– Ce n'est pas ce que tu crois… Je l'aime.

– L'amour ! Laisse-moi rire ! J'ai connu et aimé tant de femmes ! Vois-tu, les femmes de chez nous sont des bourgeons de fleurs qui éclosent et se fanent très vite… Éprouveras-tu les mêmes sentiments dans trois ou quatre ans quand elle sera moins fraîche ? Non, assuré-ment. Tu lui témoigneras la même indifférence qu'ont les hommes pour leurs épouses et qui contribue à les rendre agressives, hystériques… Si tant est que je com-prenne réellement ce problème… Hum. Tiens, la voilà.

Laetitia. Prise dans le tourbillon des événements, je ne l'avais pas revue depuis notre rencontre au bord du fleuve. N'empêche. Elle faisait partie de mon paysage intérieur. Notre amitié m'habitait à sa manière, dense et contenue, m'absorbait. Le soir souvent, à l'instant du sommeil, l'idée de notre amitié s'imposait à moi, m'éclairant de sa propre luminosité, imprimant à mon cœur un rythme ondulatoire. Je pensais que c'était ça l'amour.

Laetitia me fit un grand signe de la main et disparut dans la foule.

– Superbe ! s'exclama Donga au comble de l'extase.

– Oui, dit Pascal d'une voix enrouée.

Je tournai la tête vers lui et vis son visage décom-posé. Je ressentis pour lui une vive sympathie. Je voyais en lui ma propre tristesse, l'angoisse d'un amour non partagé ou du moins le destin qui voulait faire de l'amour une arme meurtrière. J'aurais voulu à l'instant lever une main caressante vers son visage fermé, lui ouvrir mon cœur, tous les non-dits de l'amour. À moins que. À moins que.

– Je vous aime bien, lui lançai-je.

145

Il me regarda, ahuri, comme s'il venait juste de découvrir ma présence à son côté.

– Fais pas attention, lui dit Donga. Elle est... Si tu vois ce que je veux dire.

La cour du Pygmée était bondée de monde. Partout, hommes, femmes et enfants se bousculaient tentant de se frayer un chemin dans la foule. Déjà, les pleureuses avaient réintégré leur rôle. Toutes vêtues de noir, accroupies dans la poussière, elles pleuraient, se jetaient de la terre sur la tête pour conjurer le sort. C'était à qui exprimerait le mieux sa souffrance : elles piaillaient, beuglaient, hurlaient. Et les cris qui montaient des poitrines convulsaient les traits de leurs figures d'ébène racornies par le vent, la pluie et les travaux des champs.

La radio-trottoir du village, Serabina, une petite grosse, mamelue qui jouait les marieuses et tenait dans sa grasse mémoire le journal intime de chacun, donnait au peuple les dernières informations :

– Le Pygmée est mort, hulule-t-elle, d'une voix éplorée. Quel malheur ! Ah, ces hommes ! Qu'est-ce qu'ils ont à nous abandonner ainsi ? Oh ! Donzol, où es-tu, mon époux ?

Et, désireuse de se faire entendre, elle barrait la route aux gens, tournait vers eux ses yeux de veuve. Oui, ses yeux de veuve avec ce quelque chose qui manque, braillant l'harmonie à jamais rompue. Elle continuait, noyée de larmes, les mains posées sur la tête.

– Il y a exactement dix-huit saisons. Oui... Dix-huit saisons et six lunes. Pourtant, je lui avais dit... Je lui avais dit de ne pas trop courir les jupons... Ça porte au cœur. Il ne m'a pas écoutée... Vous avez vu... Vous avez tous vu... Où est-il maintenant ? Oh, Pygmée, toi qui vas là-bas, dis-lui tout le bien que je pense de lui.

146

– Calme-toi, Serabina, fit un quidam dans la foule. Cela ne te fait pas de bien de te mettre dans de pareils états.

– Laissez-moi mourir ! Je n'ai plus de raison, aucune raison de vivre. Oh, dieux, prenez-moi !

La mort a l'art étrange de réconcilier les gens. Les pires ennemis s'embrassent, se consolent, parlent du mort. Comme si, face à l'inéluctable, ils se rendaient brusquement compte qu'ils vivaient ensemble, main dans la main, partageant la même destinée dans une vie où il faut agir pour tuer le temps âpre et dur. Jamais je n'aurais imaginé que le petit homme eût suscité tant de pleurs et de larmes. Lui si différent ! Comme si l'individu délivré de son corps faisait mieux entendre la vie. Tout le monde pleurait. Même les hercules, fiers de l'énormité de leurs muscles, avec des airs d'athlètes en retraite et les veines de leurs cous tels des tuyaux, commentaient l'événement, la voix grave, absorbés par la tristesse environnante.

Installés à l'intérieur, les notables n'échappaient pas à cette tristesse populaire. Et là, l'air sentait le désastre. Dès l'entrée, des voix graves ou aiguës vous prenaient les oreilles. On discutaillait sur l'abandon des dieux, cette manière si brusque qu'ils avaient de vous ôter la vie, de leur injustice car, estimait-on, la mort devrait cueillir les hommes en fonction de l'âge. Ce qui ne plut pas à tout le monde. Une vieille maman, assise à même le sol dans ses haillons déchirés, resta muette, immobile. Elle ne pleura pas, ne cria pas, ne gesticula pas. Elle était condamnée, elle abdiquait. Soudain, elle se leva, promena sur l'assistance un regard profond, puis quitta la pièce en clopinant.

– Bravo ! ricana avec dépit un anonyme.

Il sortit de la masse. C'était un bonhomme d'une quarantaine d'années, au visage fatigué, aux cheveux grisonnants et dont le pagne ne payait pas de mine. Il leva les bras au ciel, les yeux fous :

– C'est pas de mort qu'ils ont besoin, crachota-t-il. Mais d'offrandes. Y avez-vous pensé, fils de rien ? Personne ne pense plus à eux ici. Comment voulez-vous que nous ne périssions pas ? Nous n'allons plus vers eux qu'en cas de malheur. Et, quand tout va bien, on les laisse aux oubliettes ! Pourquoi voulez-vous qu'ils continuent à nous assurer leur protection ?

– Les époques ont changé, chers frères, vociféra le Perroquet. Oui, bien changé. Et l'homme s'adapte. Tu ne vas pas nous reprocher d'être seulement des hommes, hein ?

– Les dieux ont besoin d'offrandes. Il y a bien longtemps que le village n'a pas pensé à eux. C'est un avertissement.

– Voilà qui est parler, se hasarda timidement une femme.

– Oui, il faut prier les dieux. On devrait organiser une tontine[1] rien que pour eux, pour ainsi aller au-devant de leurs désirs. Qu'en pensez-vous ?

– Bonne idée, cria Joujou, une femme rondelette qui, jusque-là, était connue au village pour avoir été, pendant de longues années, le premier bureau[2] de l'homme Donga.

Mais, depuis peu, elle avait perdu beaucoup de son prestige, une marée emportant une autre, on murmurait que Donga projetait de s'en séparer pour Laetitia, ce qui ne manquait pas d'apporter des sourires, un certain bien-être aux âmes flétries des culs coutumiers qui prétendaient que quoique trompées, bafouées, jetées par les fenêtres telles des bouteilles vides, elles seules demeuraient immuables, malgré les secousses conjugales, les changements des temps. Elles avaient appris depuis belle lurette à se contenter de peu, à ne plus demander, à ne plus parler, à rester là, oubliées.

1. Tontine : système de cotisations.
2. Premier bureau : maîtresse favorite.

– Peut-être bien. Peut-être bien, répéta le Perroquet sans tourner la tête vers Joujou pour qui il avait éprouvé de tendres sentiments dans sa prime jeunesse. Un lieu de culte, continua-t-il en fronçant ses sourcils broussailleux.

Puis projetant un bras vers des horizons inconnus, il poursuivit, exalté :

– Regardez les Blancs, leurs dieux vivent dans de belles maisons, parfaitement entretenues. Et je vous le dis, moi, l'homme à la langue légère, que c'est ça le secret de leur réussite. Pendant ce temps nos dieux, eux, vivent dans les ténèbres éternelles. Comme nous, mes frères ! Parfaitement ! Ils vivent dans la brousse. Tenez, l'autre jour, l'un d'eux se présenta à moi. Je peux vous jurer par tous les dieux qu'il était tout noir, tout sale avec de la bave qui lui coulait au coin des lèvres. Un dieu diminué, voilà ce qu'on en a fait ! Le résultat est sous vos yeux, j'ai tout dit.

– Oh, ciel ! hurla une femme au comble de l'émotion.

– Prions, frères !

– Priez toujours, ricana méchamment Ndonksiba… Peut-être qu'à la fin ils finiront par vous entendre.

– Qu'insinues-tu par là ? demanda Joujou, intriguée.

– Je veux tout simplement dire que ce n'est pas de cette façon-là que les choses s'arrangeront pour nous. Il faut agir de nous-mêmes, sans demander l'aide de personne. Regardez les Blancs, ils s'en sortent parce qu'ils croient aux progrès de la science et canalisent leurs efforts en ce sens. Je dis qu'il nous faut plus d'écoles, des hôpitaux…

– Et pour quoi faire ? demanda ingénument une femme. Il meurt en une semaine dans ces trucs à Blancs plus de malades qu'en dix ans chez nous.

– Bravo ! cria le Perroquet. M'est avis que seuls les dieux décident qui va mourir ou vivre. Ils ne sont pas bien généreux par ces temps qui courent. À nous de faire face.

– Moi, je reviens au fait qu'il faut réunir nos efforts pour créer des hôpitaux et embaucher des infirmiers, insista Ndonksiba. Ce n'est que par ce procédé qu'on pourra tous s'en sortir !

– Parole de fou ! cria quelqu'un dans l'assistance.

– Pas si fou que cela, dit Pascal timidement en regardant ses pieds. Ce n'est qu'en nous prenant en charge que nous pourrons changer les choses... Les dieux ont cessé de s'intéresser à nous il y a bien longtemps.

– Quelle honte ! vociféra une Dame.

– Quel monde ! renchérit une autre.

– Quelle bassesse ! cria une vieille totalement flétrie et tapant des pieds. Ils veulent changer le monde. Ils ne respectent plus rien ! Oh, ciel !

– Il a raison ! clama Laetitia sans prendre garde au mouvement d'indignation qui soulevait la foule. Ceux qui perdent leur argent dans la bière et le vin de palme feraient mieux de l'investir dans des projets fructueux, des ambitions humaines. Les dieux... C'est bien beau tout ça. Mais quand on a fini de prier, d'offrir des sacrifices, que reste-t-il ? Rien. Oui, bien sûr, nous ferons la fortune des sorciers qui nous bernent avec leurs histoires à dormir debout. Et le peuple ? Eh bien, le peuple continuera de traîner sa misère. Pour que quelque chose bouge ici, il faudrait balayer tout le système, créer des institutions nouvelles où chacun pourrait s'exprimer librement. Et enfin libre, l'homme vivra plus heureux, plus longtemps.

– Vive la démocratie ! hurla Pascal.

– Vive le progrès ! cria Ndonksiba.

Peut-être que les choses se seraient arrêtées là si Laetitia ne s'était mise à sautiller telle une sauterelle et à claquer dans ses mains comme quelqu'un qui venait de remporter une victoire. Toujours est-il que, ce voyant, Donga applaudit lui aussi, ce qui mit le feu aux poudres.

Joujou, furieuse de voir sa rivale remporter la victoire, se planta sur ses pieds, mains sur les hanches.

– Depuis quand est-il donné aux femmes de mauvaise vie de parler dans une communauté d'hommes ? Je parle en tant que descendante directe du peuple wuel. Et cette fille n'est pas d'ici. J'ai fini, conclut-elle en crachant copieusement.

Mais personne ne l'écouta.

– S'il n'y a plus de dieux, qui mettrez-vous à la place ? demanda une vieille maman en s'adressant directement à Donga.

– L'homme est Dieu ! affirma Laetitia.

– On aura vraiment tout entendu, persifla le Perroquet.

– Elle a quand même le droit de parler, insinua Donga.

– Ma parole, elle l'a envoûté, commenta un anonyme.

– Makoumba.

– C'est ce qui arrive quand on laisse traîner sa queue comme une noix, prête à rouler dans le premier trou, sans faire attention ! Certains trous pullulent de rongeurs, prêts à mettre la noix en pièces détachées, minauda Joujou, j'ai tout dit.

– Tout cela n'a rien à voir là-dedans, avança péniblement Donga.

– Ouuuh ! se moqua la foule.

– Mais…, protesta Donga.

– Tu es amoureux, oui ou non ? interrogea le Perroquet.

– C'est-à-dire que…, balbutia Donga.

– Il a tout dit, se moqua le Perroquet.

– Mesdames et messieurs, chers frères, commença Donga offusqué, craignant déjà les conséquences que sa légèreté pourrait entraîner. La dernière chose à laquelle je m'attendais était qu'on m'accuse de soutenir cette… cette créature, dit-il en pointant hypocritement Laetitia qui, surprise par cette attaque inattendue, blêmit. Je ne fais que mon devoir de citoyen, continua-t-il d'une voix qui devenait de plus en plus aiguë au fur et à mesure que les mots tombaient de sa bouche. Je respecte les opinions des autres même si elles divergent des miennes. À notre époque, il est honteux de voir que les citoyens responsables puissent sacrifier leur idéal et leurs racines à des croyances de Blancs.

Interrompu par les applaudissements de la foule, Donga s'arrêta, attendit que le calme fût revenu avant de reprendre.

– Voyez-vous, dit-il, même dans une maison libérale, il est dangereux d'introduire des idées nouvelles. Le monde est en plein chaos parce que chacun fait l'intéressant en répandant des bruits qui n'ont pour seul but que d'égarer notre jeunesse. Mettre en doute la puissance des Dieux, alors qu'il y a à peine trois mois ces esprits nous ont aidés, relève de la pire ingratitude. Vous vous souvenez tous de l'argent, n'est-ce pas ? Ils nous ont donné la preuve de leur existence et combien ils nous aiment et veillent sur nous. À supposer que nous suivions pour un temps les idées de ces marionnettes révolutionnaires, qu'aurons-nous ? Un pays sans grandeur ni miracle. Nous ne pouvons aujourd'hui tolérer que notre société soit ébranlée. Je demande solennellement qu'on fasse sortir immédiatement les responsables de ce désordre.

– Mais…, commença Ndonksiba, je n'avais aucune prétention révolutionnaire…

– On les connaît tes prétentions, intervint sèchement Donga. Tu veux instaurer l'anarchie.

– À la porte !

– À la porte !

– À la porte !

C'est au milieu d'injures et de coups que Ndonksiba et Laetitia quittèrent la salle. Quant aux autres laissés-pour-compte qui les avaient soutenus, effrayés, ils se firent petits et se tinrent cois. Tant bien que mal, l'ordre fut rétabli et les conversations reprirent.

Le Perroquet à qui on avait rabattu le caquet, et face à l'admiration suscitée par le discours de Donga, était dans tout ses états. Adossé à un mur, il réfléchissait. Bientôt un sourire éclaira son visage.

– Chers frères, déclara-t-il, les sorciers ont tué l'homme court en un clin d'œil.

– Nang kat belaï ! s'exclama un vieillard.

– Oui, père, ils sont tellement perfectionnés de nos jours qu'ils ont même des hélicoptères, des avions. Ils vont jusqu'à Paris chercher de pauvres victimes qu'ils sacrifient sur des autels. Ils reviennent à l'aube, ni vu, ni connu. Il y a trois nuits, je suis sorti.

Il hésita. Qu'allait-il bien pouvoir ajouter pour qu'une ovation salue ses mots ? Qu'il était avec la Dame Ngono, dernière épouse du chef dont il était secrètement amoureux ? Car moi, moi, la fille au cheveu rouge, je les avais vus ensemble.

– Je disais donc que je suis sorti faire pisse quand j'ai levé la tête et devinez ce que j'ai vu…

– Quoi ? s'exclama la foule.

– Écoutez-moi, ô frères, fit-il, théâtral. J'ai vu leur avion comme je vous vois présentement à mes yeux. Il était si bondé de passagers que certains sont tombés. Ceux-là, Dieu merci ! sont sauvés. Les autres, vous savez autant que moi que la mort est là. Il y aura plein de cadavres dans le village ces jours-ci, c'est moi qui vous le dis.

– Que le ciel nous sauve, vieux frères.

– Nous sommes tous cadavres !

– À mort les sorciers, cria Donga.

– Il faut les brûler ! hurla sa première femme au comble de l'hystérie.

– Il faut porter plainte !

– Oui, frère ! t'as raison. Ce sont des hommes contre le progrès.

– Il faut des mesures d'urgence.

– Vive le progrès ! vive notre chef ! vociféra Donga.

– Vive le progrès ! répéta la foule.

– Écoutez-moi, ô frères, fit le Perroquet en tremblotant car il ne savait plus où était la vérité et, porté par l'ambiance de panique générale, il avait fini par croire à son récit. Ce qu'il faudrait faire, c'est arrêter tous ces malfaisants, les enfermer jusqu'à ce que les sorciers crachent tous leurs secrets. Nous utiliserons leurs connaissances. Nous deviendrons le peuple le plus civilisé du monde. Nous aurons des avions, des bateaux, des voitures.

– Des vêtements aussi, intervint un bonhomme qui n'avait pas parlé depuis le début. Oui, des vêtements comme le roi de France avec des dentelles, et des cheveux longs. Je l'ai vu dans le livre d'histoire de mon fils. Même les Blancs vont nous envier. Ils diront que nous avons l'élégance dans le sang.

Il sourit, les yeux sertis d'étoiles, projetés dans l'avenir.

J'aurais pu rester là, à les écouter, à boire des oreilles, jusqu'à la chute de la nuit, jusqu'à l'écroulement du temps. Mais un mouvement de foule soudain. Je me retrouvais nez sur le sol. Je poussai un cri de douleur. Je me relevai lentement, très lentement, la crainte d'oublier un morceau de moi dans les entrailles de la terre. Je touchai mes bras, mes jambes, mon cou, j'étais entière quant à l'essentiel. Et mes dents ? J'ai toujours eu peur pour elles. Elles n'étaient pas solides, pas fragiles non plus, mais elles ne supportaient pas les chocs et me faisaient mal. Pour tout vous avouer, mes deux dents de devant se sont cassées un jour de grande colère où, pour me calmer, je m'acharnais sur un os de poulet. Elles avaient fait un drôle de bruit en se cassant, un bruit à vous refiler la chair de poule. Je crachai abondamment dans mes mains. Je les recueillis, petits bouts de perles blanches, mal fichues, mais des perles quand même. Je les retins, hagarde. Pas une ne devait m'échapper. J'allai cueillir de la colle sur les troncs des arbres et m'acharnai des heures durant à les recoller. Beaucoup d'efforts vains. Et pour tous ceux qui, comme moi, n'aiment pas que quelque chose leur échappe, qu'une chose sur terre leur oppose la moindre résistance, ils comprendront aisément l'idée de vengeance aveugle qui m'assaillit.

Je fonçai au poulailler avec sa toiture basse et son odeur d'humidité et d'accouplement. Détruire ! Arracher ! Frapper ! Je frappai les coqs, chassai les poules de leur couvée, cassai les œufs. Le poulailler était sens dessus dessous. Des coqs tentèrent de s'envoler par les toits. Caquètements. Bruits de mes pas effrénés. Et mon corps dégoulinant de sueur. C'est alors qu'un poussin essaya de s'enfuir, vers la cour, la liberté. Je me lançai à sa suite, et, aveuglée par ma fureur, j'oubliai que la toiture était basse et me cognai violemment la tête contre le chambranle de la porte.

Assommée, je m'écroulai et me mis à pleurer. Les vagues cafardeuses battaient contre mes tempes, dans mon crâne. J'étais désolée et vide dans ce poulailler où la vie bruissait malgré ma hargne. Un éclair se fit dans mon esprit.

Bondissant sur mes pieds, je me sentis neuve. Je tendis les bras pour remercier le monde car il n'avait pas changé malgré mes dents cassées, j'en faisais intégralement partie. J'étais lui, il était moi.

Depuis lors, j'ai un sourire déséquilibré. J'aurais pu me faire faire une couronne à mon arrivée à Paris. Mais, voilà, j'ai peur des dentistes et mes amis prétendent que ça me donne du charme.

Et là, dans la cour de mon papa pygmée, accroupie, poussiéreuse, sale, je pleurais en fouillant la terre au cas où encore un morceau de mes dents s'y trouverait. La foule, me voyant dans cette posture et croyant que je conjurais la terre de me rendre mon papa, fut prise d'une sincère compassion. Certains se penchaient, m'embrassaient. D'autres, plus pudiques, me tapotaient gentiment les épaules en murmurant « Courage, fillette, courage. » Serabina, la marieuse, plus touchée que la masse, vint près de moi, me serra contre elle, tout contre ses mamelles énormes et m'imposa son odeur de sueur rance. Des larmes coulaient sans discontinuer de ses yeux de hibou et de ses lèvres tombaient les lamentations habituelles. La honte d'étaler ma faiblesse m'envahit. Je m'écartai d'elle d'un geste brusque, cachai mon visage dans mes mains et pleurai sans trop savoir sur quoi. Mon papa ? Mes dents ébréchées ? Mes amours ?

– Assez pleuré, petite, dit le Perroquet avec sympathie. Réjouis-toi car, là où il est, il te voit et te donne toute sa protection.

– Quelle injustice ! clama une vieille Dame, le visage gonflé de larmes comme celui d'un enfant.

– Ah ! le monde, cria Serabina, les mains sur la tête. Il est plein de rats, de cafards, de moustiques et, au lieu de nous débarrasser de ses bêtes nuisibles, inutiles, voilà qu'il nous arrache l'un de nos grands hommes ! Si je pouvais seulement porter plainte à Dieu !

– Qu'est-ce qu'elles ont fait, ô dieux, pour mériter pareille punition ?

– Tu te demandes ce qu'elles ont fait ? Mais c'est simple, chère amie. Elles expient.

– Expier ? interrogea la Dame Donga.

C'est peut-être à ce moment-là que les choses changèrent. Radicalement. Sans plage de répit. Tout en contraste. Comme si, entre le blanc et le noir, il n'existait aucune couleur intermédiaire. Un murmure discret parcourut l'assistance. Puis deux ou trois minutes d'un silence profond s'ensuivirent pendant lesquelles on aurait pu entendre voler une mouche et les yeux, absolument tous les yeux, convergèrent vers Dame maman et moi. Regards intenses. Inattendus. D'étonnement, mes lèvres se refermèrent net. Mes sourcils se froncèrent. Mon esprit, embrumé par la nuit d'insomnie, les pleurs et les agitations de ce matin, éprouvait des difficultés à s'ajuster à l'architecture des comportements nouveaux. Je me tournai vers Dame maman, lentement. Ses yeux avaient pris une expression résolue, une décision calme, inflexible se réflétait dans tout son être, qui me fit frémir.

– Pleure, ordonna-t-elle d'une voix ferme.

Tout mouvement m'abandonnait, ma gorge se séchait et je continuais de la regarder d'un air hagard. Tout à coup, Dame maman se leva, posa ses deux mains sur ses hanches et s'écria :

– Je ne suis pas coupable ! Je ne l'ai pas tué ! Ce n'est pas moi… Allez chercher votre assassin ailleurs.

À peine achevait-elle sa phrase qu'une femme fendit la foule, hystérique :

– C'est elle ! C'est elle qui l'a tué !

– Calme-toi, Songo.

– Je vous dis qu'elle l'a tué ! Elle avait peur qu'il la quitte comme le bon Blanc.

– Ah ! Femme, lève-toi, ordonna un vieillard. T'as rien à voir avec tout cela et va plutôt t'occuper de tes gosses. Ils ont besoin de toi.

– Elle aurait eu trop honte. Quittée par deux hommes ! Quelle humiliation !

Cette scène fit grande impression sur le public. Déjà, hommes, femmes et enfants, les bouches comme des trous de canon, nous encerclaient de près et vociféraient des injures : « Buveuses de sang ! Oiseaux de malheur ! Vampires ! Qu'on les brûle ! Assassins ! Assassins ! » Les adolescents, deux doigts dans la bouche, sifflaient. Jamais je n'avais vu autant de pagaille dans mon village. Dans un village comme le nôtre où il se passait peu de chose, cette tragédie était un événement considérable. On fit même résonner le tam-tam pour répandre la nouvelle au-delà des montagnes, au-delà des vallées. Pendant quelques minutes le Perroquet tenta tant bien que mal de s'interposer entre nous et la foule, de canaliser la violence, arguant qu'il fallait attendre le procès et que les autres commettraient à leur tour un crime en nous exécutant sans jugement.

Quant à moi, moi la fille au cheveu rouge, je ne saurais vous traduire ma frayeur. Mes oreilles bourdonnaient et, sous mes yeux, le soleil devenait fou et tournait dans tous les sens. J'avais froid malgré la chaleur. Et l'agressivité, dans sa robe rouge, m'enlaçait pour une danse. Je reculais vers le manguier, cherchant l'Étranger du regard. J'étais convaincue que lui, le héros, avec son bouclier dressé haut, pourrait nous sortir de l'enfer. Mais le feu de la violence avançait. Encore quelques secondes et je sentirais ses mains brûlantes s'entortiller autour de mon cou. Je me rappelle m'être juré à l'instant que, si l'Étranger me sauvait, je lui serais éternellement reconnaissante, et qu'il pourrait disposer de mon corps, de mon âme et même de la maison que je n'avais pas. D'ailleurs je me serais vendue au diable en personne s'il m'avait apporté quelque secours.

– Mort à la femme Bertha !
– Mort !
Mort !
Déjà les premiers cailloux heurtaient mon épaule, les coups partaient, je m'apprêtais à entrer au domaine des cieux quand surgit la voix de la providence :
– Arrêtez ! Arrêtez !
Le chef. Il avait attendu jusque-là sans intervenir. Depuis la veille, l'un de ses espions, celui qu'on appelait le Loup, l'avait réveillé en pleine nuit pour le tenir informé de ce qui se passait. Le Loup était un gaillard long, robuste dont le visage maigre comme un clou affectait une extrême sévérité avec les paysans mais pouvait prendre l'expression la plus obséquieuse devant les hautes autorités. Le Loup, laid mais intelligent, et qui végétait avec de chétifs appointements avait senti là une occasion inespérée pour redorer son blason. Le Loup avait trois enfants, trois filles qu'il adorait mais à qui il reprochait leur féminité. À qui voulait l'entendre, il disait : « Les cieux m'ont puni, je n'ai que des filles qui ne me servent à rien. » L'aînée, une espèce d'autruche déplumée, s'était mariée à un soldat dont on voyait le portrait en uniforme, suspendu au milieu

du salon. La deuxième, qui vivait toujours avec ses parents, avait eu deux enfants, *le diable seul savait* de qui. Quant à la cadette, on pouvait la voir à longueur de journée vêtue avec l'élégance de la ville, un chapeau de paille sur la tête, ce qui ne l'empêchait pas dès l'aube de récurer, nettoyer, faire la lessive car la Dame Loup, une espèce d'épouvantail insortable, souffrait de rhumatismes qui l'empêchaient de se courber.

Le Loup aimait l'argent, le pouvoir. Cette nuit fatidique d'orage et de pluie, énervé par la tempête, il était sorti fumer une cigarette sous sa véranda. Il avait aperçu Dame maman et son flair d'espion lui avait suggéré qu'il se tramait des choses étranges. Leste, il l'avait suivie, se cachant dans les fourrés, derrière les arbres. Jamais il n'avait aimé Dame maman, il pouvait maintenant se l'avouer. Durant tout le temps qu'il l'avait eue pour maîtresse, et avait joui de son corps, il l'avait maudite. Car il détestait la dépendance physique dans laquelle il était enfermé. Pour la première fois, il s'était trouvé dans une histoire qu'il ne maîtrisait pas et qui truquait son jeu. Il l'avait suivie en se disant que ce ne serait que justice s'il arrivait à découvrir les failles de la femme, quelque chose qui lui permettrait d'exercer son pouvoir sur elle. Il l'avait surprise, transportant le corps du Pygmée.

Il avait alors couru chez le chef, essoufflé, couvert de boue, heureux de faire d'une pierre deux coups.

– Que veux-tu ? avait grommelé le chef, l'humeur mauvaise.

– L'homme pygmée est mort.

– Et tu oses me réveiller pour me dire ça ? avait crié le chef, prêt à le châtier, à lui infliger une correction pour son manque de discernement entre affaires d'État et faits divers.

Mais il avait vite compris, le chef. Il était ravi. Il avait attendu le moment adéquat pour intervenir. Il allait reconstruire l'édifice de son pouvoir fissuré par l'arrivée de l'Étranger et qui en outre, depuis cette histoire d'argent sorti *le diable seul savait* d'où, menaçait de s'écrouler totalement.

– Vog messié ! hurla-t-il.

Tous les cous firent un demi-tour et s'immobilisèrent. Les rythmes cardiaques, accélérés par le désir de meurtre, retrouvaient peu à peu leur battement naturel. La foule s'écarta, respectueuse devant sa toute-puissance. Le chef portait un pagne aux couleurs éclatantes du drapeau de l'indépendance nationale, un chapeau haut de forme et des bottes, reliques de la guerre, qu'il arborait souvent lors des cérémonies. Il se dirigea vers nous, s'arrêta en claquant des talons et en bombant le buste.

– Dans la vie, commença-t-il, alors qu'un profond silence régnait dans la foule, il y a ceux qui sont et ceux qui font. Les premiers donnent des ordres, les autres les exécutent.

– Hééézz ! approuva la foule.

– Selon les lois des ancêtres, JE SUIS. Que se passe-t-il ?

– Elles l'ont tué, aboya la masse.

– Je les ai vues, cria une voix anonyme dans la foule.

– Ça, c'est du désordre et rien de plus ! gronda le chef. N'oubliez pas que l'ensemble des esprits du village est égal à une bouche.

– Hééééezzz ! reprirent-ils.

Les villageois se regardaient, tout courage envolé. Il ne chantait à personne d'être la bouche par laquelle tomberaient les accusations. Ensuite, les yeux se portèrent vers le Perroquet. Ceux qui ne pouvaient le voir allongeaient le cou pour lui faire comprendre que la parole était à lui, tandis que ses plus proches voisins le pressaient.

– Ah non ! cria-t-il au bord de l'exaspération. Je n'ai rien à voir avec tout cela.

Il tourna les talons et s'éloigna de quelques mètres.

Ce voyant, un vieillard fendit la foule en s'aidant de sa canne et se retrouva au premier rang. Il promena un

160

regard méprisant sur l'assistance et éclata d'un rire dément. « Qu'est-ce qu'il a ? » entendit-on chuchoter de toutes parts.

– Il devient fou, s'exclama une voix anonyme.

– Qui a parlé ? vociféra le vieillard, hors de lui. Qu'il ose prétendre en face de moi que je suis fou ! Voyou, lâche ! Bande de vauriens ! continuait-il en brandissant les poings comme une arme.

Soudain, il porta une main sur son cœur.

« Qu'est-ce que c'est ? » « Qu'est-ce qu'il a ? » demandait-on. « Que lui arrive-t-il ? »

Il s'écroula. Le chef, affolé, se pencha vers lui et lui prit le pouls.

– C'est rien, déclara-t-il. Un léger malaise. Garde, emmenez ce brave homme chez lui et faites venir le guérisseur.

Tandis qu'on emportait le pauvre homme, la foule, un instant distraite par cette scène à laquelle elle n'était pas préparée, retrouva son calme.

– Allons mes amis, dites-moi rapidement ce qui se passe. J'ai pas de temps à perdre et des devoirs d'État m'attendent.

– Je peux vous dire, moi, ce qui se passe, cria la Dame Donga sans quitter sa place, se frottant à ses voisins comme si elle voulait s'imprégner de la virulence du nombre. Elles l'ont tué, laissa-t-elle tomber.

– Avez-vous des preuves de ce que vous avancez ? interrogea le chef en sortant de sa poche une cigarette qu'il porta à ses lèvres sans l'allumer.

– L'évidence, chef, cria-t-elle d'une voix proche de l'hystérie. Un homme ne meurt pas comme ça, pour rien. Il faut des sorciers pour le manger et nous savons tous ici que, pour se faire manger, il faut qu'un membre de la famille de la victime lui tranche la tête.

– Bravo ! Bravo !

– Voilà qui est parler.

– Hourra !

On hurlait, on battait des mains, on embrassait Dame Donga pour la féliciter de son courage. On vit celle-ci lever le poing et l'abaisser, victorieuse.

– Assez ! Assez ! hurla le chef dont la voix se perdit au milieu des rugissements de la masse.

Puis il chuchota quelque chose à un des acolytes. Celui-ci sortit un vieux fusil de chasse et tira un coup en l'air.

Tout le monde s'immobilisa. Le chef promena un regard de triomphe sur eux et reprit d'une voix mielleuse :

– Je vous ai écoutés attentivement et tout ce que vous m'avez dit me paraît justifié. Cette femme a bien tué !

– Non ! hurla Dame maman en bondissant sur ses pieds. Je sais ce que vous pensez tous de moi et c'est peut-être mérité, dit-elle en promenant un regard dur sur la foule. Chacun de vous a au fond de son âme quelque chose à se reprocher, un menu larcin, une haine injustifiée, que sais-je encore. Même si j'en ai commis dix mille fois plus que vous tous ici réunis. Même si je ne suis pas digne de vivre parmi vous, je vous supplie de me croire. Je ne suis pas une meurtrière !

– Menteuse ! hurla la foule.

– Tu l'as tué !

– Assassin !

– Du calme ! cria le chef. Puis, mains croisées dans le dos, il se mit à tourner autour d'elle, l'inspectant des pieds à la tête, il continua : Ainsi, tu nies avoir tué cet homme. Tu ne reconnais pas avoir vendu son âme au diable. Pourtant, tout t'accuse.

– Je l'ai pas tué !

– Pourtant, hier soir, tu n'as pas hésité à traîner le corps dans la nuit, de chez toi à chez lui.

Un murmure d'étonnement teinté de désapprobation parcourut la foule.

– Silence ! À nous maintenant, dit-il en reprenant sa ronde autour de Dame maman. Pourquoi ? Non, ne réponds pas. Non seulement tu as tué, mais tu as essayé de dissimuler le cadavre, dit-il en pointant un index accusateur sur Dame maman.

– Non ! Non ! Non ! hurla Dame maman. C'est vrai, je ne voulais pas qu'on découvre son corps chez moi et je l'ai transporté chez lui. Mais je ne l'ai pas tué. Il est mort dans son sommeil.

– Ton attitude d'hier soir est la preuve évidente de ta culpabilité. Non seulement tu as tué mais tu as commis une faute grave : la profanation des tabous. Tu as violé la paix des morts.

– Punition ! cria la Dame Donga.

– Punition ! Punition ! Punition ! clama la foule.

– Elle n'a tué personne, hurlai-je en bondissant sur mes jambes. Vous voulez verser le sang d'un innocent, et vous appelez cela justice. Mais regardez-vous donc… Des têtes d'assassins.

– Elle a insulté le peuple.

– Quelle insolence !

– Quel toupet !

– Sa grande gueule ne les amènera nulle part. Elles sont cuites !

Mais toutes ces exclamations, sorties des bouches anonymes dans la foule, ne suffirent pas à ébranler ma détermination :

– Mâ n'a tué personne ! Elle a reconnu ses actes sans que vous ayez à l'y obliger. De toute façon, il faut des preuves pour l'incriminer. Nous ne sommes pas des sauvages !

À ces mots, le visage du chef devint cramoisi, ses lèvres tremblèrent, saisies d'une agitation extrême.

– À genoux, femmes, gronda-t-il.

– Non ! Personne ici ne se mettra à genoux.

Les yeux du chef se rétrécirent jusqu'à devenir une minuscule fente obscure. Tremblant de colère, il fit deux pas vers moi comme s'il s'apprêtait par la force à m'obliger à m'agenouiller, mais surprise ! Il s'arrêta, me regarda fixement et partit d'un gros rire qui le fit tan-

163

guer d'avant en arrière. Le Perroquet, malgré son désir évident de ne pas se compromettre dans cette histoire, ne put s'empêcher de lâcher quelques plaisanteries de mauvais goût pour décrire la tournure insensée que prenait le procès. La Dame Donga se sentait offensée, bafouée plus que les autres par ce rire, sans rime ni raison, qui jetait le discrédit sur toute la classe dirigeante du village. Elle voulut rompre les rangs, s'en aller loin, mais trop intéressée par ce qui se passait, resta. « Quel monde ! Quel monde ! On aura tout vu », hurlait-elle. La masse constituée des gens simples, paysans, gratte-papier de tout genre ou simplement parasites demeura un instant ahurie par l'hilarité du chef, puis, ne sachant sans doute que dire, ils joignirent leurs rires aux siens. « C'est trop drôle, disait le chef. Elle me désobéit. Regardez-moi ça… Un minuscule ver de terre… Qui résiste… Ah ! c'est trop… C'est trop… » Il s'arrêta de rire, considéra la foule. Puis, d'une voix grave, il reprit :

– Sache une chose, petite, dit-il en m'attrapant l'oreille. J'ai autorité sur tout ce qui bouge dans ce village et ce n'est pas une va-nu-pieds comme toi qui viendra l'ébranler. Donga, fit-il en me lâchant si brusquement que je me retrouvai tête contre le manguier, vous pour qui les lois du gouvernement et des ancêtres n'ont aucun secret, informez cette… cette dépravée de l'étendue de ma puissance.

Celui-ci, gêné, poussa un grognement et hocha la tête. En réalité, il n'avait qu'une idée confuse des limites du pouvoir du chef, de ce qui lui était possible ou défendu. En effet, depuis que de nouvelles lois, calquées sur celles de la France, avaient été adoptées au Parlement, il ne s'y retrouvait plus car ces lois étaient souvent contradictoires avec les traditions. À certains moments, Donga jurait que le chef avait pouvoir de vie et de mort sur ses sujets. À d'autres, il se sentait inquiet et versait dans le désir de se remémorer certains articles du code civil, de préférence ceux qui confortaient ses points de vue.

– C'est-à-dire que…, commença-t-il.

– Vous avez tous entendu ! clama le chef… Je suis… Je suis…

Il se tut. Considéra l'assistance, puis avec tout le sérieux dont il était capable :

– Vog Messié !

Heez !

– En me référant aux traditions que m'ont léguées mes ancêtres et vu la situation ici présentement à mes pieds, je déclare…

Mais, je ne lui laissai pas le temps de faire sa déclaration.

– Avant toute condamnation, le condamné peut formuler un vœu. (Je laissai quelque page de silence afin que mes paroles trouvent le temps de se frayer un chemin dans les mémoires avant de continuer :)Je désire que vous m'offriez un morceau de cola.

– J'apprécie ton assurance, petite, dit-il en m'offrant un croissant de cola. Je sais que tu n'es pas la meurtrière, mais seulement sa complice.

Il me jeta un regard méprisant.

– Chef, vous venez de me donner un morceau de cola. Maintenant, la tradition veut que me traitiez d'égale à égal.

– Pas bête, cria la foule.

– Voilà qui est ne pas avoir froid aux yeux.

– Ce n'est qu'une salope ! Elle finira pendue.

– Silence ! hurla le chef. C'est moi qui parle. Présentement, j'exige que la petite soit attachée au mort jusqu'à ce que vérité s'ensuive.

– Quelle vérité ? m'écriai-je.

– Bâillonnez-la ! ordonna-t-il.

Deux hommes me maîtrisèrent. Une femme se défit de son foulard sentant la sueur et le moisi et me ferma la bouche tandis qu'une autre m'ôtait mes vêtements. Je n'étais plus vêtue que d'un caleçon passablement propre et après cela je ne pouvais plus résister. Je pensai m'écrouler, mourir de honte. J'essayai de me couvrir avec mes mains en me tortillant dans tous les sens, ce qui amusa beaucoup l'assistance. Je compris que la seule chose à faire était de me montrer toute nue. J'enlevai ma culotte, m'allongeai, écartai mes jambes. Hommes, femmes me regardèrent, puis détournèrent la tête. Seuls les gosses me dévisagèrent encore, mais ils ne tardèrent pas non plus à se détourner de moi, comme lassés d'un jouet. Le chef rajusta son pagne, prisa un bon coup, éternua avant de reprendre :

– Quant à la mère, non que je mette en doute votre courage. Mais, le danger étant de taille, je préfère ne pas mettre vos vies en jeu. Je vais donc la soumettre personnellement à la cérémonie des corps qui a coûté son existence à l'homme Pygmée. La séance est momentanément levée.

– Bravo ! dit une voix isolée.

Des applaudissements se firent entendre. Tous n'étaient pas d'accord avec le chef, mais ils applaudissaient. Débordement d'obéissance dans une ambiance contestataire. Vieux, hommes d'âge mûr, adolescents. Les plus anciens parce qu'ils n'avaient pas été auparavant consultés. Les seconds parce qu'ils estimaient qu'ils auraient pu exercer le droit de cuissage eux-mêmes. Les derniers parce qu'on leur enlevait dans l'immédiat le désir de commettre un meurtre officiel. Et ils applaudissaient tandis que leurs visages, eux, exprimaient la déception, l'envie ou la colère. Ils n'étaient pas libres et ils le savaient. Ils détestaient leur chef, mais personne n'osait l'affronter. Le chef, lui, savait que, plus tard, suivraient des nuits sans sommeil à tramer des complots avortés et des ruses désastreuses qui se dissoudraient d'elles-mêmes. Et il souriait, le chef, fier de lui. Il ôta son chapeau, se pencha, salua la foule d'un grand geste du bras. Il s'en alla, suivi de Dame maman. Ils laissaient derrière eux une frétillante odeur de sexe.

Je me débattis quand quatre hommes se jetèrent sur moi pour m'amarrer au mort. Une nébuleuse de condamnation pesait sur moi. Mes mains solidement liées à celles du mort tremblaient. Une grosse mouche vrombissante posa ses maigres pattes sur mes joues. Je hurlai. Je me jurai de l'écraser dès que ie serais libre, ce qui amusa tout le monde, même les hommes si prompts tout à l'heure à me châtier.

– Tu vois, dis-je en parlant au mort, ils ne peuvent me vouloir grand mal puisqu'ils rient.

– Elle nous accuse auprès du mort ! Elle lui parle. S'il te plaît, tu peux lui dire que je n'ai jamais tué personne.

– Moi non plus, dit une femme en enfonçant un sein dans la bouche du bébé qu'elle tenait enroulé dans un pagne sur ses hanches et qui depuis près d'un quart d'heure poussait des hurlements désespérés.

– Ne nous colle pas ton crime sur le dos, dit un monsieur soucieux de sa vie et qui se voulait plus pur que la vertu. Ce qui t'arrive n'engage que toi. Nous ne sommes pas responsables.

Boblogang s'était réveillé. Des mauvais tressaillirent en moi, désireux d'entraîner à leur suite le village tout entier.

Il était de coutume qu'un méfait, un meurtre, un vol commis en respectant les règles de la tradition, ne fût pas imputable à l'homme. C'est ainsi que mes aïeuls et bisaïeuls, masqués, peinturlurés, s'étaient adonnés à des razzias, avaient pillé et avaient enlevé femmes et enfants pour en faire des *ûlos*, en toute bonne conscience et en toute impunité. Quiconque était reconnu lors de ces expéditions était coupable et pour cela sacrifié à l'autel des dieux. Certes, ces coutumes étaient depuis tombées en désuétude. N'empêche que demeurait ce désir de ne point être reconnu comme celui par lequel agissait la main du mal. Je saisis l'atout au vol. Il fallait m'installer dans ce rôle de damnée

auquel je n'avais même pas pensé et que mes concitoyens me suggéraient sans s'en rendre compte. Ainsi je
jouirais d'un maximum de prestige auprès des villageois, du chef et de Dame maman.

– Si la main donne un coup, dis-je, c'est avec l'assen-
timent du corps tout entier. On ne peut la punir sans
punir le reste du corps.

J'approchai mes lèvres d'une main de mon papa
pygmée et la baisai. J'avais la nausée. Un nœud gluant
s'était formé au creux de mon estomac. Mais je sou-
riais du sourire démoniaque du vainqueur. Je venais de
gagner la bataille. J'étais devenue la démone des puits
sans fond. La démone des apparences lugubres.

– Elle n'annonce rien de bon, Dieu tout-puissant !

– Seigneur Jésus tout-puissant !

Un vieillard, mangé par les récifs du temps, fronça
ses sourcils broussailleux et déclara qu'il y avait
soixante ans, jour pour jour, une femme avait eu le
même comportement que moi. Il dit que le jour même
notre terre si belle fut envahie par les Blancs. Ils instal-
lèrent un hôpital où moururent plus de personnes
qu'en une éternité. Selon lui, je devais être son spectre.

L'inquiétude de mes compatriotes s'accrut.

– Qu'elle invoque l'esprit du bien pour tuer le mal,
décréta une femme.

– Oui, acquiesça une autre. Qu'elle l'invoque.

– C'est pas l'esprit du bien qu'il faut invoquer mais
plutôt les ancêtres et le Royaume perdu.

– Elle a raison.

– Non. Moi, à mon époque, c'était le sang du Christ.

Personne ne savait plus la formule exacte. Donga,
en grand connaisseur des sciences, levait sans cesse
les bras au ciel et les laissait tomber en disant :
« Quelle absurdité ! Quelle absurdité ! » Son épouse
poussive s'éventait. Le Perroquet sifflotait. Deux
femmes, des paysannes, puantes dans leurs vêtements
couverts de suie et de graisse, pieds écornés, mains
sales, s'empoignèrent les tresses, *le diable seul savait*

pourquoi, se roulèrent dans la poussière sous le regard émerveillé des hommes et des enfants. On les encourageait. On leur fourrait des bâtons dans les mains « Plus fort, Tricicia ! Vas-y, Zonglina ! Fais attention à tes jambes ! Elle va te crever les yeux ! » Et les rires fusaient. Des gamins sautillaient, heureux. Les hommes se rinçaient l'œil. Épuisées, elles arrêtèrent leur échange de coups, se lancèrent des regards de mépris réciproque, crachèrent copieusement puis se tournèrent vers moi. Je frémis.

Une heure passa durant laquelle les prières, les sommations, les menaces se succédèrent. Je baissai la tête mais gardai le silence. Et, constatant sans doute que ce n'était pas le meilleur moyen de dialoguer avec le diable qui m'habitait, ils changèrent d'attitude. On m'apporta des offrandes. Calebasses de lait. Poules. Œufs. Ignames. Peine perdue. Je ne me départis pas de ma moue d'indifférence. Une femme me proposa même d'adopter sa fille pourvu que je consente à invoquer la bonne formule. Je serrais les dents.

Donga, exaspéré par l'intérêt qu'on me portait et qui allait grandissant, ne put plus se retenir. Il fendit la foule, le visage saisi d'étranges picotements, ôta son chapeau qu'il passa d'une main dans l'autre et commença :

– Vog Messié !

Le silence lui répondit. Il toussota et reprit :

– Notre pays, si beau, si grand fait chaque jour des pas géants vers la modernité. Jour et nuit, des milliers de tonnes de béton aplatissent les montagnes et remplissent notre terre de ciment. L'Africain nouveau réalise de grandes choses. Une ligne de chemin de fer traverse aujourd'hui notre pays de part en part et ses trains que j'ai vus de mes propres yeux peuvent atteindre les cinquante kilomètres à l'heure et, d'ici quinze ans, on pourra peut-être aller où on voudra. De nombreuses universités se sont ouvertes. Nous marchons au pas et cet art-là nous protège des éventuels envahisseurs. Le budget de l'armée de notre pays équivaut presque à celui de la France ! Nous n'allons pas, chers frères, permettre à des croyances archaïques de recouvrir de leur toile d'araignée vingt ans de réformes politiques, économiques et sociales ! Cependant...

– Dieux, quelles conneries ! dit le Perroquet.

Il avait lâché ces mots sans intention aucune de contredire, j'en suis convaincue. Tout simplement, il en avait marre ! De tous ces événements, de cette chaleur qui montait de plus en plus, avec son odeur de combustion végétale qui imprégnait l'atmosphère.

Mais Donga, se sentant visé, prit la chose de haut :

– Messieurs, dit-il, j'essaie d'apporter la connaissance au peuple. Pour qu'on s'en sorte, il faut qu'on comprenne que la technologie est le Dieu des temps modernes.

– Et l'homme, qu'est-ce que vous en faites ? dit Pascal qui, depuis son intervention dans la salle, n'avait plus dit un mot.

– C'est pas son problème, dit le Perroquet. Monsieur n'hésiterait pas à égorger un nouveau-né pour les besoins de sa sacro-sainte technologie. Il couvrirait de boue les croyances les plus nobles s'il estimait qu'elles lui barrent la route vers une plus grande fortune. C'est moi qui vous le dis...

– Prends garde ! dit Donga en pâlissant affreusement.

– Ne le croyez pas, ne lui en veuillez pas ! Le Perroquet dit n'importe quoi comme à son habitude... En outre, il doit être fatigué !

– Pas du tout ! s'exclama le Perroquet. Moi, je ferais de même si j'avais eu un brin d'instruction. Pourquoi ne le ferait-il pas lui ? Je le comprends.

– En voilà assez ! s'écria Donga.

Il fendit la foule.

– Où vas-tu, mon homme ? Que fais-tu donc ? Je viens avec toi, fit son épouse en le prenant par le bras... Quelle bassesse ! Quelle calomnie ! Rentrons chez nous. Nous n'avons rien à faire avec cette racaille. Nous ne les recevrons plus. Même nos poulaillers sont trop nobles pour eux.

Le soleil était à son zénith lorsque le chef, une main tenant un bâton, l'autre épouillant ses testicules, brindilles de paille dans ses cheveux en poils de caniche, fit son apparition, suivi de ma mère. Il ne fallait pas être très observateur pour constater qu'elle venait de lever les étoiles dans les reins du chef. Grand-maman disait qu'avec ses fesses elle pouvait renverser le gouvernement d'un pays. Je pensais que Dame maman aurait pu changer l'ordre international. Oui! Parfaitement. Malgré ses paupières fatiguées par l'abus de plaisir. Resplendissante la femme-mère! Souriante. Épanouie. De cet épanouissement intérieur révélé par la complicité des corps. J'étais choquée. Heurtée dans ma dignité. Le fait qu'à quarante ans Dame maman avait encore des élans érotiques et s'y livrait avec abandon me répugnait. La mort de mon papa pygmée m'avait un instant suggéré qu'elle prendrait une retraite anticipée sur le plan sexuel. Je n'osais imaginer sans gêne ni vulgarité son corps si souple, si noir, soumis aux caprices du chef. J'avais l'impression qu'en lui faisant l'amour il lui transmettait un peu de son âme obscure et que cela rejaillissait sur moi par un bizarre phénomène d'osmose. Mais il fallait bien l'admettre : son corps si souple, si noir, le chef l'avait touché, le chef, c'est-à-dire « l'homme qui est ». Je portai de nouveau mon regard sur les hanches de ma mère, je compris que son drame était d'être femme, mais être femme lui conférait son inaltérable puissance.

Ces réflexions me torturaient au point de ne plus me supporter.

Oublier.

J'abandonnai les visions et les pulsions érotiques de ma mère pour plonger, descendre dans le rêve. Vers l'Étranger. Mais un vieux Monsieur me ramena sur terre en expliquant au chef que j'avais eu un comportement antisocial qui risquait d'attirer de graves problèmes au village. Le chef fronça des sourcils ennuyés et dit : « On verra ça plus tard. » Il se tourna vers la foule, l'humilité du despote à la bouche.

– Vog Messié, je viens de mener le plus dur combat que les dieux ont donné à l'homme d'affronter. N'eût été mon sens des responsabilités, j'aurais choisi un mode de suicide plus rapide.

– Ikiéeee, s'étonna la foule.

– Si je vous racontais ce qui s'est passé, mes frères, vous perdriez le sens de la vérité car j'ai fourni aujourd'hui plus d'efforts qu'en soixante saisons de vie. Je puis vous assurer que, si je n'avais pas été le chef, vous m'enterreriez à la place du petit homme. Dans mon cœur je pleure et gémis, dehors j'ordonne car un chef ne pleure jamais. Oh, mes amis, tout est fini, n'exigez pas davantage de moi.

– Prépare vite une natte pour le chef, ordonna le Perroquet à une fesse-coutumière, debout à son côté et occupée à allaiter son bébé.

Elle obtempéra tandis qu'au même moment une veuve au crâne tondu s'affairait autour du chef, lui offrait une calebasse de vin de palme.

– Le chef a-t-il faim ? lui demandait-elle. Le chef veut-il un bol de pépé-soupe ? Le chef veut-il encore à boire ?

Il ne répondit rien, refusa d'un geste et, l'air très fatigué, il se laissa tomber sur la natte, ventre à plat, les deux mains soutenant le menton. La Ngono s'accroupit auprès de lui et entreprit de lui masser le dos. Elle versait généreusement du moine meyingué[1] dans ses paumes très blanches, l'étalait sur son dos puis se relevait et le massait de la plante de ses pieds. Elle ne semblait pas très concentrée sur son travail. Toute

1. Moine meyingué : huile de noix de palme.

rayonnante, elle dévisageait le Perroquet. Elle était très à l'aise et lui au comble de l'embarras. Il transpirait à grosses gouttes et, jugeant sans doute indélicate la scène dont il était auteur et acteur, il s'éloigna en criant : « J'essuie la poussière de mes pieds... Je n'ai rien à voir avec tout ça ! »

Le chef soupira d'aise à la manière d'un cocu heureux et, après deux raclements de gorge, il s'endormit, entouré par tous les villageois.

Il faisait très chaud et toutes les bêtes avaient regagné l'ombre protectrice des arbres. Les liens sur mon corps me faisaient souffrir. Au-dessus de ma tête quelques oiseaux pépiaient. Deux heures d'un calme plat passèrent. Ce n'est que bien plus tard qu'arriva l'Étranger. Il portait une djellaba blanche et, comme à son habitude, des sandales tressées. Il semblait fatigué. Ses yeux clignaient dans la violence de la lumière. Il s'arrêta quelques secondes devant moi, me considéra fixement. Sans réfléchir, je serrai mes cuisses l'une contre l'autre. Je serrai fort, de plus en plus. Toute ma nervosité, centrée, là, à l'endroit du sexe. Il me fallait serrer, serrer jusqu'à l'agonie. M'interdire tout plaisir. Devenir meurtrière. De moi-même.

L'Étranger se détourna brusquement. Un sourire énigmatique éclairait son visage. Un sourire qui disait clairement : J'ai gagné. Tu m'appartiens.

Et lui ?

Un homme qui cisaillait ma mémoire.

Un homme qui arrachait à la femme que j'étais sa cuirasse jusqu'au spasme. Mais il me faudra attendre que toute cette histoire se termine, que la police fasse son enquête, pour apprendre enfin l'amour qu'il me portait, vaste comme un océan. Je saurai alors qu'un soir lointain, où il avait quelque peu abusé du vin, il s'était assis au bord du chemin, le dos tourné au village et les arbres qui bordaient la route le cachaient presque. En s'approchant, le Perroquet avait vu qu'il cachait son visage dans ses mains.

– Ça ne va pas, mon ami ? lui avait-il demandé en posant une main affectueuse sur ses épaules.

L'Étranger l'avait regardé, découvrant un visage défait par la tristesse. Il s'était détourné, puis avait déclaré d'une voix tremblante :

– J'aime. J'ai fauté parce que j'aime. Car, vois-tu, mon ami, les diables comme moi n'ont pas le droit d'éprouver des sentiments. Ça les perd. Ma mission me sera retirée, je le sens.

Cette anecdote rapportée par le Perroquet me fit beaucoup de bien, quoique l'honnêteté de ce personnage fût quelque peu ébréchée.

L'Étranger alla vers le chef. Il l'appela. Le chef ne l'entendit pas, maîtrisé par le sommeil. Il le secoua. Le chef ouvrit les yeux.

– C'est toi ? demanda-t-il, c'est toi, mon ami ? Tu ne peux savoir combien je suis content que tu sois là. Je suis fini ! Je ne veux plus rien avoir à faire avec les hommes.

Il se hissa sur ses jambes jusqu'à avoir sa bouche tout contre les oreilles de l'Étranger. Ce dernier considéra tour à tour Dame maman et moi-même.

– Je ne dirai rien ! m'exclamai-je, comme répondant à une question muette. Je n'ai rien à dire. Qu'on me tue ! Qu'on me pende ! Qu'on me brûle ! Je ne dirai rien du tout !

– Elle est vraiment toquée, dit le chef.

– Pensez de moi ce que vous voulez, je ne dirai rien. Mais peut-être qu'à vous, dis-je en m'adressant à l'Étranger, je dirai quelque chose. Mais il faudrait pour cela que vous me suppliiez à genoux... Étranger. Étran...

– Je n'ai rien à voir avec tout cela, dit tranquillement celui-ci. C'est pas mon problème. Il s'agit de ton propre destin.

– Écoute-moi, Étranger, je vais mourir, mais je n'irai pas seule dans ma tombe, tous ici devront m'accompagner !

– C'est pas à toi de parler, m'interrompit Dame maman. Si quelqu'un a quelque chose à dire, c'est bien moi. Il ne tient qu'au chef pour que je reste discrète, ajouta-t-elle en lançant à ce dernier un regard noir.

Cette menue agitation tira les villageois de l'état d'apathie qui les habitait après les excès de la matinée.

– Qu'est-ce qui se passe ? demandait-on de toutes parts. Qu'est-ce qu'il y a encore ?

Et, comme nul ne semblait vouloir répondre à leurs questions, ils haussèrent les épaules et retournèrent à d'autres préoccupations. Certains, soûlés au vin de palme, se mirent à parler et à rire haut. Des plaisanteries fusaient. Un homme saisit l'arrière-train très imposant d'une fesse-coutumière et mima le coït. D'un geste brusque, elle se dégagea et lui assena une gifle retentissante avant d'éclater de rire. Elle était flattée et la lueur de plaisir dans ses yeux démentait formellement les insultes dont elle le couvrit. L'excitation atteignait son comble. On se serait cru dans un marché aux poules ou à la veillée de la récolte d'arachides. Et plus le vacarme augmentait, plus la foule, perdant retenue et protocole, s'approchait de nous, pour mieux nous encercler. Ngono, empêtrée de son devoir, s'improvisa garde du corps. De ses mains, de ses jambes, de ses seins, elle tenta de repousser la foule.

– Arrière ! Arrière ! criait-elle.

– Au lit ! hurla un anonyme.

– Qu'ai-je entendu ? interrogea le chef, les sourcils froncés comme un volant, les yeux exorbités d'horreur.

– Rien, chef, lui répondit quelqu'un dans l'assistance.

Et comme dans une scène répétée pour une représentation théâtrale, les villageois portèrent leurs mains sur leur cœur pour lui faire comprendre qu'ils l'aimaient bien, tous. Le chef sourit, fit de grands gestes pour leur dire que lui aussi les aimait beaucoup et se tourna vers l'Étranger, cordial :

– Que pensez-vous de mon peuple, cher ami ?

– Vous avez beaucoup de chance.

– Vraiment ? interrogea le chef, sceptique. La seule chance que j'ai, c'est de vous avoir à mes côtés, pour m'aider à résoudre le problème que je vous ai confié tout à l'heure. Le pouvoir rend bien solitaire, ajouta-t-il avec le plus profond sérieux.

– Il ne s'agit pas seulement du pouvoir, quoiqu'il accentue la solitude. L'homme n'a besoin des autres que parce qu'ils donnent un sens à sa vie. De ce phénomène découle le désir de domination qui anime chacun de nous.

– Si je vous comprends bien, dit le chef, mes sentiments pour vous ne se justifient que parce que j'ai besoin de vous.

– Pour le moment, oui, je l'avoue, malgré la crainte de vous blesser.

Le chef haussa ses sourcils broussailleux.

– Prenez cette fille, par exemple, commença-t-il en pointant son menton vers moi. Le peuple réclame sa punition. Les seules preuves contre elle sont leurs allégations et leurs croyances. Si je ne la punis pas, j'ai le village contre moi ; si je la punis, j'aurai ma conscience contre moi…

– Et sa mère ? fit l'Étranger, un sourire bizarre au coin des lèvres.

– Calomnies, dit le chef, vexé. En voilà des manières choquantes, surtout venant de vous ! Je ne veux plus vous entendre !

– À votre guise, dit nonchalamment l'Étranger. À votre place, je me comporterais d'une tout autre manière…

– Et comment devrais-je me conduire selon vous en admettant que vous ayez les capacités nécessaires pour me dicter ma conduite ? Mettez-vous ceci dans le crâne, Étranger : le pouvoir fait partie de l'inné. On ne l'acquiert pas. Prenez un gouvernement fort, dirigé par un faible, ce dernier adoptera des décisions sans pour autant excercer le pouvoir. Il sera seulement un exécutant puisqu'il n'y aura pas de complicité entre ses actes et sa conscience. Vous me suivez ?

– Selon vous, si je ne me trompe pas, c'est la personnalité qui fait le pouvoir et non les institutions. Poussant votre raisonnement plus loin, votre père étant un homme faible ne méritait pas d'être au pouvoir. Et c'est pourquoi vous l'aviez supprimé.

– Qui vous a raconté ça ? gronda le chef. Qui ?

Il s'arrêta net, comme si, brusquement, quelque chose en lui s'était brisé.

« Que se passe-t-il ? » demandait-on de toutes parts. « Qui a tué qui ? »

– Affaire d'État ! expliqua le Perroquet. Il ne sert à rien d'essayer de comprendre. De toute façon vous serez déçus comme d'habitude car la montagne accouchera d'une souris.

– D'une vache, tu veux dire ! s'écria Dame maman. Je vais vous dire, moi, ce qui se passe…

Mais elle se tut aussitôt, arrêtée net par un regard intense que lui lança l'Étranger.

– Un verre d'eau pour le chef, fit celui-ci.

Aussitôt dit, aussitôt fait. Le chef se désaltéra longuement puis se laissa glisser lentement sur la natte, pathétique.

– Comment pourrais-je vous parler de moi, commença-t-il. Dites à un enfant qu'il est un chien et il se comportera comme tel. Moi, depuis mon enfance, je porte des masques. D'abord le masque de l'enfant docile et obéissant ; dès mon adolescence, j'ai endossé celui de l'homme séduisant, viril, capable de se suffire à lui-même et de commander ; ensuite, j'ai endossé celui du mari, du père affectueux et maintenant, j'arbore celui de chef. Quelquefois, j'en ai marre ! Marre ! répéta-t-il, en frappant ses cuisses de ses poings. J'éprouve le besoin de… de dissiper ce malentendu avec moi-même. C'est comme si un autre moi venait à ma rencontre et portait plainte contre l'absurdité de ma conduite, dans un procès où je serais à la fois l'accusé et la partie civile. Aujourd'hui, je n'éprouve plus ce besoin car vous allez m'accuser devant mon peuple d'assassinat et même si vous ne le faites pas, Bertha le fera. Tout est perdu ! Je suis fini ! et il répéta : Fini.

Un sentiment de malaise saisit l'Étranger. Quelque chose d'extraordinaire venait de se passer à la suite de quoi toute la structure du village risquait de s'écrouler. Dame maman baissa les yeux et n'osa plus regarder le chef. Et même moi, moi, la fille au cheveu rouge, je me sentais toute retournée comme du beurre rance. Seul le Perroquet qui savait tout gardait un calme parfait ; il triturait ses moustaches, les relevait en croissant de lune, avec un air de contentement visible. Voir le chef dans cet état de délabrement lui plaisait énormément. Le moment venu, il échangerait son silence contre la Dame Ngono, dernière épouse du chef. Mais ça, c'est une tout autre histoire.

– Personne n'a l'intention de vous accuser publiquement, murmura l'Étranger.

– Et la Prêtresse-goitrée, qu'en ferez-vous ? Elle veut la peau de Bertha.

– Ne vous inquiétez pas. Je m'occuperai d'elle. Allez vous reposer chez vous et n'en sortez pas avant la cérémonie d'enterrement.

Docile, le chef se leva, soutenu par son épouse. Ils s'éclipsèrent.

– Où va le chef ? demandait-on.

– Le chef est devenu un titre, lâcha un anonyme.

Et la foule éclata de rire.

Une clameur inouïe agressa les oreilles de la Prêtresse-goitrée bien avant son entrée dans la cour du
Pygmée. Un cri houleux qui lui fit penser tout de suite
qu'on l'avait vue, qu'on acclamait sa venue. Elle n'avait
pas tort. Ses cheveux étaient recouverts d'une boue
rougeâtre. Autour de son cou cliquetait un collier en
dents de rhinocéros. Son corps à demi nu était recouvert d'une peau de léopard. À chacun de ses pas, les
pans de son vêtement s'écartaient, dévoilant son derrière sec comme deux poings et son sexe de zèbre
poilu. Elle traversa la cour d'un pas mesuré, entourée
de ses neuf nains.

Elle attendit un certain temps, sachant qu'aucune
force au monde ne pourrait faire taire une foule
déchaînée tant qu'elle n'avait pas exhalé ses passions et
ne s'était calmée d'elle-même.

Quand enfin elle leva sa canne au ciel, les dernières
rumeurs se turent. Alors seulement, s'emplissant les
poumons d'autant d'air qu'elle put, elle hurla :

– Cette fille est ouverte à l'esprit du mal. Je vais la
purifier.

– Bravo !

– Voilà une femme !

– Vous n'avez pas le droit de la juger. Ce droit appartient à Dieu ou au diable. Pas à vous ! s'écria l'Étranger.

– Ton Dieu est une larve, Étranger. Une larve et un
égoïste. Quand son fils est né, n'a-t-il pas laissé les sol-
dats tuer des milliers de bébés ? Étranger, continua-
t-elle, ton Dieu est mauvais. Les miens existent et
agissent pour la justice.

– Dehors, Étranger ! Personne n'a besoin de toi ici.

L'Étranger considéra un moment la foule dont les
voix colériques brûlaient ses tympans et, se tournant
vers la Sorcière-goitrée, il dit :

– Puisque vous ne croyez pas au pouvoir de Dieu, je
vous prouverai que le diable existe. Je vous le prouverai le moment venu.

Il s'en alla.

La Prêtresse-goitrée s'approcha de moi. Elle m'inspecta des pieds à la tête. Elle parla d'une voix rauque, légèrement voilée :

– Oui, j'extirperai le mal de ce corps et de ce cœur qui aboie la haine, le désordre, la déchéance. Quant à sa vie, seuls les dieux en décideront. S'ils jugent qu'elle est pure, elle sortira vivante de l'épreuve. Sinon...

– Non ! hurla Dame maman en bondissant sur elle, griffes dehors.

Deux hommes l'empoignèrent. Elle eut néanmoins le temps, avant de disparaître, de brandir le poing en l'air et de crier :

– Je vais te tuer ! Sorcière ! Sorcière ! T'es jalouse de moi, ton mari m'a aimée. Oui, il m'a aimée.

Mais, déjà, on l'entraînait. Je vis une dizaine d'enfants curieux se ruer à leur suite.

– Vous êtes tous témoins, dit la Prêtresse-goitrée, la respiration sifflante. Cette femme est folle ! Le diable de sa fille l'a possédée. Il faut comprendre et lui pardonner. D'ailleurs devant vous, il n'a pas hésité à me sauter dessus. Parfaitement, mes frères ! Ce n'est pas Bertha qui a bondi sur moi, pour m'arracher les yeux mais le diable ! Ce n'est pas cette pauvre Bertha qui a proféré des paroles mensongères mais le diable qui a parlé par sa bouche ! Il veut tuer la confiance que vous avez en moi. Sachez, mes frères, que personne n'est à l'abri de ses malices. La vie de chacun de nous ici est menacée.

Grand-maman avait coutume de dire que « la peur est la conscience de la vie ; sans elle, point de respect, d'ambition, de jalousie, d'amour, de haine ». Et jamais, elle n'aurait eu autant raison que ce jour-là.

Les corps se resserraient. La foule grognait. Une femme affirma à son mari entre pleurs et cris qu'elle quitterait le village dès que possible et qu'elle refusait absolument d'assister à cette cérémonie. Il essaya d'abord de la calmer. Mais, voyant que ses mots doux restaient sans effet, il haussa les épaules et jeta ses yeux ailleurs. En réalité, elle voulait passionnément y assister mais contrainte par son homme, un monsieur de petite taille, la trentaine bien sonnée, chauve, avec des favoris qui lui tombaient bas sur le menton. L'air hautain propre aux timides, il se contentait d'afficher un sourire. En dehors de sa femme, il ne parlait à personne. Il ne disait rien comme si on l'avait exclu de la séance ou comme si ces événements ne le concernaient pas. Mais, à un moment donné, il leva le poing d'une manière insolite, ce qui attira l'attention générale et le mit très mal à l'aise. Il s'empourpra et baissa la tête.

Quant à moi, moi, la fille au cheveu rouge, j'étais le sanglot du chagrin, le désespoir du malade, le mauvais rêve des morts. Mauvaise herbe, il fallait m'arracher. Ma mort serait-elle l'éclair qui illuminerait leur nuit ?

Bouche bée, le regard fixe, je croyais toucher le secret de la vie. Mais, en fait, j'avais un affreux mal de tête et le soleil insistant corrompait ma peau, lui faisait prendre une couleur violette.

Les danses cérémoniales commencèrent. Un des nains, la face blanchie à la chaux, battait le tambour tandis que les autres, peints à l'arc-en-ciel, vêtus de gros caleçons rouge sang, sautillaient, tourbillonnaient les bras en avion et faisaient des galipettes comme dans un cirque. La foule marquait le rythme en tapant des mains. La Prêtresse-goitrée dansait, bondissait, un fouet dans chaque main, et venait se cogner tout contre moi. Je sentais ses os pointus transpercer mes chairs. J'entendais le sifflement du fouet sur mon corps. La chicotte brûlait mon dos, lacérait mes cuisses, mordait mes épaules. Mon cœur était plein de vagues et ma tête de vertiges. J'aurais voulu redevenir petite fille, écouter mon papa bon Blanc me conter, avant que je m'endorme, les rugissements des lions, les lamentations du petit loup. « Encore ! Encore ! » disais-je d'une voix assoupie. Et il répétait l'histoire, inlassable, jusqu'à ce que l'aube me réveille. Mais le jour ne me réveillera pas. Autour de moi, c'était le délire. Les gens hurlaient. Et ma tête, la tête de la fille au cheveu rouge, était la calebasse où venaient se loger ces hurlements. J'entendais les bêlements des moutons, les jappements des chiens, les meuglements des vaches. On les avait habillés et ceint leurs cous des drapeaux du pays. Je devenais folle, j'étais folle. « Assez ! Assez ! Arrêtez ! » criait quelqu'un. Mais c'était ma propre voix. Les coups redoublaient. Tout volait autour de moi. L'un des nains sauta sur mes épaules et hurla : « Que la mort se libère ! » Et le corps de mon papa pygmée se détacha, s'affaissa sur le côté. Je tentai de me relever. Mais le nain pesait sur mes épaules et je me retrouvai agenouillée, nez contre terre. « Tuez-moi ! Tuez-moi ! Je n'en peux plus ! » J'essayai de me protéger le visage en plaquant mes deux bras sur mes joues et dans cette position mon crâne, ma nuque, mon dos étaient livrés à la folie des fouets. Je criai, je criai, jusqu'au moment où je sentis une huile tiède couler sur mon corps. Deux hommes m'obligèrent à boire un liquide au goût amer que je m'efforçai en vain de recracher. Une étrange métamorphose s'opérait autour de moi. Les silhouettes des personnes s'étiraient indéfiniment, jusqu'à dépasser la hauteur des arbres. Leurs voix ne me parvenaient qu'à travers une résonance caverneuse, rendant inaudibles leurs propos. Mon corps m'échappait. Un bouquet d'étoiles explosa dans ma tête en une gerbe de feu. J'entendis des rires, des rires agressifs que je ressentais vaguement comme une insulte. Un spasme me noua l'estomac. Je me souvins de la boisson qu'on m'avait fait ingurgiter et dont la saveur ne rappelait en rien ni le goût brûlant du Hâa, ni l'aigre douceur du vin de palme. Incapable de maîtriser ma peur, je cherchai vainement à vomir, en m'enfonçant un doigt dans la gorge. Mais je ne réussis qu'à provoquer une crise de hoquets nauséabonds dont l'odeur me soulevait les tripes. M'aurait-on empoisonnée ? Partant des entrailles, la douleur envahissait le cœur puis s'étendait aux bras et aux jambes. J'aurais voulu pouvoir arracher mon cœur, mes entrailles. Soudain le tambour résonna plus fort. Une voix féminine s'éleva, chantante :

… Djem Ivu Toc
Djem gbel Ivu

Yééé Ouala
… répondait le chœur d'une voix rauque, lourde de menaces.

Ce fut pour la Prêtresse-goitrée l'instant tant attendu. Le voile se déchirait. Elle allait enfin accoucher de cette vengeance qui l'avait minée nuit après nuit. Libérer cette folie qui la possédait. Elle laissa glisser sa peau de léopard et se mit à feuler telle une tigresse.

– Nous n'allons pas nous battre, n'est-ce pas, Bongaba ? Nous sommes des Dames et les Dames ne se battent pas, dis-je en esquissant un sourire.

Pour toute réponse, elle bondit à ma rencontre, m'assena un coup de pied qui m'atteignit à l'estomac et m'envoya rouler dans la poussière.

– Bats-toi, enfant du mal, rugit-elle.

Tant bien que mal, je me relevai.

« Youyouyou ! » criait-on de toutes parts.

Est-ce mon orgueil, est-ce mon instinct de survie qui réagit en cet instant précis ? Je dévisageais la Prêtresse-goitrée. Ses yeux plissés ressemblaient à deux minuscules fentes noires. Sa bouche adipeuse dessinait le mépris.

– Bâtarde ! braille-t-elle.

Tout en pas glissés, souples, lestes, jouant du buste, s'offrant et se dérobant sans cesse, les bras ouverts comme les pinces de crabe, prêts à saisir leur proie, elle me défiait.

Je bondis sur elle, décidée à lui trancher la gorge comme on craque une allumette. Elle esquiva mon geste. Elle me saisit par le menton et m'envoya de nouveau, tête en avant, dans la poussière. Elle s'assit sur mon dos et entreprit de me cogner la tête contre le sol. Mes bras battaient l'air, cherchaient désespérément une prise. Et, sans même m'en rendre compte, je les passai autour de son cou et serrai avec la force du désespoir. Tandis que je serrais, je sentais sa bouche lancer des bouffées d'air, sur ma nuque, sa langue pendre et ses yeux couler comme une source. Profitant de mon avantage, je relevai la tête, et lui mordis la joue. Surprise, elle me lâcha et j'en profitai pour la plaquer au sol et enfoncer mes doigts dans ses yeux. Autour de nous, la clameur s'accentuait. Et moi, moi qui n'avais pour muscles que ma grande gueule, je me levai et tentai de m'enfuir, poursuivie par les hurlements moqueurs des villageois. Je n'allai pas bien loin. Deux hommes me rattrapèrent et me ramenèrent dans la cour du Pygmée.

– Tu as gagné, dit la Prêtresse-goitrée, la voix mauvaise, les yeux rouge brûlant. Enfin, presque…

Deux nains me forcèrent à me mettre à genoux en me tirant chacun par un bras. La Prêtresse-goitrée sortit des ciseaux et les mèches de mes cheveux ont commencé à tomber, tomber. Jusqu'à ce que je sois entièrement tondue. Je glissai, ils me retinrent. Ils enfoncèrent quelque chose dans ma bouche. Un cœur de poulet. Un dernier effort pour tout avaler. Brrrr…

Un mouvement de foule. On me glissait un coussin sous les reins. Un autre sous les pieds. Douleur. Gémissements. On s'enquérait de ma santé. Les insultes, les grincements de dents se transformaient. « Vive la Ngang ! Vive la Ngang[1] ! » Victoire m'était acquise. J'étais devenue un objet de vénération.

1. Ngang : Diminutif de Megang (prêtresse).

Les vierges du village, des fillettes âgées de sept à douze ans, m'apportèrent des offrandes. Coqs. Chèvres. Cochons. Alcool. Dame-jeanne d'huile de palme. Je n'étais ni fière ni mécontente. Je n'étais pas. Mon être était encore enfermé dans une chambre insonorisée.

Le Perroquet examina, la méfiance dans les yeux. Ses lèvres s'écartèrent, découvrirent ses grandes canines. Il me sourit et j'en éprouvai une sensation de démangeaison dans la gorge.

— Tu viens d'entrer dans la légende, fillette. Maintenant, les dieux te connaissent. Ils sont avec toi. Le joueur de n'Vet[1] en parlera.

L'homme-chauve avec son sourire ambigu fit irruption dans le cercle. Il avait tout à fait l'air d'un fou. Les yeux agrandis par cette exaltation extrême des timides, il regarda la foule houleuse. Des picotements sur son visage noiraud et brillant indiquaient qu'il était troublé.

— C'est une comédie ! hurla-t-il. Il est évident qu'on s'est foutu de nous ! La gloire à cette espèce de…

— Monsieur, dis-je, vous ai-je personnellement offensé pour que vous m'en vouliez ?

Il ne répondit rien, hagard, l'air de se demander ce qu'il faisait là. Je continuai :

— Je me fous de la gloire, des lauriers, des décorations, des honneurs et de tout ce qui flatte la vanité humaine. Tenez, ma gloire, je vous l'offre.

— Je n'en veux pas, dit-il en marchant à reculons, les deux mains en avant comme s'il se protégeait de quelque chose. Oh ! çà, ma chère, que je n'en veux pas. La gloire, il faut se baisser pour la ramasser.

Et toujours à reculons, il fendit la foule et disparut de mon champ de vision.

Je fermai les yeux avec difficulté. Mes paupières à force de pleurs étaient gonflées. Tout le bas de mon corps était comme paralysé. Je planai dans le rêve et le fantasme.

1. Joueur de n'Vet : griot.

Quand je repris connaissance, j'étais allongée sur une natte, dans une grotte. On avait dû m'y transporter. Mais je n'en avais aucun souvenir. J'avais dû dormir plusieurs heures car la nuit était déjà dense et noire. Il me sembla percevoir un léger bruit de respiration.

– Qui est là ? Est-ce toi, l'Étranger ? demandai-je.

Seul l'écho de ma voix me répondit. Pourtant, j'avais le sentiment de n'être pas seule dans la pièce. D'une voix mal assurée, j'interrogeai l'obscurité :

– Qui va là ?

Comme aucune réponse ne me parvenait, je tâtonnai pour trouver une allumette. Ma main se posa sur un corps. « A Zamba ouam ! »

Je reculai en titubant. Une sueur glacée dégoulinait le long de mon dos. Mes jambes tremblotaient comme prises d'épilepsie.

– N'aie pas peur, fillette. Je ne te veux aucun mal, grinça une voix féminine.

– Qui êtes-vous ?

– Qui que je sois t'importe peu. Je veux juste parler un peu.

– Qui que vous soyez, qu'avez-vous à me laisser dans l'obscurité ? Faites lumière ou je crie !

Bientôt, la flamme d'une torche s'éleva, balaya la grotte, éclairant à demi un visage maigre aux joues balafrées. Je poussai un grognement.

– Mais… Mais… Vous êtes… Vous êtes… la Moissonneuse-du-mal.

Je n'arrivais pas à parler. Je m'étranglais. Des interrogations se bousculaient, pleines d'inquiétude : Était-ce bien elle ? Comment était-ce possible ? Sait-elle qui je suis ? Appeler à l'aide, là tout de suite. Mais qui m'entendra ? Je suis ici en attendant la cérémonie de purification. La grotte est au moins à deux kilomètres du village. Lorsqu'ils viendront me chercher, il sera trop tard. Dieu seul sait ce qu'elle fera de moi. Mais je la tiens, si je m'y prends bien, d'ici là, ils viendront l'arrêter et la condamneront à nouveau…

– C'est bien vous, je ne rêve pas, fis-je comme si c'était la meilleure rencontre de ma vie. J'ai tant rêvé de vous parler, de vous dire que tout le monde n'est pas en bloc contre vous. Mais comment êtes-vous donc entrée jusqu'ici ? Je reconnais là vos tours de passe-passe qu'on m'a tant décrits. Quand je dirai que je vous ai parlé, personne ne me croira. On me dira que j'ai rêvé.

– Dans ce cas, tu as rêvé.

– Venez vous asseoir à côté de moi, dites-moi tout.

– Je ne suis pas venue te tuer, dit-elle la voix atone. Je voulais simplement te parler pour retrouver un peu de moi. Tu comprends ?

Je ne comprenais rien, mais ce n'était pas grave. L'idée que cette femme bannie du village depuis près de quinze ans voulait se retrouver en moi, simplement en me parlant, suffisait à réveiller Boblogang, à flatter mon orgueil. Je m'installai confortablement sur la natte, les jambes en tailleur, brûlée du désir de savoir.

– Tu as une forte personnalité comme moi quand j'étais jeune. Une grande sensibilité aussi et ton cœur est plein d'amour. Exactement, tu es une grande amoureuse. (J'acquiesçai, la tête penchée en avant et la femme bannie poursuivit :) La colère brûle en toi. Tu as envie de tout reconstruire, tu possèdes une frénésie de vivre, je me trompe ?

– Non, fis-je. En outre, quand je serai déclarée Megang, j'aurai le pouvoir, je pourrai modeler le monde à ma guise.

– Tu as d'énormes capacités. Mais, ajouta-t-elle après un bref moment d'hésitation, tu ne réussiras pas à changer le monde.

– Vous n'avez pas confiance en moi ? interrogeai-je, piquée au vif.

– Ne sois pas chagrine, fillette. Tout ce que je vous raconte, ce sont les yeux des flammes qui me l'ont dit.

– Quoi d'autre ? fis-je, agressive.

– Tu ne seras pas nommée Megang.

– Vous délirez, hein, dites ? Le Perroquet me l'a promis.

– À moi aussi, ils me l'avaient promis il y a quinze ans ou peut-être plus, je ne sais plus. Peu de chose s'est déroulé depuis. Ma mémoire s'est cristallisée. La morte couchée dans ma chambre, les tripes en l'air, l'accusation, les cérémonies, la condamnation et depuis, le vide.

– Mais moi je n'ai pas tué.

– Moi non plus.

– Pourtant on l'a trouvée chez vous, dans votre chambre.

– Les réalités ne sont pas toujours ce qu'elles paraissent.

– Vous auriez dû vous défendre.

– Je l'ai fait.

– Et alors ?

– Tu jugeras des résultats quand viendra ton tour.

Elle sourit. Ce sourire me froissa. Il n'y avait pas de quoi rire.

– Les dieux ne peuvent pas permettre qu'un innocent soit accusé et condamné, dis-je sincèrement indignée. Ils ont besoin de nous à leurs côtés.

– Peut-être ne veulent-ils accueillir que très peu de personnes. Il y aurait trop de bouches à nourrir, à mon avis.

– Ce n'est pas juste.

– La justice est du domaine des hommes et non de celui des dieux.

Je la regardais, intensément. Elle exhalait des effluves de pitié et de mélancolie. Cette femme accusée de meurtre et qui avait survécu au tribunal coutumier m'apparaissait pure de toute rouerie. Cette femme n'avait pu faire bouillir le cœur de la jeune fille qu'on l'accusait d'avoir tuée et mangée. À son égard, une houle de compassion me peuplait. Vivre caparaçonnée dans la solitude, pluie après pluie, sans échange aucun, n'était pas humain.

– Dès que je serai nommée Megang, dis-je en prenant sa main dans la mienne, je vous acquitterai.

– Je te remercie, fillette, fit-elle, sincèrement émue. Mais, oublie tes chimères. L'illusion est une maladie mortelle si elle n'est pas soignée à temps.

– Je sais. Grand-maman avait coutume de me le dire. Mais… J'ai une question importante à vous poser. Je sais qu'on me cache des choses sur ma naissance. Il y avait un Blanc à l'époque qui habitait le village. N'était-il pas mon père ?

Elle secoua son crâne.

– La vérité n'est bonne à dire que lorsqu'elle se fait plume.

Oui, ce soir-là, elle avait un mors à la bouche. Elle ne me dirait pas Alejandro Gomez, mon père. Comment, envoyé ici pour nettoyer le pays des hommes couleur noix de cola, il avait adhéré à leur cause, parié sur le mauvais cheval et s'était retrouvé contraint de rester au village, à boire de longues rasades de désillusions. Rebut, cassé, il embrassait la paresse, l'alcool, les femmes, le soleil. Car, disait-il, plus rien ne l'attirait là-bas, en Europe, lieu de la nuit où sa mémoire ne lui permettrait plus de revenir à la faim originelle sans regretter des Négresses à la croupe rebondie et aux seins pointus. On l'appelait le boucané. On le regardait vivre d'expédients, de trafic d'armes, de la culture de cacao, de café et de canne à sucre. Chacun l'aimait à sa façon, avec toutefois cette méfiance qu'on témoigne à un étranger.

La Moissonneuse-du-mal, de son vrai nom Ndatsé, était entrée à son service à l'instant où les jeunes filles s'aperçoivent que les rêves qui les poursuivent sont de chair et d'or et portent costume et cravate. Et c'était lui, son rêve. Alejandro était long, long comme un palmier. Ses cheveux flamboyaient. Ses yeux avaient des lueurs semblables à celles de la panthère. Dans l'écho du regard, on saisissait la tornade. Ses mains trapues exercées à l'arc et aux flèches. Sa peau, cuir séché malgré des taches de rousseur. La barbe ? Épi de maïs dont la rugosité lui picotait encore les joues.

Elle se souviendra toujours.

Il pleuvait.

Maïs, palmiers, manguiers, avocatiers, bananiers s'étaient affaissés sous trois jours de pluie et de vent. Le quatrième jour, les corbeaux et même les moineaux avaient disparu. Chiens et chats gardaient le nez entre leurs pattes, camouflés dans les cuisines. Hommes, femmes et enfants étaient cloîtrés chez eux. Les paysans ne pouvaient plus quitter leur maison sans noyer machettes, houx et coupe-coupe.

Il pleuvait.

Dans la cuisine la lumière venait d'en haut, de cette petite lampe suspendue au plafond, qui jetait des lueurs rougeâtres sur le mur de terre battue. Debout face à la table, flottant dans sa robe de coton, cadeau de Lucilla, la seule maîtresse blanche d'Alejandro dont la visite s'était raréfiée. Ndatsé ratissait la farine des doigts, la divisait en petites crêtes et excroissances diverses à la recherche de charençons. N'en ayant pas trouvé, elle y versa la levure, le lait, du sucre, du saindoux. Adroitement, elle pétrit la pâte, l'aplatit, et s'apprêtait à introduire le pain dans le four, lorsqu'il avait surgi derrière elle, à pas de léopard. Et, le corps en arc de désir, il s'était courbé sur elle, avait frotté ses joues contre son dos. Le tressaillement de la jeune fille lui apprit que les ramifications de leurs désirs s'étaient rejointes. Remontant les doigts vers la fermeture de sa robe, il la défit et lorsque celle-ci tomba découvrant la sculpture de son corps, pareil à une statue fang, façonnée par un artiste trop passionné pour l'exposer, il sut qu'il n'aurait plus de paix tant qu'il n'aurait pas parcouru chaque contour, redessiné chaque recoin de ses lèvres. Et elle, protégée par le mur, les odeurs familières de la cuisine, malgré ses mains enduites de farine, de lait et de sucre, elle sentait ses sens mûrs et prêts pour des noces de paille.

Il pleuvait.

Il l'enferma chez lui et la réserva pour son usage personnel. Elle ne s'en plaignit pas. Ni même quand Alejandro Gomez, lassé de leurs ébats, se tourna vers la Prêtresse-goitrée. Elle savait qu'il était papillon. Pas plus de deux saisons, avec la même femme. Non qu'il ne les aimât plus. C'était quelque chose d'autre, la nécessité comme un désir de butiner, de passer de fleur en fleur. Libre.

Elle ne se plaignait pas. Même quand, de la cuisine, lui parvenaient des gémissements étouffés, des cris, des rires émoustillés. Elle se laissait tomber sur la chaise la plus proche, attrapait une canne à sucre, la mordait, la mâchonnait jusqu'à la réduire en filasse. Quelquefois elle courait au lavoir, accompagnée du clapotis de l'eau, elle lavait, rinçait, tordait si fort le linge souillé que ses phalanges en bleuissaient. Elle eut juste un frémissement quand il lui annonça son mariage avec la Prêtresse-goitrée. Mais personne ne s'en aperçut. Elle continua de le servir.

Être regardée par Alejandro, si brièvement que ce fût, lui inspirait de la reconnaissance. Un cadeau qu'il lui donnait à dessein, pour la marquer afin qu'elle s'en souvienne plus tard quand elle en aurait besoin.

Il lui offrait ce regard quand la Moissonneuse-du-mal s'était montrée pleine d'attention, lui avait confectionné des gâteaux au miel, des galettes dont il raffolait. Mais, surtout lorsqu'elle couvrait ses mensonges, lui permettant d'échapper aux inquisitions de la Prêtresse-goitrée, chaque fois qu'il courait à travers champs en compagnie de jeunes-femmes-fleurs pour faire danser les épis de maïs.

Tout aurait pu continuer ainsi, si Dame maman n'avait laissé gonfler le monticule sous sa robe, si l'indépendance ne s'était étendue jusqu'à Wuel et que des hommes, d'autres Blancs, ne fussent venus le chercher pour mettre des menottes à ses poignets... Mais cela je ne le saurai que bien plus tard, quand le destin, bouillonnant, tourbillonnant, m'entraînera vers le nord, toujours plus haut dans un monde d'herbe brûlante, de terre craquante, de figuiers de Barbarie, de sable blanc puis de mer... Jusqu'à l'hiver neigeux d'un Paris théâtral convaincu que le monde était là pour applaudir ses performances glacées.

– Tu sais...

Je n'achevai pas la phrase. Quelqu'un venait. Le bruit de ses pas s'amplifiait. La Moissonneuse-du-mal me sourit, me fit un signe de la main et disparut dans la nuit.

Une ombre s'encadra à l'entrée de la grotte. L'Étranger.

Qu'est-ce que la passion ? Une douleur sourde qui broie. La joie insupportable de le voir. Il m'a regardée. J'étais si intimidée que je ne pouvais pas parler. Debout devant moi, il était beau, il l'a toujours été. D'un élan de cœur, je courus me réfugier dans les bras qu'il ouvrait pour m'accueillir, sur sa poitrine. Il me serrait fort. Il caressait la peau tondue de mon crâne. Ses doigts effleuraient mon cou, mon dos. Nos corps encastrés se frottaient à plaisir. C'était l'étreinte de deux êtres qui se recherchaient depuis des lunes et des lunes.

– Toi, enfin ! ai-je murmuré.

– Mon amour !

Et là, dans l'éblouissement de la nuit, nos corps épuisés d'excitation n'obéissaient plus au cycle de la raison. Ils s'offraient, enregistraient le désir, mémorisaient le plaisir. Je sentais s'arc-bouter sur mon ventre son sexe ferme. Le rythme de son cœur changea. J'entendis le message. Insensibles à l'inconfort de la

192

grotte, nous prîmes la route parsemée d'étoiles, vaporisant nos peaux des parfums de l'ivresse. Embrasés jusqu'au vertige, des soupirs rythmaient la mélodie, nous entraînaient de plus en plus dans les puits du délire.

Il me dit que quel que soit l'endroit où il se trouverait, il recommencerait toujours. Cueillir le citron de mes seins et s'en gaver. Et d'un mouvement des lèvres, il les implora. Il faut recommencer, toujours et encore.

Et moi, moi la fille au cheveu rouge, quand nos corps comme des naufragés se fracassèrent sur les rives, épuisés, je lui criai mes fantasmes. Mes accès de gaieté quand mes pensées allaient vers lui. Sa maison, notre maison, bientôt. Ma joie à l'idée des soins que je lui apporterai, sans sa permission.

– Tu m'émeus, Mégri...

– Vraiment ? Alors, redis-le.

– Vous me touchez, mademoiselle. Et je vous envie votre innocence.

– Prince, votre servante vous en apportera, chaque matin, un grand bol.

– L'infini, mademoiselle, n'est pas de ce monde.

– Nous l'inventerons. Il nous attendait pour qu'éclose l'impossible.

– Heureux, celui qui t'épousera devant les hommes.

– Celui qui m'épousera repose sur moi en ce moment.

Qu'avais-je dit ? Il me dévisagea et bondit sur ses pieds. Il passa une main lasse dans ses cheveux. Je me levai à mon tour. Je me collai à lui. D'un mouvement instinctif, j'entourai ses hanches de mes bras et appuyai mon visage contre son torse. Nous demeurâmes un moment, silencieux. Puis, lentement, je lui pris une main, la gauche, je la retournai dans la mienne. J'examinai l'index, les phalanges, les ongles et la finesse des poignets. Je voulais qu'ils me parlent, qu'ils me révèlent ses projets, ses capacités, ses faiblesses. Mais ses mains se taisaient. Obstinément.

– Qu'as-tu, amour ? Dis-moi.

– Je suis désolé, Mégri. Je ne t'épouserai pas devant les hommes. Ce n'est pas le désir qui me manque. Mais je n'ai pas le choix.

– Tu as joué avec moi. Tous ces mots, ces discours. De la comédie.

– Non ! Mégri, je t'aime.

Il me berçait. La tendresse de ses gestes recréait la beauté, le sacré. Je devenais précieuse, fragile.

– On se marie ? demandai-je de nouveau.

– Je ne peux pas. Je suis lié par une promesse. Que pourrais-je dire si on me demandait des comptes ?

– Qui veux-tu qui te demande des comptes ?

Il haussa les épaules.

– D'accord, fis-je furieuse, les mains sur les hanches. Alors, cours prendre le premier papier que tu trouveras et crache dessus tout ce qui t'emplit et t'entrave. Si tu ne trouves pas de papier, prends l'éclat du charbon et inscris sur les murs, sur les troncs des arbres les mots de notre amour.

– Mégri…, dit-il, en tendant les bras vers moi, mais je reculai comme brûlée.

– Tu me prends pour une idiote, n'est-ce pas ?

Il y avait dans ma voix une intonation que je ne me connaissais pas. J'expérimentais le ton aigre de l'amante déçue.

– Je vais te dire ce qui te tracasse. Tu veux garder ta liberté.

– Non !

– Très bien, dis-je, les yeux plantés dans les siens.

Ma voix avait changé. Sans rien perdre de son aigreur, elle était glaciale, guindée, peut-être.

– Je regrette, mais je vous prie de vous tenir, désormais, loin de moi.

Et je sortis dans la nuit, le dos raide.

– Mégrita, attends !

Il m'attrapait le bras.

– Écoute…

– Lâche-moi !

– Sois pas ridicule ! Écoute-moi. Je t'aime, je te le jure ! Je n'ai jamais été aussi malheureux de ma vie. Tu comprends ?

Je ne comprenais pas. Je me dégageai et pris la route du village. Barrer la mémoire. Se convaincre que l'idée d'aimer est plus importante que l'acte d'amour. Fermer les yeux et, par le pouvoir de la pensée, reconstruire sa vie. Sur mesure.

L'Étranger me suivait. Je faisais semblant de ne pas m'en apercevoir. À l'entrée du village, il se rapprocha de moi.

– On enterre ton papa pygmée ce soir, dit-il.

– Et la séance de Megang ? fis-je, étonnée, brusquement ramenée à la réalité.

– Elle n'aura pas lieu.

– Et la Prêtresse ? interrogeai-je, effrayée. Jamais elle ne me laissera en paix ! Jamais, tu m'entends ?

– Mais si, Mégri… Un jour, tu comprendras.

Ce qu'il avait bien pu lui dire pour qu'elle renonce à l'idée de faire de moi une Megang, *seul le diable le savait*.

L'homme pygmée était installé au salon. Un foulard entourait sa tête et ses joues pour fermer sa bouche. Quatre cierges. Un chapelet. Deux icônes. Quatre dieux. Cris. Pleurs. Ma mère, crâne tondu pour la circonstance, était agenouillée, malheureuse. Ordonnée. Je ne la quittais pas des yeux. Quels faits ? Pas un muscle de son visage ne bougeait. Dans quel univers était-elle ? Des femmes m'avaient regardée, silencieuses. Seuls leurs yeux, comme deux bouches, crachotaient le mépris et la haine. Je n'étais pas pour le moins gênée. Comme d'habitude. Je m'excusai même auprès d'une vieille femme, lorsque, comme sans le faire exprès, elle cracha sa prise puante sur mes pieds.

Mais en réalité j'avais le cœur gonflé et l'idée de la tuer me démangeait le bout des doigts. J'étais en colère, écœurée mais, sur le plan du comportement, je me donnais dix sur dix. J'étais assez contente de moi, contente de savoir maîtriser le geste de la mort. J'étais dans cette disposition d'esprit, faire parler la lumière en moi jusqu'au moment du jugement du mort.

Vingt-trois heures. Le baromètre était descendu. Mais l'air était lourd, suffocant. Les hommes avaient sorti le mort et l'avaient ligoté debout contre le manguier. On avait installé des bancs sur lesquels siégeaient les membres du jury. Le chef, de rouge vêtu, une chéchia blanche sur son crâne de chauve-souris, prit place au milieu. À sa droite, l'avocat de la défense, un homme sec, entortillé comme le tronc d'une vigne dont la réputation de tricheur au jeu et les capacités à retourner les situations les plus désastreuses à son avantage avaient franchi monts et vallées. Il était père de sept enfants qu'il prétendait adorer. Mais, comble des paradoxes, il s'était fait construire une cabane à trois lieues de chez lui et ne rendait visite à sa famille que très rarement. La vérité est qu'il trouvait sa marmaille encombrante.

À sa gauche, une lance dans la main, l'accusation, représentée par Jean Zobo, un célibataire endurci, chaste comme l'ange céleste, secrétaire au troisième sous-sol de la mairie, myope à l'infini et dont les petits yeux de porcin auraient pu passer pour espiègles. On le disait capable de montrer l'arrière à la plus belle des plantes[1]. Et quand il se suicidera quelques semaines plus tard, enfariné par son habitude de bureaucrate méticuleux, de gratte-papier respectueux, prêt à lécher le cul au premier gradé, il n'oubliera pas de laisser sur sa commode un mot disant « N'accusez personne, je me suis tué tout seul », le village, unanime pour une fois, reconnaîtra qu'il était fou. Mais en vérité moi, moi la fille au cheveu rouge qui vous raconte cette histoire,

1. Tourner le dos dans un lit à une femme sublime.

196

je puis vous assurer que l'incorruptible Jean Zobo était une FOLLE. Il n'aimait que ceux qui, comme lui, portaient pantalon et, comme cette tare n'était pas acceptée chez nous, il préféra s'évider les tripes en se balançant sur une corde. Mais là, je m'égare.

Se bousculant derrière eux, une cohorte d'hommes commentaient, graves, d'autres jugements et leurs conséquences sur notre petite communauté. Reléguées à l'arrière-plan, les femmes. Elles parlaient des actions passées ou supposées du mort, ajoutant du sel, du poivre, selon le degré de sympathie qui les liait à lui.

— Silence ! Silence ! Il faut commencer, hurla le chef.

Des murmures s'élevèrent encore, quelques quintes de toux, puis ce fut le silence.

— L'heure est venue de rendre le dernier jugement, celui que tout homme redoute, dit le chef. Si quelqu'un pense qu'il existe quelque raison de reporter ce jugement, qu'il le dise ou qu'il se taise à jamais.

— L'heure est venue, tonna la foule en un répons traditionnel.

— Défense, la composition de ce tribunal vous agrée-t-elle ?

— Oui, votre Honneur.

— La parole est à l'accusation.

Un murmure parcourut la foule. Peut-être qu'à cet instant précis elle prenait la place du mort ? Je ne saurais le dire. Toujours est-il que certains se mirent à tousser comme s'ils venaient d'avaler un poison. Une plage de silence aussitôt occupée par l'accusation.

— J'accuse cet homme devant les hommes et les dieux d'avoir sa vie durant vécu un ménage à trois, d'avoir ainsi bafoué la dignité humaine amenant dans notre communauté le désordre et la dépravation des mœurs. Voilà ce dont je l'accuse et je crache une fois, je l'accuse, je crache deux fois, je l'accuse, je crache trois fois, je l'accuse.

— Est-ce là tout ? interrogea la défense. Voyez-vous, il n'est pas facile dans ce monde de vivre loin du péché.

197

Et cela, mes frères, est dû aux femmes. Dans la bible, il est dit que la femme a conduit l'homme au péché et depuis, il paie. C'est Ève qui a donné la pomme du mal à Adam. N'ai-je pas raison, votre Honneur ?

– Il a raison, dit le chef.

– Il a raison, reprit en chœur la foule.

– On ne peut le blâmer, déclara le chef, quand la femme, de nos jours, porte pantalon et se tartine de couleur d'aussi outrageante manière. Qu'il s'en aille. Il est digne de rejoindre le rang de nos ancêtres.

– Bénis soient les esprits ! Protégez-nous ! Défendez-nous ! oh, mort ! Aux royaumes de toujours, hurla la foule en chœur.

L'accusateur resta immobile, visiblement mécontent. Son front se plissait tandis qu'il fixait droit le mort. Dès que le calme revint, il poursuivit :

– J'accuse cet homme d'être un violent. Il a frappé son voisin. Il a utilisé une pierre pour lui fendre le crâne. La loi de l'amour dit qu'on doit s'aimer et n'utiliser sa violence que contre l'ennemi. Il a enfreint la loi. Voilà ce dont je l'accuse. Je crache une fois, je l'accuse, je crache deux fois, je l'accuse, je crache trois fois, je l'accuse.

– Est-ce tout ? interrogea la défense. Où sont vos témoins ?

– Nous sommes tous témoins ! hurla la foule. Et si nos yeux ne voyaient pas, si nos oreilles n'entendaient pas, si nos narines ne sentaient pas, chaque pierre, chaque objet, la terre entière est témoin.

– La violence est une caractéristique inhérente à l'homme. La faire rejaillir sur autrui, indéfiniment, perpétue la ressemblance. Que celui qui n'a jamais péché lance la première pierre a dit le Christ. Je reconnais les faits mais demande votre indulgence.

– Grâce lui est accordée, dit le chef.

– Grâce ! hurla la foule. Il n'est pas facile de vivre sur terre.

– On ne peut blâmer le pauvre Pygmée dans un monde de perpétuelle lutte. Il y a les guerres atomiques. Il y a les guerres économiques. Il y a les guerres de pouvoir. Comment s'en sortir ? Je ne vois là aucune raison d'empêcher cet homme de siéger au royaume des esprits auprès de nos aïeux. Qu'il s'en aille, je l'y autorise.

– Loués soient les esprits, reprit la foule. Béni soit le mort et qu'il nous protège au royaume des morts.

Un sentiment de malaise envahit l'accusateur. De fureur. Ses yeux se rétrécissaient, son souffle se précipitait, il ne s'attendait pas à tant de clémence et, dès que le silence se fit, il reprit sa plaidoirie.

– Ce n'est pas tout. J'accuse également cet homme d'être avare. Son argent, il ne le donnait à personne. Sa nourriture, il la cachait sous le lit. Son vin, il ne le buvait qu'au milieu de la nuit quand il était sûr que tout le monde dormait. Je crache une fois, je l'accuse, je crache deux fois, je l'accuse, je crache trois fois, je l'accuse.

– Où sont vos témoins ? interrogea la défense.

– Nous sommes tous témoins, hurla la foule.

– Même qu'il manqua de s'étouffer un jour en avalant un os pour ne pas me donner un morceau de son poulet, intervint un homme.

– Faute grave, dit le chef. Se comporter ainsi durant ces périodes difficiles revient à s'exclure de la communauté. Point de merci. Je le remets entre vos mains, Messieurs les membres du jury. Il vous échoit de décider de sa punition.

– Il est coupable ! tonna la foule.

Le jury se retira pour délibérer. Coincée entre les femmes, l'ouïe dans la masse de ceux qui décidaient, j'avais du mal à rester immobile tant mon émotion était intense. Je pensais que mon papa pygmée aimait les villageois, même si sa générosité était calculée. Désireux de conquérir ma mère, il était arrivé chez nous, nu, à dos d'âne, poussant des hurlements semblables à ceux des guerriers du Nord lors des fantasias, Dame ma mère avait ri, ri, ri. Elle avait dit que c'était trop ridicule. Vraiment ! Jamais de sa vie, elle n'avait vu ça, vraiment !

Penaud, il était reparti chez lui et s'était mis à économiser sur tout dans l'espoir de devenir riche. Pour la satisfaire. Pour lui plaire. Aller au-devant de ses désirs. Pour les autres, il était devenu pingre. Et on n'échappe plus aux lois de l'habitude, papa pygmée.

Le jury revint plusieurs heures après. Une lampe à gaz avait été exceptionnellement allumée et accrochée sous la véranda. Attirés par ses faisceaux lumineux, des insectes de nuit prenaient possession de la lumière. Brutaux, ils sortaient des cachettes. Ils tournoyaient, nous embrassaient de leurs baisers mortels. Hommes, femmes et enfants encaissaient l'assaut, stoïques. Seules quelques claques dans l'air indiquaient le combat et rien ne pouvait décourager leur détermination à assister au jugement de mon papa pygmée. Et moi ? Malgré mes inquiétudes, je pensais que rien d'autre ne saurait m'arriver. En vingt-quatre heures j'étais orpheline de père, avais deviné la présence d'un autre géniteur quelque part en France. J'avais aussi effleuré la mort, connu l'embrasement des sens. En vingt-quatre heures, j'étais l'épouse du malheur et la fiancée du bonheur. Dans ces conditions, la scène sous mes yeux n'avait aucune espèce d'importance pour moi.

Un des membres du jury, le visage masqué pour ne pas être reconnu par le mort, la bouche contre une corne de bœuf, se leva :

– En qualité de représentant du peuple par lui élu, vu les accusations portées contre l'accusé dit Kwokwomandengué, lobolobo d'origine, dit l'homme court, dit le Pygmée, nous déclarons l'accusé COUPABLE et condamnons son esprit à trois ans d'errance.

– La séance est…

Le chef n'acheva pas sa phrase. Un homme boitant du pied gauche fendit la foule en hurlant et se planta devant mon papa pygmée.

– Qu'est-ce qui se passe ? demandait-on de toutes parts.

Mais l'homme boiteux, les mains sur ses cheveux en poils de caniche, s'écria :

– Ikiéééééé ! A zamba wouam ! Ne meurs pas, l'homme Pygmée ! Lève-toi ! Lève-toi et rembourse-moi mon argent ! Je ne t'ai rien fait ! Ne pars pas, l'homme-trois-pommes ! A zamba ! Rends-moi mon argent !

Il s'était agenouillé devant mon papa pygmée. Il hurlait, tremblait de tous ses membres et se jetait de la poussière sur la tête. Tous le regardaient. La plupart avec ironie, certains ricanant franchement, se moquant de ces lobolobos barbares, sans éducation. Ne voyait-il pas qu'on ne se comporte pas ainsi en public ? Une femme ! glapit un anonyme dans la foule. Très peu le prirent en pitié. Parmi eux le Perroquet. Il déclara que lui, le Perroquet, ne mourrait jamais sans avoir remboursé leur argent à tous ses créanciers, et qu'il allait plus loin en exigeant qu'une loi soit adoptée pour protéger leurs intérêts. Un sourire moqueur se dessina sur les grosses lèvres de Gongo, l'épicier. Gongo dit que le Perroquet avait chez lui une liste aussi longue que sa langue. Que cela soit su de tous ne gênait pas le Perroquet. Mais que cet épicier de malheur le clame devant tout le monde était plus qu'il ne pouvait supporter. Il se mit à glapir, traitant l'épicier de voleur, d'assassin qui poussait des pauvres comme lui au suicide. Pendant ce temps, l'homme boiteux pleurait toujours. Il avait attrapé le Pygmée par les jambes et le suppliait de ne pas partir en le laissant si démuni. Mais mon papa pygmée était déjà dans le monde de l'indifférence et sa tête ballottait comme celle d'un ivrogne gêné dans son sommeil. Le chef s'approcha de lui et, plein de compassion, lui tapota l'épaule.

– Calmez-vous, ô Étranger, héritier des Nviés, paisibles voisins.

– Chef, au nom du ciel, aidez-moi, dit l'homme.

– Que puis-je faire ? Je ne suis qu'un homme et vous arrivez hélas ! trop tard. Le jugement a été rendu.

– Je viens de loin, chef. Deux jours de marche sans arrêt depuis mon village jusqu'ici. Il me doit beaucoup, beaucoup d'argent, chef. Au nom de l'amitié entre nos peuples, faites quelque chose !

– Trop tard, rétorqua le chef.

– Comment cela, trop tard, dit un homme, habillé en culotte courte, casquette et sandales. Je suis l'avocat de monsieur et l'ai accompagné bénévolement à travers les épuisements et les forêts où naissent les serpents pour apporter ma protection nuit et jour à mon client. Je suis diplômé et sans pratique, ce qui par conséquent témoigne de ma bonne foi et de la sécurité de l'emploi et peut entraîner, sauf mon désir de conciliation, un incident diplomatique, vous avez tout compris.

– Ce soir, il est trop tard pour régler ce différend, dit le chef. L'enterrement aura lieu d'ici peu. Mais, demain, donnez-vous donc la peine de venir jusqu'à ma maison pour partager la collation d'usage. Les problèmes des grands de ce monde se traitent à huis clos, n'est-ce pas ?

Visiblement heureux de tous les espoirs permis, l'homme et son avocat remercièrent le chef et s'éclipsèrent.

– La séance est levée ! hurla le chef. Que les formalités de l'enterrement commencent !

Aussitôt dit, acte suivit. On installa mon papa pygmée sur une natte en raphia. Et, conformément au cérémonial habituel, les femmes firent cercle autour de lui et se mirent à rire, rire, rire. Elles tapaient dans leurs mains, sur leurs cuisses, leurs fesses, délices du pauvre homme qui rêvera dans sa tombe des joies disparues. L'une d'entre elles, plus hardie que les autres, s'accroupit sur son nez pour lui faire respirer une dernière fois ses muscs jalousés de toutes les fleurs des jardins terrestres, clama-t-elle en riant. Mais regardez-le donc, se moquèrent les femmes, il ne dit plus rien, il ne commande plus, il est mort. Vraiment ? Il n'a même pas pensé à creuser sa tombe avec ça. Hahaha ! Quelle idée ! Lâche avec ça ! Ils sont tous lâches, ma foi ! Il abandonne sa femme, son enfant, les pauvres ! Hahaha ! Attention à son machin ! Fais pas gaffe, il doit être tout mou. Hahaha ! Elles allaient jusqu'au bout du ridicule, de l'horreur. Elles étaient fortes, condescendantes, élargissant leur champ d'action, sans consulter leurs Seigneurs, les hommes. Ainsi, croyaient-elles, elles soumettaient l'homme, le renvoyaient à l'enfance et lui enlevaient l'envie de faire des bêtises, de pactiser avec la mort.

J'assistais bouche bée. Je ne savais pas qu'il fallait si peu de temps à la femme pour passer du rôle de l'opprimée à celui de l'oppresseur. Pendant ce temps, les hommes devisaient tranquillement. Ils parlaient des rumeurs de guerre et de la proclamation imminente de l'indépendance. On assurait que l'ennemi qui occupait alors le Tchad s'apprêtait à traverser le lac et à porter assaut vers le Nord.

– Si tel est le cas, dit un homme moustachu en soupirant, la famine et les maladies ne tarderont pas à frapper. Le passage de l'ennemi entraîne toujours de telles situations. Je l'ai lu dans un livre.

– On n'a qu'à ne pas participer à cette guerre, lança l'Étranger. D'ailleurs ce n'est pas notre problème. Laissons-les se battre entre eux.

– On se battra ! tonna le chef. J'offre dès à présent mes services à la patrie. Tout pour la patrie !

– Tout pour la patrie ! reprirent en chœur les autres hommes.

– J'écrirai un livre sur le sujet, dit le moustachu.

– Je pense, dit l'Étranger, qu'il faudrait plutôt engraisser notre bétail, cultiver plus de maïs, d'arachides et de plantin. Une économie riche nous donnera plus de liberté que des pantins armés qui jouent à faire la guerre.

– Mon patriotisme m'interdit de vous écouter, fit le chef, indigné.

– Je n'ai jamais voulu blesser votre patriotisme, protesta l'Étranger. Je suggérais simplement qu'on pouvait vivre en bonne intelligence et que les causes de cette guerre ne nous concernaient pas.

– Qu'importe ? dit l'homme moustachu. Si nous sommes attaqués, il faut nous défendre. Et vous, persifla-t-il en toisant l'Étranger, vous feriez mieux de vous taire. Vous n'êtes pas d'ici.

– C'est à cause du pétrole qu'ils veulent se battre, lança d'une voix forte un des membres du jury. Ils veulent qu'on signe un accord d'abandon d'une partie de nos réserves. Je l'ai entendu l'autre jour dans les bureaux du préfet quand j'ai été porter un sac de cacao.

– Celui-là, c'est vraiment un homme, dit en riant le moustachu. Un Héros des temps modernes, exemple héréditaire de la nation présente et à venir. L'homme du renouveau. Je l'ai lu dans un livre.

– Notre armée est la plus forte de l'Afrique. Le préfet l'a dit. Il paraît même que devant l'ennemi elle peut disparaître en un quart de tour. Quel génie !

– Vive la guerre ! hurla le chef.

– Vive la guerre ! reprit la foule.

– Vive la ceinture verte ! Vive le renouveau !

– En ce jour où nous portons en terre notre frère, ayons une pensée pour notre Patrie.

Tout le monde se leva. L'Étranger qui n'était pas d'accord avec eux se mit debout. Seule la moue désapprobatrice de sa bouche esquissait la rupture future. Murmure. Voix qui s'élèvent très au-dessus de ma tête, détachées de moi. Et moi, moi, la fille au cheveu rouge, coincée entre deux énormes mamas, j'essayais de faire le point. J'examinai, je disséquai tous ces gens qui n'étaient pas satisfaits tant qu'ils n'avaient pas suffisamment de cadavres à mettre dans leurs tombes. Je n'étais pas mécontente non plus. Instant fugitif où l'humanité dans son ensemble ne m'intéressait pas vraiment ! Qu'ils aillent se faire tuer ailleurs !

Les femmes entreprirent le Koul qui précédait la mise en terre. Alignées à la queue leu leu, elles avançaient une jambe, balançaient leurs énormes croupes de gauche à droite, avançaient l'autre jambe, ainsi de suite, indéfiniment. De là où j'étais, exclue volontaire, je posai un regard au-dessus de la mêlée. J'aurais pu rester aux oubliettes si le conformisme de la Prêtresse-goitrée n'avait noté mon absence. Ses yeux revêches, encore plus revêches du vide de mon absence, m'invitèrent à gagner les rangs. Je n'avais jamais exécuté cette danse. Il le faudrait bien pourtant ! Les dés étaient jetés. Impossible de reculer ! À présent, dans mon esprit, se dressait, érecte, l'obéissance. Telle était la condition qui m'était imposée pour vivre en paix. Accepter. Transcender. Transfigurer. Je m'attelai au groupe du mieux que je pus et commençai à danser tant bien que mal, plutôt mal que bien. D'abord tiède, la honte dans les pas. Plus vite ! plus vite ! hurlaient sans bruit la bouche et les yeux de la Prêtresse-goitrée qui ne cessait de m'observer. Sa seule présence modifiait la teneur de l'air, le rendait redoutable, oppressant. Couvre-feu instauré. Menace. Anéantissement. Elle était là. Certaine. Évidente. Absolue. Qu'elle parût et, dans ma tête, déviaient des scènes les plus anodines. Explosion du désordre. Elle me donnait mon élan, l'acharnement à extirper tous les impossibles de mes sens. J'accélérai, encore et encore. J'étais transportée. J'étais retournée. J'étais rendue à l'état primitif. J'entrevoyais des aisselles moites, des cuisses en sueur, et moi, moi la fille au cheveu rouge, je n'étais plus que souffle et gestes. Dans la cohorte masculine dressée en une baie dense, l'Étranger m'observait. Qu'avait-il bien pu dire ou faire à la Prêtresse-goitrée pour qu'elle ne fît pas de moi une Megang ?

Je me perdis dans le rêve de l'Étranger. J'imaginais sa colonne de chair s'érigeant pour des noces, ses bras se tendant pour une étreinte offerte mais à jamais refusée par la foule présente. Je dansais, tête renversée, buste en avant puisque rien n'était concevable là, tout de suite. Je suppliais les esprits de me donner le troisième œil pour que, au-delà des yeux, nos corps se couchent, se touchent et connaissent le plaisir. Bien sûr, ils restèrent butés et sourds à mes supplications.

Une heure plus tard, hommes et femmes prirent le chemin du cimetière. On quitta le village. Bientôt, les jappements des chiens s'éteignirent et la nuit des grands bois nous engloutit, parcourue des mille lueurs de bêtes à feux, du vacarme assourdissant des insectes, traversée de temps à autre par les rugissements d'un lion, les gémissements d'une hyène ou les bêlements d'une chèvre perdue dans les hauteurs. Deux hommes en cache-sexe, le corps peint au kaolin blanc et rouge, ouvraient la marche en tenant des torches à huile. Quatre personnes suivaient en portant le cadavre dans un hamac installé sur des perches de bambou. Puis venait la Prêtresse-goitrée, entourée de ses nains qui traînaient, dans un crissement effroyable, des casseroles, des marmousets de bois sculpté, des crânes humains, attachés les uns aux autres selon un rite bien déterminé. Et nous, pauvres quidams fermions le cortège.

Le joueur de Nvet entonna un air lourd, stérile, incapable d'enfanter le jour. Un horizon de suie et de ténèbres se dressait devant nous, de cette noirceur voilée qui favorisait la prolifération des chauves-souris, des hiboux et des cancrelats. Le chemin était long, terrifiant, angoissant. De temps à autre, la voix plaintive d'un animal blessé s'élevait, aussitôt couverte par un écho jailli *le diable seul savait* d'où. Dame maman me dira plus tard que c'étaient les forces du mal qui frappaient dans leurs mains noires, absolument noires et jouissaient de leur triomphe.

Un trou rectangulaire, dernière maison de mon papa pygmée. Le tam-tam gronda, jetant les nains de la Prêtresse-goitrée les uns en face des autres.

Ils voltigeaient, et venaient se cogner contre les naines, prêts à les embrasser. Mais, ces dernières tourbillonnaient, les bras en ailes d'avion, s'offraient et se dérobaient tour à tour à l'étreinte trop hâtive que leurs hommes semblaient vouloir conclure. Pendant que les répondeurs chantaient à voix pleine, les nains piaffaient d'impatience, déployant leurs bras en ailes d'oiseau pour couper toute retraite à leurs femmes en dimension aussi réduite qu'eux. Ils guettaient leurs proies, cherchant à sceller avec elles l'acte de l'amour. Puis comme à un signal, elles ne bougèrent plus et se mirent à onduler des bassins, sur place, tenues en haleine par l'écho de quelque imprévisible appel. La voix du tambour changea, indiquant le moment venu des embrassements des danseurs. Ils s'enlacèrent et leurs lèvres se scellèrent dans un baiser ardent. À l'instant où les nains s'accouplaient, la Prêtresse-goitrée égorgea un coq blanc, absolument blanc. Elle marchait lentement, très lentement autour du caveau, laissait égoutter le sang, goutte à goutte, nous donnant l'impression qu'elle se mouvait à travers une durée et un espace qui n'étaient pas les nôtres. Elle semblait avoir tout oublié, ses déboires, ses angoisses, les gens qui l'entouraient et même ma présence pour se livrer sans retenue aux caprices des dieux. Elle psalmodiait des syllabes courtes, rauques.

ULI ! Maaa – Kaa – Bo !

BoAo-Booo-Kuul ! répondaient les nains sans cesser de s'aimer.

Une angoisse paralysante tenait le public en respect. Il semblait impossible de pouvoir demeurer là, prosternés, sans assister à quelque prodige. En effet, ce fut un prodige incompréhensible pour moi, mais très nettement perçu par mon corps, car mes urines coulaient sans discontinuer le long de mes cuisses.

207

La Prêtresse-goitrée s'agenouilla devant le mort et se mit à faire le compte des monstres et horreurs des temps, fondateurs de l'enfer. Lucifer ! Lutin ! Le kong ! Incube ! Plus que jamais loués, agrandis, exaltés, magnifiés. Un éclair zébra le ciel. Le tonnerre gronda. De grosses trombes d'eau se mirent à tomber à grands fracas. Le joueur de tam-tam redoubla d'ardeur. Une force soudaine arracha le mort de sa couche et le maintint en équilibre. La Prêtresse-goitrée criait plus fort, la tempête se fit plus violente. Le mort se balança d'avant en arrière, fit un pas en avant tandis que les corps des nains, fortement enlacés, étaient pris de convulsions irrépressibles, comme possédés par un esprit étranger. Le mort hésita, je crus qu'il allait s'écrouler là, sous nos yeux. Mais non ! Il se redressa, avança tel un automate vers sa tombe et s'y laissa tomber.

Avec l'orage, la nuit se fit plus dense, plus noire, si noire que je crus m'être propulsée dans un monde qui n'existait pas. Les torches à huile s'étaient éteintes, mangées par la pluie. Nulle étoile dans le ciel, nulle lumière à l'horizon. Un vase clos, dans une forêt close. Et toutes ces personnes qui n'étaient plus qu'ombres d'elles-mêmes, tremblantes dans le ventre. de la nuit. La Prêtresse-goitrée donna le signal. Tout le monde se mit à courir en hululant. Et moi, au milieu de la tourmente, entravée par mes pagnes trempés et plaqués sur mes jarrets, je pataugeais dans la boue, manquant de m'enliser à chaque pas. L'eau fouettait mon crâne rasé jusqu'à le rendre douloureux. Des lianes m'entravèrent. Je me retrouvai sur le ventre, nez dans la fange. Accroupie dans la boue, dégoulinante d'eau, j'aurais voulu rester là, m'oublier, mourir si nécessaire mais là encore, j'étais trop lâche et ce désir de suicide était trop superficiel pour pouvoir me guider. L'Étranger se porta à mon côté.

– Viens, donne-moi la main.

– Je n'ai pas besoin d'aide, mentis-je effrontément.

Le ressentiment me fit partir d'un rire sec. J'avais peur du ridicule devant cet homme aux attitudes convenables et je l'enviais. Je souhaitais qu'il éprouve les mêmes angoisses que moi. Que la peur lui vrille les tripes. Certes, je ne lui voulais aucun mal, mais qu'il perde un peu de son assurance m'aurait comblée de plaisir. Sans m'écouter, il m'aida à me mettre sur mes jambes et, me tenant la main, il m'obligea à régler mes pas aux siens.

– Je peux me débrouiller toute seule, marmonnai-je les dents serrées.

Il fit semblant de ne m'avoir pas entendue et parla de tout autre chose. Il me dit qu'il fallait crier pour égarer l'esprit du Pygmée, pour qu'il ne retrouve plus jamais le chemin du village et ne vienne pas se venger de ceux qui l'avaient condamné. Avec le plus grand sérieux, il avança les lèvres, contracta les mâchoires et lança : « *Lum-tum-tum-zambo !* » Je l'imitai, en dépit de ma colère, de ma rancœur et, surtout, je ne voulais pas lui donner à voir à quel point j'étais mal. Ma figure était congestionnée, mon nez coulait, ma bouche rejetait des bouffées d'air par saccades. Il me semblait avoir des milliers de poules piaillantes dans la poitrine.

Les premières heures du jour nous surprirent, courant toujours. Nous traversâmes plusieurs villages inconnus de moi, pauvre imbécile, et grande fut ma consternation quand je m'aperçus que notre présence inspirait aux rares hommes rencontrés une terreur viscérale. Les paysannes laissaient choir leur chargement de manioc, les vases des porteuses d'eau se fracassaient dans un bruit de pastèque écrasée. Tremblotants, les gamins se cachaient sous les pagnes de leurs mères qui se signaient en blasphémant tandis que les hommes, chasseurs ou noceurs soudain dégrisés, laissaient tomber lance ou dernière bouteille de vin, se jetaient, genoux à terre, et se flagellaient.

Le désordre provoqué par notre passage me procurait quelque plaisir, je dois en convenir. C'était comme si toutes les forces concentrées du groupe se canalisaient en moi, je me sentais investie de leurs maléfices et de leurs prières. Et c'était de moi, de moi seule, la fille au cheveu rouge, qu'ils avaient peur, c'était moi, l'animal féroce qu'ils redoutaient. Pour faire mieux, je m'arrêtai et tartinai mon visage de boue.

Le soleil dardait sa langue de feu dans le ciel quand, je ne sais par quels détours et pistes, nous nous retrouvâmes au village. J'étais exténuée. Boueuse. Crampes dans les jambes, je titubai jusqu'à la case du Pygmée.

Partout, couchées tête-bêche, bouche grande ouverte, des femmes. Dame maman effondrée, dormait, les jambes repliées, une main en conque sur son sexe, l'autre sur une joue. Il régnait dans la pièce une odeur suffocante de corps serrés, de souffles rances, de dents sales, d'aisselles moites. Je m'assis tout contre le corps en sommeil de Dame ma mère. Je regardai ses yeux fermés. Dans le dormir, elle souriait, soupirait. Peut-être traversait-elle un monde où ses désirs naissaient, conformes à la réalité. Mais ses rêves, *seul le diable le savait.*

Une semaine s'écoula. Longue. Terne. Sept jours durant lesquels Dame maman et moi n'avions pas le droit de sortir, de travailler, de nous laver. Nous devions rester allongées par terre, à même le sol. Ainsi l'exige la tradition.

Et moi, moi, la jeune fille au cheveu rouge, pendant cette période où il m'était refusé d'écouter les oiseaux ou de contempler un clair de lune, j'avais fini par aimer petit. La moindre étoile perçue à travers la fenêtre m'appartenait. Je me couchais la nuque tordue, dans l'espoir d'apercevoir mon amour, de lui glisser des œillades timides par la porte entrouverte. Je comprenais enfin ce qu'était la liberté de mouvement et des sentiments.

Le huitième jour enfin, nous fûmes délivrées de notre deuil.

Pour l'événement, Dame maman et des cousines proches, debout dès les premiers chants des coqs, s'étaient adonnées aux préparatifs. Vingt poulets. Trois cochons couinants. Une chèvre. Tous égorgés pour fêter le Sadaka[1]. Et toute la journée, la cuisine fut enfumée par les vapeurs des cuissons.

Vers quatre heures, les invités sont arrivés, par petits groupes. Ils étaient venus des quatre coins du village pour manger, boire et présenter leurs condoléances. Vieux cousins. Tantes et oncles éloignés. Amis.

1. Sadaka : sacrifice.

211

La maison grouillait de monde. Attablés devant des calebasses de riz, debout ou allongés sur des nattes que Dame maman m'avait envoyée quérir chez des voisins, ils bavardaient, parlaient de la pluie et du beau temps, racontaient des anecdotes joyeuses. Elles leur faisaient oublier qu'ils se trouvaient dans la maison d'un homme qui venait de mourir. Parfois, ils redevenaient tristes, silencieux, soudain réinstallés dans le présent. Et flottait alors l'idée que la mort les traquait et ne leur laisserait pas le temps de se cramponner à quoi que ce soit.

Et moi, décidée à rompre le pacte avec ces jours d'angoisse et de solitude forcée, portée par le désir de casser l'architecture stérile des nuits précédentes, je décidai de sortir.

J'ai commencé par me laver. Devant ma glace j'ai rempli mon visage de couleur comme on comble une fosse. J'ai enfilé une robe jaune échancrée et des sandales assorties. Je quittai ma chambre quand je me heurtai à Dame maman. Surprise, elle me considéra, les yeux rétrécis par la colère.

– A zamba ! Où vas-tu, accoutrée ainsi ?

– Prendre l'air.

– Ne me tue pas, ma fille. Que dira-t-on si l'on te voit habillée ainsi alors que ton père est mort il y a à peine une semaine ?

Je haussai les épaules.

– Que veux-tu ?

– Un jour de plus, ma fille. Rien qu'un jour de plus en mémoire de ton père. Voilà ce que je te demande.

– Il n'était pas mon père, pourtant je l'aimais, il m'aimait. Jamais, il n'aurait permis qu'on me tonde, qu'on me fasse coucher par terre pendant sept jours et sept nuits. Il n'a jamais accepté de me voir souffrir. Il me voulait belle, souriante, heureuse. Je sais que, de là où il se trouve, il approuve ma décision.

Je quittai la maison, sous le regard ébahi et navré des invités. Dame maman pour s'excuser évoqua ma

212

rébellion et les tourments que je lui causais. Personne n'avait compris que je venais de me parer de fétiches pour tromper la mort.

J'allais chez Laetitia, la femme.

Laetitia. Elle était de ce Wuel décidé à aller de l'avant. Durant tous ces jours d'enfermement, mes pensées m'avaient souvent ramenée à elle. À son corps, chair de femme où se tissaient toutes les convoitises humaines. À son sexe que les hommes rêvaient de fendre. À ses idées, fantasmes inavoués des fesses-coutumières. Je voulais qu'elle m'enseigne les couleurs du devenir, les formes proscrites des plaisirs, qu'elle me fasse plonger dans les eaux de perdition, dans le puits des noyades.

Elle était debout sous sa véranda. Elle portait un jean délavé, un tee-shirt moulant qui laissait percevoir la fermeté de ses seins. Des chaussures hautes de dix centimètres habillaient ses pieds. À la voir, on aurait pu la prendre pour une hirondelle des contes de fées. Dès qu'elle m'aperçut, sa bouche violemment maquillée s'écarquilla sur un sourire.

– Je ne t'attendais plus, femme. J'ai cru que tu ne viendrais jamais me voir.

J'essayai de me justifier, évoquant les tourbillons dans le village, la mort du Pygmée. Elle sourit, mystérieuse, me passa un bras autour des hanches et me fit pénétrer dans sa case.

La pièce semblait carrée avec son plafond bas, plat, et ses murs aux arêtes nettes. Par endroits, les briques mal jointes formaient des renflements. En face de l'entrée, un grand miroir au cadre de bois divisait le mur. Sur la droite un salon en rotin clair. À gauche des étagères en bambous ployaient sous le poids des livres.

Une calebasse de bouillie refroidissait sur la table. Je savais par ouï-dire que c'était l'heure où Pascal, sautant de buisson en buisson, venait en silence piquer son cou de baisers. Il voulait des fils et n'en parlait plus, car elle voulait d'abord la reconnaissance de la femme dans la

société et en parlait tous les jours. La bouillie refroidissait dans la calebasse, le monde refroidissait autour
d'elle, puisque Pascal ne venait pas. Toute la chaleur
s'était réfugiée dans ses pensées où se promenait Pascal avec la saveur poignante de ses mots d'amour, le
parfum de ses baisers. Goût-citron, me dirait-elle.

Dès que je fus assise, elle alla réchauffer la bouillie et
me servit une tasse.

– Qu'en dis-tu ?
– Quoi ?
– De ma tête.
– Tu es belle !

Elle éclata de rire, le corps ployé en arrière, puis
s'arrêta et me considéra longuement. Je ne savais pas
qu'il fallait si peu de temps à un visage pour se défaire.
Sans un geste, Laetitia passa du rire à l'anéantissement. Elle perdit ses couleurs. Sa bouche trembla. Et
les larmes qui l'inondèrent semblaient sourdre de sa
peau. Elle était si misérable que je crus qu'elle allait
s'évanouir. Elle leva les yeux.

– Pourquoi es-tu venue ?
– J'ai pensé que tu serais contente de me voir.
– C'est tout ?
– Je voulais également que tu m'apprennes la vie, les
hommes. Alors, je suis venue.
– Je ne sais pas ce que je pourrais t'apprendre. Parce
que je ne suis pas des vôtres, parce que je ne courbe
pas l'échine devant les hommes, parce que je ne cache
pas mon corps dans de grands pagnes comme une
vraie femme car, vois-tu, pour les hommes de Wuel, il y
a deux catégories de femmes : celle qui vous vide les
bourses à la sauvette derrière un palmier ou dans une
chambre de passage et celle qu'on épouse parce qu'elle
est travailleuse, a des hanches larges, un dos capable
de transporter des charges que refuserait un âne et à
qui on fera une flopée d'enfants. Qu'une femme puisse
avoir des pensées, un sens aiguisé de la perception des
choses, développer une stratégie mentale subtile et pré-

tendre être totalement une femme et jouir de son corps, les déroute. Les méchantes langues se déclenchent. Elles racontent que vous êtes d'une perversité confondante, une nymphomane dangereuse, possédée des démons de la luxure. Je sais que, depuis mon arrivée ici, je suis devenue le sujet de conversation de toute la communauté. Au champ, au marché, entre deux bières, on narre ma vie qu'on ne connaît pas. Je suis la « garce » ou la « créature » et personne ne m'appelle plus Laetitia. Les mères ont interdit à leurs filles de me fréquenter.

– Je voudrais être ton amie, Laetitia.

– Mon amie ? Je n'en vois pas l'intérêt car je ne pourrais rien t'apporter.

– Beaucoup plus que tu ne le penses. Je sais que l'Étranger vient souvent te voir.

– Il t'aime. Je le sais. C'est vraiment un homme exceptionnel. Il vient ici, il me parle, il me conseille comme un frère. Et c'est la première fois que je rencontre un homme qui ne vient pas me voir pour la chose. S'il n'y avait pas Pascal, je crois bien que je tenterais ma chance…

– Tu aimes Pascal ? Et alors qu'attends-tu pour l'épouser ?

– Tout n'est pas si simple, ma fille. S'aimer et se marier, c'est dans les romans ou les contes de fées. La réalité est tout autre.

– Je ne vois pas ce qui t'empêche de te marier.

– Tu es comme les autres et ce n'est pas ta faute, fit-elle, une pointe de mépris perlant dans ses paroles. (Je ne la relevais pas, j'avais trop besoin d'elle, d'une oreille amie pour dissiper mes angoisses.) Dis-moi, continua-t-elle, comment pourrais-je épouser un homme qui ne veut pas me laisser réaliser mes projets ? Je veux faire des études, des études supérieures, tu m'entends ? Partout, dans le monde, des femmes se réunissent pour défendre leurs intérêts. Je voudrais être de celles-là, avoir des capacités pour créer une association de

215

femmes. Sais-tu que jusqu'au XIᵉ siècle, en Europe, les hommes n'acceptaient même pas que les femmes puissent avoir une âme. Aujourd'hui, grâce à leur combat, leurs droits sont reconnus, notamment elles peuvent exercer les mêmes métiers que les hommes. As-tu entendu parler de Simone de Beauvoir ? Bien sûr que non ! Que je suis bête ! Tu n'es jamais partie d'ici, tu ne connais rien au monde. Mais sache que c'est une grande Dame. Il en faudrait une ici, de sa trempe, pour mettre dans la tête des femmes qu'elles devraient exiger un salaire. Même ta mère a droit à un salaire parce qu'elle t'a élevée. Il faudrait absolument interdire la polygamie. Un homme, aussi intelligent soit-il, ne devrait pas avoir plusieurs femmes. À mon avis, une c'est déjà trop ! Il faut réclamer la pilule. Ensuite l'avortement libre. Ne plus être boursouflées d'enfants. Ce n'est pas aux hommes de décider de nous faire un enfant. Notre corps nous appartient. Tout ça, c'est terminé, tu m'entends ? Fini !

Au fur et à mesure qu'elle parlait sa voix se faisait aiguë, hystérique presque. Ses yeux pétillaient. Ses gestes devenaient nerveux. Ses mains tremblaient. Elle me donnait l'impression d'être un oiseau dans une cage, se jetant sans cesse contre les grilles qui le tiennent à jamais prisonnier, ignorant que ses ailes fragiles, ses pattes élastiques, son corps duveteux risquent de se fracasser dans un épouvantable magma de plumes froissées. Oui, comme un oiseau captif, ivre de liberté, qui rebondit comme un fou d'une grille à l'autre, d'un toit au sol, oublieux de tout, prêt à toutes les audaces pour retrouver, désinvolte, la cime des arbres. Laetitia cherchait en vain, la sortie d'un piège où, toute seule, elle s'était fourvoyée.

– Tu verras, le monde changera. La femme aura sa place au soleil et nous chanterons, nous danserons serrées aux étoiles. J'aurai des enfants quand je voudrai, exactement le nombre d'enfants que je me suis fixé. Quatre : deux garçons et deux filles. Qu'en dis-tu ? Ça serait magnifique. Viens, dit-elle me tirant, excitée, vers sa chambre, non, attends, j'arrive, j'arrive tout de suite.

Elle revint quelques minutes plus tard, enveloppée de la tête aux pieds dans une robe de tulle blanc, les cheveux couronnés de palmes tressées, les pieds ceints de jolies sandales à lanières blanches.

– Voilà des années que je couds cette robe. C'est celle que je mettrai, le jour de mes noces. Elle est belle, n'est-ce pas ? dit-elle en virevoltant, libre, insouciante, aérienne. Pascal sera fier de moi, continua-t-elle en riant. Il me comblera, se pliera à tous mes désirs. Tu seras ma fille d'honneur, je veux que tu sois ma fille d'honneur. Tu acceptes, n'est-ce pas ?

– Bien sûr ! Mais…

– Pas d'objection ! J'ai l'impression de te connaître depuis toujours. C'est bizarre, c'est la première fois que je me sens si proche de quelqu'un. Même à Zomba, je n'ai jamais pu dire ce qui m'entravait, pourtant c'est ma sœur !

Tout à coup, redevenue grave, elle demanda :

– Penses-tu que Pascal m'épousera ?

– Il t'aime, c'est certain. Mais tes théories lui feront peur.

– Dans ce cas, j'épouserai le plus abject d'entre tous. Demain, j'accorderai ma main à Donga. Lui au moins, il est riche. L'argent compensera ma liberté.

– Tu ne peux pas faire ça ! C'est un suicide !

– Je sais. Veux-tu me laisser seule, maintenant, s'il te plaît ? J'ai besoin de réfléchir.

– Tu es sûre que tout va bien ? fis-je en m'approchant d'elle.

– Va-t'en ! hurla-t-elle, alors que mes mains souveraines allaient de sa nuque à son dos, prêtes à leur dispenser un massage, le massage calmant de l'esprit et du corps.

– À ta guise. Demain, je reviendrai. Bonsoir, Laetitia.

Je m'apprêtais à franchir le seuil quand elle m'interpella :

– Mégri, j'ai un petit service à te demander. Peux-tu attendre quelques instants ?

J'acquiesçai. Lentement, très lentement, comme si son corps devenait un fardeau trop lourd à porter, elle se dirigea vers sa chambre et revint quelques minutes plus tard avec deux enveloppes qu'elle me tendit.

– Peux-tu les donner à Donga et à Pascal, s'il te plaît ? Je te le revaudrai.

Et elle imprima sur ma joue un baiser tendre.

– Laetitia, dis-je, laquelle est destinée à Pascal et laquelle est pour Donga ? Il n'y a aucun nom sur les enveloppes.

– Tu feras comme tu voudras, ça n'a pas d'importance. Si cela te pose un problème, joue à pile ou face pour déterminer laquelle des lettres tu remettras à chacun d'eux. (Elle sourit et ajouta :) Il faut apprendre à vivre avec ses contradictions.

Je sortis de cette entrevue, accablée. En peu de temps j'avais vu Laetitia rayonnante et être en proie au désespoir absolu. J'étais gênée d'avoir été témoin de cette scène incompréhensible. Ses arguments, ses angoisses, ses désirs en faisaient à mes yeux une fille hors du commun, un peu folle. Je la plaignais sincèrement. Si elle m'avait suppliée de l'écouter aujourd'hui, je me serais bouché les oreilles, pour ne pas être témoin d'une émotion qui la laissait nue. Chemin faisant je me remémorais notre conversation, essayant de disséquer les raisons de sa tristesse. J'avais beau les retourner dans tous les sens, seul m'apparaissait le trou béant, absolument noir de l'incompréhension. Je haussai les épaules et continuai ma route, prête à m'acquitter de ma mission.

La résidence de Donga était bâtie sur les hauteurs de Wuel et jouissait d'une vue imprenable sur toute la vallée, ce qui permettait à son occupant d'observer les mouvements du village. L'immense demeure en brique, haute de deux étages, passait pour la plus belle de toute la région, avec ses colonnades carrelées savamment orchestrées par un maître charpentier, ses vitres grillagées à chaque fenêtre, ses tourelles d'angles en tôle ondulée et les somptueux masques chinois dont s'ornaient les façades.

Neuf heures sonnaient à une pendule quand j'arrivai devant la grille. Je l'ouvris, traversai le jardin soigneusement entretenu, non sans avoir auparavant aspiré la moite odeur de terre mouillée savamment mêlée aux effluves du mandarinier, du frangipanier, du jujubier, des bougainvillées, et des rosiers qui exhalaient, dans la nuit noire, tout un bouquet de fragrances suaves. Bientôt s'éleva en crescendo la douce mélodie d'une berceuse qui porta mon âme au firmament en galvanisant des instants oubliés de mon enfance.

Ma fol moine ma yekelé (bis)
m'a fol moino oyéyéyo oyéyéyo
yé mene Biloa Gà Atangana Tsma (bis)
Biloa ané Beloa à Dâ mité mitere
Ba ba kok kwan ba ba kok Owondo
Ba ba ké ba kok mâ kok Bonnk
Oyéyéyo oyéyéyo Immmmm
Dié di mà Moiné ié totogué (bis)
Ié kwala nà ié totogué, etc.

Était-ce la première Dame Donga qui chantait cette berceuse d'une voix si douce, si tendre ?

Elle était assise sous la véranda. Dans ses bras, Donga junior, dix-huit mois, dont les yeux pétillants de malice indiquaient le refus de sommeil et la crainte qu'une fête née dans son imagination d'enfant ne commençât sans lui. Dès qu'elle me vit, elle s'arrêta de chanter. Et moi, moi, la fille au cheveu rouge, je la détaillai, avec dégoût, cette grosse femme maniérée, aux seins dégoulinants, épuisée par les maternités et les fréquentes parties de jambes en l'air auxquelles elle se contraignait, espérant ainsi empêcher son mari d'aller courir les bas-fonds.

Elle me toisa :

– Que veux-tu ?

– J'ai un message pour votre époux.

– Il dort.

Puis, tournant son cou graisseux vers la pendule où un coucou sortait tous les quarts d'heure, elle continua, méprisante :

– Je vois que le cul de ta mère ne lui a pas permis de t'acheter une montre.

Je blêmis.

– Elle, au moins, elle s'est acheté du plaisir, madame. Vous ne pouvez pas en dire autant.

Une lueur meurtrière traversa ses yeux.

– Donne-moi cette lettre.

Sa main avide se tendait prête à saisir le courrier.

– Donne-moi cette lettre, répéta-t-elle.

– Je dois la lui remettre en main propre.

– Mais, ma chérie, tu peux me la confier, tu sais. Donga et moi, nous sommes tellement unis que nous n'avons aucun secret l'un pour l'autre. Nous sommes, comment dirais-je, les fruits d'un même papayer.

– Elle n'est pas pour vous, madame.

Avec plaisir, je glissai l'enveloppe sous mes seins.

– Donne ! rugit-elle en déposant brutalement par terre l'enfant qui, ne comprenant pas ce soudain désordre, se mit à hurler.

Alors, saisissant un balai de palme appuyé au chambranle, elle se mit à me frapper de toutes ses forces, à l'aveuglette, l'œil brillant, la mâchoire contractée. Et, tout en me rouant de coups, c'était Laetitia qu'elle insultait d'une voix rauque, dérapée par la fureur : « Cette Putain, cette petite ordure de rien du tout, haletait-elle. Salope ! Putain ! fille de Pute ! »

Portée par mon instinct de conservation, ma main s'était abattue à toute volée sur son visage de tigresse en furie. Et le coup porté fut si violent que le nez de Dame Donga se barbouilla de sang, maculant mes mains. Étourdie par le choc, elle lâcha le balai, se précipita vers l'entrée où filtraient les lumières d'une lampe à gaz, et, d'un geste rageur, s'essuya le nez du revers de la main.

J'étais secouée. Mais je ne regrettais pas mon geste. Plus tard, j'évoquerais avec plaisir l'honneur qui m'avait été donné de fendre ses narines dilatées comme deux tuyaux d'orgue.

– Qu'est-ce qui se passe ici ? D'où vient...

L'époux Donga. Torse nu parsemé de poils en boule de coton. Culotte courte découvrant ses jambes trapues pleines de poils elles aussi.

– Demande donc à cette putain ! vociféra-t-elle.

Donga frappa dans ses mains. Un domestique apparut, nonchalant, les yeux embués de sommeil.

– Missié...

– Ta maîtresse est blessée, Maurice. Va donc t'occuper d'elle.

Le domestique, horrifié, se réveilla tout à fait et se mit à trembler comme une feuille soumise aux caprices du vent. Il pâlit mais demeura la bouche grande ouverte.

– Qu'est-ce que tu attends, bon dieu ! Fais ce que je te dis.

– Tu ne vas pas recevoir cette traînée, n'est-ce pas ? Ici c'est chez moi, tu entends ? Je veux qu'elle parte. Et sur-le-champ !

– Calme-toi, chérie. Tu sais que cela te fait mal de te mettre dans un état pareil. Tiens, n'oublie pas de prendre tes calmants avant de dormir, tu en as bien besoin. À tout à l'heure, ma vie.

Dame Donga, furieuse mais quelque peu apaisée, disparut dans le corridor imitation marbre, suivie de près par le domestique.

Dès que nous fûmes seuls, Donga se tourna vers moi, courroucé.

– De quel droit te permets-tu de porter la main sur ma femme et chez moi ?

221

Il disait MA FEMME comme il aurait dit ma chemise, ce qui amena à mes lèvres un sourire que je réprimai aussitôt. Et, d'une voix que je voulais effrayée, je lui expliquai tout. Il resta songeur un bon moment. Nul plus que lui ne savait comment son épouse pouvait se rendre insupportable et pousser à de telles extrémités de violence. Lui-même avait quelquefois du mal à se contenir. Ce travail de sape, spécialité de sa femme, qui consistait à répéter mille fois la même chose, à engueuler les domestiques pour trois fois rien d'une voix glapissante dès les premières lueurs du jour.

– C'est la ménopause, ma chère, et l'âge ne bonifie pas les femmes. Donne-moi cette lettre.

Il la décacheta, les mains tremblantes, l'œil vif, le cœur battant. Il la parcourut. Un étrange sourire éclaira son visage. Ce même sourire, je le verrais se peindre sur le visage amaigri de Pascal.

Dimanche. Soleil incandescent. Ciel bleu catégorique. Depuis l'aube, la nouvelle court, galvanisant les masses. Ce soir, l'Étranger reçoit. Séance de vérité, clament les commères. À l'église, la foule est prise par une possession collective et les sermons du père Nzié souffrent d'une sérieuse atteinte d'inattention. Les pensées s'orientent, positivement, vers la soirée. On prépare sac, seau, sachets, marmite dans lesquels on mettra l'argent.

– Il donnera de l'argent !
– L'argent !
– L'argent !

La foule se refuse à toute autre orientation. Seuls persistent le désir, le rayonnement de l'argent. Et les tours de prestidigitation de l'Étranger. Moi, moi la fille au cheveu rouge, je me maquille de mes plus vifs désirs. J'arbore une robe en lamé orange, cadeau de papa pygmée. Je me dis que peut-être ce soir, enfin, l'Étranger demandera ma main.

Toute la société ou presque est réunie. Malgré les fenêtres ouvertes, la chaleur de la pièce est insupportable, le bruit soûlant. Un vieux gramophone diffuse une musique folk. Des enfants excités par cette soirée courent entre les jambes des adultes en poussant des cris. Des jeunes filles engoncées dans des pagnes multicolores minaudent en lorgnant du côté des célibataires un verre de sucrerie entre les doigts. Des femmes endimanchées, enguirlandées de faux bijoux, jacassent, en faisant tinter leurs bracelets. Les hommes, à moitié ivres, se bousculent autour d'un énorme buffet en lançant des plaisanteries à voix forte.

Je fis une entrée remarquée. Toutes les têtes se tournent vers moi. Un instant, je crois qu'ils admirent ma mise. Mes souliers rouges, mes boucles d'oreilles créoles. Mais je m'aperçois que les yeux sont braqués sur mon crâne rasé, impitoyables. J'imagine mon crâne luisant comme le dos d'un tambour. Un sentiment de honte m'habite. Mais l'impertinence me fait avancer dans la pièce, la tête haute. Dame Donga, après avoir murmuré quelques méchancetés perceptibles rien qu'à voir ses grosses lèvres trembloter et palpiter comme un cul de poule, s'élance vers moi, la bouche grossie dans un épais sourire, les bras écartés.

– Il y a longtemps que nous attendons ton arrivée, fillette. Oui, il y a très longtemps, marmonne-t-elle en me serrant la main à me faire mal. Très très longtemps !

Elle m'invite à m'asseoir tout à côté d'elle. Je refuse. J'argue que je suis juste venue faire un tour, que je ne resterai pas longtemps.

– Ne me dis pas que tu m'en veux pour hier soir ! C'était une blague, tu sais ? Et puis il y avait cet orage, la pleine lune, bref tout ce qui emmerde une femme et la met dans tous ses états. Donga et moi avons une absolue confiance l'un en l'autre et nous ne nous cachons jamais rien, n'est-ce pas, mon chéri ? demanda-t-elle à son homme, roucoulante.

Mais celui-ci marmonne quelque chose entre ses dents. Elle se tourne vers moi. Je lis la déception et la colère dans son regard d'acier. Elle continue, théâtrale.

– Haa ! mon amie. Moi qui me faisais un tel plaisir de bavarder un peu avec toi ! En outre, je tenais à te présenter personnellement à Martha. Tu ne la connais pas. C'est ma future belle-fille. Elle a le même âge que toi. Erwing l'épousera à la prochaine pluie. Je suis sûre que tu t'entendras bien avec elle.

Je me trouble. Derrière ces mots perce une amère raillerie. Je tourne la tête vers la Martha. Elle est assise à côté de l'homme Donga, congestionné dans un costume trois-pièces qu'il n'ose quitter. Toutes les deux minutes, il consulte sa grosse montre Cartier *made in* Taïwan, transi tel un adolescent guettant l'heure de son premier rendez-vous amoureux.

Martha est belle. Ses cheveux ramassés en de minuscules nattes trônent sur un crâne aux contours nets, un rond tracé d'un seul mouvement, sans hésitation. Un profil de médaille. Une bouche flamboyante, élargie d'un rouge carmin. Des seins en mangue qui enroulent et caressent les palais. Des doigts longs, fins. Des jambes interminables mises en valeur par dix centimètres de talons. Une peau minutieusement éclaircie par l'ambi. Elle parle à Donga. Mais ses yeux eux tissent déjà, dans une liberté fiévreuse, une idylle avec l'Étranger.

L'Étranger, tout de blanc vêtu, immigre d'un groupe à l'autre, complimente une Dame sur sa tenue, prend des nouvelles d'un oncle malade ou d'un enfant difficile, fait s'étrangler de plaisir une Vieille. Il lui dit qu'elle est belle comme une atmosphère d'aube. Elle reçoit ses paroles comme les notes d'une musique envoûtante. Il se tourne vers moi. Un flot de sang m'envahit, incontrôlable. Il ne m'épousera jamais… Paroles de lui qui viennent à ma rescousse. Déjà un frisson d'insatisfaction me traverse. Qu'attend-il de moi, sinon déchirer mon sexe et m'arracher des spasmes de plaisir ?

Brusquement, il fend la foule et se propulse vers moi, bras tendus :

– Tu es venue, Mégri ! Je suis heureux, très heureux de te voir. Veux-tu boire quelque chose ?

Mes lèvres s'écartent. Des mots à dire, brisés dans leur élan par Dame Donga. Elle fait irruption, Martha accrochée au coude.

– Vous ne m'avez pas encore fait l'honneur d'inviter ma belle-fille à danser.

– J'allais justement le faire.

Il l'enlace. Il l'entraîne sur la piste. Elle passe ses mains autour de son cou. Ses doigts effilés se crispent un moment sur ses épaules. Elle se colle à lui comme une sangsue-vampire. Ils avancent, corps encastrés, yeux fermés. Aspirés par l'ange du rythme. Elle ouvre les paupières, tend la bouche comme une offrande. De là où je suis, je sens la fièvre qui la brûle. J'enrage. Je vois l'entrelacs des jambes et des pieds. J'enrage. Je perçois les courants qui passent de l'un à l'autre. Les dieux m'abandonnent. Crier pour que là-haut, là-haut, ils prennent connaissance de mon dénuement. Un homme qui dit m'aimer invente mille pas, laisse à la dérive les flots de ses artères, pour une autre. Un homme qui dit m'aimer se révèle sensible aux charmes de la première pétasse venue et affiche à la ronde l'incendie dans ses yeux.

– Tu vois comme elle est belle, me dit Dame Donga les narines frémissantes. Tous les hommes en sont fous !

Je toussote pour m'éclaircir la gorge. À la ronde, tout le monde rit.

– Salaud ! Salaud ! Fumier !

Je n'avais pas crié. Une pensée forte qui me donna l'impression que toute la salle m'avait entendue.

Accablée, je m'adossai au mur d'entrée. Je sifflotai. Je déguisai mon désarroi. À travers mes brumes, me parvenaient des commentaires sur les premières amours et tous concordaient car, disait-on, elles étaient incandescentes mais se diluaient avec le jour comme nos rêves d'adolescent.

– Bonsoir, Mégri. Tu permets que je te tienne compagnie ?

Pascal. Une poignée de main que je transformai aussitôt en effleurement amoureux. Une main que je gardai dans la mienne plus longtemps que les convenances le permettent.

– Tu trembles, dit-il. Quelque chose te tracasse ?

Je ne répondis pas. Je souris. Je voulais laisser descendre en moi la liqueur de la paix, essuyer ce brouillard de jalousie, qui voilait les pistes de la pensée.

– Je connais ces états-là, dit-il, en jetant un regard de malheur à Donga qui n'avait pas cessé de consulter sa montre et s'était déjà levé quatre ou cinq fois en l'espace d'un quart d'heure et s'était rassis aussitôt, l'air absent.

Cette agitation n'avait pas échappé à Dame Donga. Elle abandonna illico son attitude moqueuse envers moi, pour revêtir le masque de l'épouse modèle. Elle s'empressait autour de lui, comme si de rien n'était. Il faut dire que, même si cette femme ne brillait pas par son intelligence, elle était assez rusée, tortueuse et capable de garder dans certains cas un calme plein d'astuce, une attitude digne. Elle connaissait les affres auxquelles son mari était soumis. Cependant, elle jugeait que ce n'était pas le moment de faire une scène. Ce sujet délicat nécessitait un tout autre comportement, celui de la femme, la vraie, honorable, soumise. Il ne manquerait pas, se disait-elle, de la comparer à cette garce de Laetitia. Il ne pouvait pas ne pas se rendre compte, oh, Dieu merci ! qu'elle, Pauline Donga, était seule digne d'être sa femme. Pour l'instant, elle l'entourait de prévenances. Elle lui apportait un verre qu'il buvait à peine, des petits fours, des amuse-gueule, le tout accompagné de « Tu n'as pas trop chaud, mon chéri, tu veux mon éventail ? » Des mots enrobés de miel qui agaçaient Donga. Il repoussait sa tendresse comme on se débarrasse d'un objet encombrant, inutile. D'un mouvement brusque il refusait une proposition, hochait la tête pour un non ou un oui, boudait les dents de l'éventail qu'elle secouait sous son nez pour lui apporter un peu de fraîcheur. À cause de ses rebuffades continuelles, son refus de lui parler, d'accorder sa guitare à la sienne, elle s'était finalement renfermée dans un sombre mutisme.

– Je le hais, je le méprise, fit Pascal d'un air superbe ! Oui, je le hais.

– Tu as tes raisons, dis-je. Mais regarde ces deux-là, continuai-je en montrant, d'une moue de la bouche, l'Étranger et la Martha, je n'ai jamais vu couple aussi mal assorti.

– Ce n'est pas en jetant un seau d'eau dans la mer qu'on fait remonter la marée. Je suis si heureux ! Tu ne peux savoir. Je te le dis à toi parce que tu as été la messagère du bonheur. Je pense qu'on devrait donner une prime spéciale aux gens porteurs de la bonne nouvelle au même titre que César faisait tuer les messagers de mauvaises nouvelles. Oh, oui, je le hais ! Donga pensait acheter Laetitia avec son fric. Mais ce n'est pas avec l'argent qu'on conquiert le cœur d'une femme comme elle et ce connard ne l'a pas compris ! Tant mieux ! Tu sais, Mégri, plus le monde est peuplé d'idiots, mieux les gens de notre trempe se portent ! Ha ! Ha ! Ha !

– Je ne le plaindrai pas ! Quelle pétasse ! s'afficher de la sorte…

– Elle va m'épouser, moi et non cette imbécillité ambulante ! Tu m'entends, c'est moi qu'elle veut. Oh, oui, je jouis rien qu'à imaginer son humiliation le jour de notre mariage ! Tu te rends compte, Cendrillon a préféré le berger au prince !

– C'est à croire que l'être humain n'a aucun goût, aucun sens de la beauté.

– Eh bien, si c'est ce que tu penses de moi, je ne sais pas ce que je fais ici, fit-il, suffoqué. D'ailleurs, il faut que je parte.

Gênée, je me rendis compte brusquement que nous avions échangé des propos sans communiquer car chacun poursuivait ses propres fantômes.

– Excuse-moi, Pascal. Je ne parlais pas de toi mais de l'Étranger et de cette espèce de limace collée à lui.

– C'est pas grave, fit-il avec bonhomie, Laetitia m'attend et moi je l'attends depuis toujours. Excuse-moi.

Il me salua et s'éclipsa. Deux minutes plus tard, Donga lui emboîtait le pas. Pauline Donga, affolée, courut à sa suite.

– Laisse-moi tranquille, dit-il en grondant. Je suis assez grand pour savoir ce que je fais.

Elle revint sur ses pas, hagarde. Son visage tout entier était pris de picotements nerveux. Voyant dans quel état elle se trouvait, certaines Dames ne manquèrent pas de la plaindre. Plaintes mêlées de plaisir. Comme si le chaos dans le ménage voisin apportait une paix dans le leur. Un petit cercle se forma. Une cancanière d'une cinquantaine d'années raconta les débauches de l'homme Donga en se pourléchant de satisfaction et conclut en disant comment la pauvre Pauline serait bientôt « balayée ». Seule Martha se montra gentille. Elle se détacha de son cavalier et lui prit la main qu'elle tapota doucement.

– Tout cela est sans importance, lui marmonna-t-elle. Il faut que tu penses uniquement à tes enfants, tout le reste n'est que feu de paille.

Ces mots apaisèrent quelque peu Pauline Donga. Elle s'attendrit sur ses enfants, se lança dans de longues explications sur la façon de les langer, de les nourrir, de les faire marcher droit, sur le bon chemin. Pauline discourut ainsi pendant près de vingt minutes, volubile, comme si elle n'arrivait pas à accoucher de tout ce qui l'habitait. Soudain, des larmes lui vinrent aux yeux.

– En voilà assez ! hurla-t-elle en levant les bras au ciel. Vous avez tous assisté à mon humiliation. J'en ai marre ! Plus que marre de vos regards sournois ! Vous

228

me plaignez et, au fond de vous-mêmes, vous êtes enchantés de ce qui m'arrive. Je sais à quoi m'en tenir désormais avec vous. Occupez-vous donc de vos linges pourris. Toi, dit-elle en pointant du doigt un homme petit et trapu, fonctionnaire au bureau de poste. De quel droit te permets-tu de te moquer de moi ? Espèce d'enculé !

Une femme boucha les oreilles de sa fille avec ses deux mains pour qu'elle ne soit pas corrompue. Une autre se leva et se dirigea vers la porte, froissée qu'une Dame aussi riche puisse s'abaisser ainsi au nom de l'amour.

– Elle est folle, murmura une voix anonyme.

Elle se retourna, mains sur les hanches.

– Folle, moi ? Qui a osé dire que j'étais folle ?

– Parfaitement, madame, intervint l'Étranger d'une voix bizarre. Tout le monde est fou et c'est très facile de le démontrer puisque nous vivons dans un monde de chaos total.

Elle ne l'écouta pas. Tel un automate, elle se dirigea vers le chef :

– C'est vous qui avez dit que j'étais folle, crachota-t-elle. Ne le niez pas ! J'ai reconnu votre voix. Mufle ! Grossier personnage ! Enfin tout de même je suis une Dame !

Le chef se troubla. Ne sachant quel parti prendre, il se leva, fit une révérence avant de partir d'un rire vulgaire. Il se dirigea vers la table et renversa tout ce qui s'y trouvait. Au fracas répondirent des exclamations. Des débris de verre, des restes de nourriture sur lesquels certains espéraient se jeter et faire des provisions jonchaient le sol. Plusieurs femmes se précipitèrent et se mirent à ramasser la nourriture étalée par terre. Deux d'entre elles se disputèrent un morceau de jambon. Une jeune fille, à la réputation de sainte nitouche, défit ses nattes, se mit à genoux devant Zong, un pique-assiette, gros, salace et lui demanda sa main sous l'œil moqueur du reste de l'assistance.

– Je vous aime, déclara-t-elle avec emphase.

D'un seul coup, le sang reflua sur le visage de Zong. Tremblant de tous ses membres, se pourléchant les babines, il s'agenouilla à son tour et la prit dans ses bras. Le père de la jeune fille, un rustre paysan, se jeta sur lui et le roua de coups. La foule applaudit, au comble de l'excitation. Il était désormais clair qu'on assistait à une mise en scène fabuleuse. Peut-être était-ce la surprise de la soirée, pensai-je à part moi. Mais les choses allèrent encore plus loin.

Longtemps, le chef parut inconscient du désarroi environnant. Ou plutôt il voyait bien ce qui se passait mais il était comme absent de la scène, comme si un autre agissait à sa place. Et, tandis qu'il était dans cet état second, Martha se déshabilla sous les yeux médusés de l'assistance, s'allongea telle une sirène et se mit à chanter une mélodie si triste que des larmes commencèrent à couler de ses yeux. Pourtant, on voyait bien qu'elle ne voulait ni chanter, ni pleurer, mais ses grandes lèvres s'ouvraient d'elles-mêmes. Son couplet à peine terminé, la Cancanière récita un poème d'une voix si désagréable que tout le monde se boucha les oreilles. Une femme, surgie *le diable seul savait* d'où, déchira ses vêtements et cria que la maison prenait feu. Elle était à ce point excitée que deux jeunes gens, après s'être lancé un regard plein de sous-entendus réjouissants, se jetèrent sur elle pour la maîtriser. Mais à peine ébauchaient-ils leur geste qu'ils unirent leurs cris à ceux de la femme. Les applaudissements redoublèrent. Dame Ngono se déshabilla, s'allongea sur la table et écarta ses cuisses. D'autres femmes l'imitèrent. Des hommes mêlèrent leur corps aux leurs. La Prêtresse-goitrée qui n'avait pas pointé sa tête revêche depuis le début de la scène entra, fit quelques signes de croix dans l'air et disparut aussitôt, suivie du ricanement de la foule. Adossé contre un mur, superbe, les bras croisés, l'Étranger suivait la scène, moqueur.

– Un esprit malin habite cette maison, hurla le Perroquet, effrayé.

– Va au diable ! cria quelqu'un dans la foule, nous on s'amuse, ha ! ha ! ha !

– C'est exactement ce qui va lui arriver, dit l'Étranger.

Le Perroquet disparut à nos yeux. On le retrouva, nu comme un ver de terre, amarré à son lit. Lors de l'enquête, il dira que deux malfaiteurs, des biceps comme des bûches, l'avaient menacé de lui trancher la gorge s'il laissait encore traîner sa langue. Harcelé par les enquêteurs venus de la capitale, il ne put, malgré tout, donner une description précise de ses agresseurs, se contentant de hocher la tête pour un oui, d'un geste de négation pour un non, comme si sa langue s'était envolée.

Moi, la fille au cheveu rouge, Boblogang en éveil, je me jetai sur l'Étranger et le frappai, poings fermés, à petits coups secs et rapides.

– Salaud ! Fumier ! Fils de personne ! Fils de rien.

– Calme-toi, Mégri.

– Non ! Je crierai tant que je veux ! Tu es venu ici juste pour nous ridiculiser tous autant que nous sommes. Des animaux, voilà ce que tu as réussi à faire de nous !

– Tu n'as pas tort dans un sens. Mais ce qui se passe aujourd'hui, femme, c'est pour toi, et toi seule que je le provoque. Je veux que tu n'aies jamais plus peur de rien, ni de personne ! Je veux que tu apprennes à voir au-delà des yeux. En chacun de nous se cache la folie. Regarde, femme, regarde-les tous, puisque les dieux t'ont choisie pour voir et témoigner. Tous semblables dans l'excès, du plus pauvre au plus riche, la folie est le seul moment de la vie où l'homme est vrai ! Et, surtout, je veux que tu apprennes à déchirer le voile de la peur qui cache l'essentiel. Face aux hommes les plus puissants, tu seras toujours plus forte qu'eux si tu sais que leur pouvoir n'existe que parce que tu veux bien le leur concéder !

– C'est toi qui es fou.

– Peut-être bien. Mais imagine le président de la République au lit avec la femme qu'il aime ou mieux encore assis nu sur une cuvette de cabinet. Que vois-tu ?

– Rien !

– Si, Mégri. Tu vois un homme faible, prêt à traîner comme un chien derrière sa femelle. Tu vois un homme dépouillé de tout, qui tente de cacher ses excréments. Il n'y a rien d'autre que cette merde, Mégri ! Rien.

– Tu es fou !

– Non. Je suis lucide. Oh ! Je ne suis pas aussi puissant que certains éléments de la nature que vous les humains méprisez ! Mais ma puissance est supérieure à celle du commun des mortels tout simplement parce que j'ai appris à regarder au-delà de la forme physique et matérielle. Toi aussi, Mégri, tu peux développer cette force en toi.

– Tu es puissant, dis-tu ? Alors pourquoi ne pas nous rendre tous heureux ?

– J'ai essayé, Mégri. Je leur ai donné l'argent. Je pensais qu'ils l'auraient bien utilisé participant ainsi au développement de leur village, qu'ils auraient amélioré leurs conditions de vie. Mais tout ce qu'ils ont trouvé à faire, c'est de jeter cet argent par les fenêtres en achetant des choses complètement inutiles ! Je me suis trompé, Mégri... Car ce n'est pas en jetant un seau d'eau dans la mer qu'on fait monter la marée.

– Tiens, Pascal vient de me dire la même chose.

– C'est normal. Mais peut-être n'est-il déjà plus de ce monde ?

– Que signifie Pascal n'est plus de ce monde ? J'ai parlé avec lui il n'y a pas bien longtemps !

– Au-delà des yeux, Mégri... Au-delà des yeux... Ne l'oublie jamais !

232

— Arrête de parler par énigmes ! Tu me fatigues !

— C'est toi qui me fatigues, Mégri. Tu oublies souvent que je t'aime.

— Alors, que faisais-tu avec cette... Cette Martha si c'est moi que tu aimes ?

— Je l'ai connue autrefois.

— Quand ?

— Sois pas ridicule, Mégri. C'était bien avant ta naissance, bien avant la naissance de ton arrière-arrière-arrière-grand-mère !

— Conneries que tout cela.

— Comme tu préfères, Mégri ! En attendant, tu ferais mieux de courir chez Laetitia. Elle a besoin de toi.

— Laetitia ?

— Oui. Elle va bientôt mourir.

— Salaud !

— Contrôle-toi, Mégri, tu te répètes. Oh, Mégri, que la terre est chaotique ! Que le monde est triste ! Les dieux le savent. Le vent du soir en pleure, et celui qui a tissé ses pas dans ses nuits sans lumière, celui-là te dira le brouillard qui dessine ses ombres sur le marais, les mystères des pluies qui glacent les cœurs, l'ombre des peupliers où se cache l'étang des larmes. Et celui-là qui a tant promené sa silhouette dans le noir, celui-là qui a tant souffert, celui-là seul sait. Il te dira l'élan des fatigues des nuits sans sommeil alors qu'au loin s'allument les lumières tristes, étrangères, désormais inutiles. Oui, il te dira la tendresse de la mort. Oui, celui-là seul sait. Il te dira, l'existence prend fin. Celui-là seul sait. Il te dira, la vie imperturbable sillonne toujours. Crois-moi, Mégri. Rien n'est grave.

Je ne l'écoutais plus, j'enjambai des corps mêlés et sortis de la case en proie à une vive inquiétude. Avant de disparaître, il me cria : « À demain mon amour ! » Je ne lui répondis pas. Demain était encore loin. Demain n'existait pas. Je partais vers la femme Laetitia sans trop savoir en quoi je lui serais utile, ce que j'allais bien pouvoir faire. Il me fallait traîner mon impuissance comme un sac de cailloux.

La nature semblait avoir épousé mes angoisses. Les chiens fatigués n'aboyaient plus. Les branches des arbres épuisés par une longue journée dormaient tranquilles. Même le vent avait revêtu sa camisole de force et se tenait coi.

Enfin, la maison de Laetitia. Une lumière à travers les fenêtres hallucinait l'espoir en moi. Je frappai à la porte, mais aucun son ne me parvint. Tout semblait calme. J'ouvris et demeurai stupéfaite. L'homme Donga était allongé par terre, les yeux ouverts. Une bave noirâtre suintait de ses narines et de sa bouche. Dans un coin, le long du mur, affaissé sur lui-même, la tête entre ses genoux, Pascal. À la position de son corps oublié, je sus que les dieux l'avaient abandonné, que l'immense nuit des hommes, les étoiles, l'air, le vent, la pluie, les larmes, les souffrances, les rires, ne le concernaient plus. Il ne s'était pas battu quand la mort s'était présentée, il s'était laissé porter doucement, comme on berce un bébé. « Laetitia ! » criai-je au comble de la folie. J'embrassai l'espace vide de sa présence. Je répétai son nom, inlassablement. Soudain, il me sembla entendre un faible murmure. Je dressai l'oreille. La voix provenait de sa chambre. Je me précipitai.

La pièce était minuscule, à peine la place pour un lit en bambou sur lequel était jeté un matelas de paille ; une table en rotin supportant une petite lampe à bougie ; une petite penderie en formica blanc où étaient rangés robes, pantalons, tee-shirts. Au pied du lit, un moustaiga vert brûlait, éloignant les baisers paludéens des moustiques.

Laetitia, dans sa belle robe de mariée, était allongée, la tête enfoncée dans les oreillers, un bras pendant hors du lit, la main crispée sur une rose, les yeux fixes. Une fixité qui m'effraya. J'avais encore tant de choses à lui dire ! Son souffle rauque témoignait que l'étincelle de vie était encore là, affaiblie certes, mais présente. Je

234

m'approchai d'elle et l'appelai doucement. Elle tourna lentement la tête vers moi et esquissa un sourire.

— T'es venue, dit-elle d'une voix faible. Je savais que...

Elle voulait ajouter quelque chose mais aussitôt une série de hoquets l'interrompit.

— Chut ! Ne parle pas.

Je m'allongeai sur le lit, l'attirai tout contre ma poitrine et l'entendis murmurer :

— Qu'ai-je fait ? Oh, dieux, qu'est-ce qui m'a pris ?

De ma main libre, je lui caressai les cheveux, le visage, les lèvres où s'accumulait le même liquide noirâtre qui peignait le visage de Donga. Je frissonnai, pourtant j'avais chaud, j'étouffais. Je n'étais plus claire, je n'étais plus moi, ma poitrine était en feu, je pleurais. Jamais je n'avais été aussi proche de quelqu'un, d'une femme ! Et l'Étranger ? Et Dame maman ? Ils étaient loin, aussi éloignés de mes rivages qu'un bateau en quête d'un port imaginaire. Qu'est-ce qui m'arrivait ?

— Il faut que je te dise, commença-t-elle... Pourquoi toujours faire des choix dans la vie ? Oui, pourquoi toujours choisir entre noir et blanc ? Moi, je voulais tout, tu m'entends ? Je les voulais tous les deux.

— Parle pas, femme, chuchotai-je en l'étouffant dans mes bras. Ne dis rien.

Je me souviens qu'elle ne m'écoutait pas, qu'elle continuait à parler, qu'elle avait le visage mouillé de larmes et que je lui embrassais les yeux, les joues, que nous étions dans son lit, serrées l'une contre l'autre, et qu'elle parla encore longtemps.

Elle avait écrit deux lettres incroyables à ses prétendants dont j'avais été la messagère. Mêmes mots. Même longueur. Même pensée. Elle les invitait à la rejoindre car, disait-elle, elle avait enfin pris une décision. Ils étaient venus, le bonheur dans la tête, espérant être bercés dans ses bras de femme.

Quand il m'avait quittée ce soir-là, Pascal avait volé vers la femme, s'enlisant à chaque pas de plusieurs pouces dans la boue. Il déboucha sur la place du village. Il connaissait le village comme son souffle. La ruelle où habitait Laetitia était encore loin. Il coupa à travers les buissons, raccourcissant son chemin, ce qui lui avait fait gagner plusieurs minutes d'avance sur Donga qui lui avait emboîté le pas. Il se savait suivi. Et plusieurs fois, il s'était retourné pour voir si son intuition était bonne et s'il s'agissait bien de Donga, son rival détestable. Il grogna entre ses dents et hâta le pas. Quand il arriva chez Laetitia, dix heures avaient sonné depuis longtemps. Une faible clarté perçait de la fenêtre de Laetitia. Il frappa. Laetitia ouvrit la fenêtre, se pencha et regarda. La nuit était noire, absolument noire, elle fouilla l'obscurité de ses yeux.

– C'est toi, Pascal ? demanda-t-elle tout à coup.

– Oui, mon amour.

Laetitia referma la fenêtre, et alla ouvrir. Pascal franchit le seuil et sans mot dire la prit dans ses bras et la serra si fort qu'elle crut étouffer.

– Je ne t'attendais pas si tôt, dit Laetitia en se dégageant.

– Moi, je t'attendais depuis toujours. Tu es ma princesse, ne l'oublie jamais.

– Que tu es bon, mon amour ! fit-elle, gentiment.

– De grâce, ma fée, tout homme dans mon cas ferait pareil.

– Tu crois, dit-elle d'un battement de cils étonné.

Les yeux de Pascal étincelèrent.

– Laetitia, je t'aime aujourd'hui plus qu'hier et demain, je t'aimerai davantage, dit-il, heureux d'avoir retenu cette phrase qu'il avait lue dans un livre et qui lui paraissait adaptée à la situation.

– Quel étrange aveu, mon amour !

– Pourtant c'est vrai ! Je veux que nous partions d'ici, tout de suite. On ira n'importe où, où tu voudras. Je ne veux pas te perdre. Il y a ce fou de Donga qui te tournera autour et rien qu'à l'imaginer, je me déchire. Tu ne me quitteras jamais, jamais, n'est-ce pas ?

– Arrête, Pascal, tu me fais peur! Et où veux-tu qu'on aille, ce soir? En ville, peut-être? Je voudrais faire des études, travailler. Et ça tu ne le voudras jamais! Pourtant, c'est mon rêve! Je ne te l'ai pas caché et je t'ai toujours montré ce que je suis, ce que j'étais. Et comme tu ne voudras pas me laisser faire des études, inutile d'aller en ville et inutile d'en parler.

– Tu me chasses? demanda Pascal, en proie au désespoir.

– Non, mon amour. Rassure-toi. Je ne te quitterai jamais! Je vivrai toujours d'après ton calendrier.

– Chérie, pourquoi m'avoir torturé toutes ces semaines si... Mais tu pleures?

– C'est rien. Dis-toi que je suis sotte, que j'adore pleurer et gémir sur moi-même. Tiens, embrasse-moi.

Elle lui offrit sa bouche. On frappa à la porte.

– Tu attends quelqu'un? demanda Pascal, le regard haineux.

– C'est rien, chéri. Viens, dit-elle en l'attirant vers la chambre. Je dois recevoir un intrus, juste quelques minutes, je n'en aurai pas pour longtemps.

Elle le poussa dans sa chambre.

– Reste ici. Et n'en sors pas tant que je ne te l'aurai pas demandé, s'il te plaît.

– Ne t'inquiète pas. Laetitia, je t'aime et suis prêt à n'importe quoi.

Elle l'embrassa encore, referma la porte derrière elle et alla ouvrir. Donga était là, les yeux brillants, un cigare fiché entre les dents. Il pénétra dans la case mais s'arrêta à trois pas de Laetitia.

– Je t'attends depuis ce matin, dit-il avec un sourire aimable, mais, pris de honte par son aveu, il se hâta d'ajouter : Je veux dire que j'ai plaisir à te voir.

Et il se tut définitivement, s'en voulant de se livrer ainsi à cette femme qui, bientôt, serait sienne. Lui qui par expérience savait la nécessité d'être en position de force par rapport à la femme! Lui qui portait sur son cœur la chaîne où s'inscrivent des mots agressifs destinés à retenir la femme : « Va-t'en ! Je t'aime plus. » Et voilà qu'elle te galope derrière. Il venait d'avouer sa faiblesse. Pas étonnant si jamais Laetitia le menait par le bout du nez ou le promenait en laisse comme un chien ! Qu'avait-il fait des conseils distillés par sa mère ? Sa mère, toujours courbée devant son père, parlant de lui à la troisième personne, le voussoyant comme s'il était un Dieu. Sa mère, lui révélant les mille secrets de la femme pour qu'elle soit toujours à ses pieds, esclave à jamais. Sa mère, son amour à la peau-couleur-cacao et aux parfums persécutants. Sa mère, aujourd'hui morte, balancée par les mains du destin. Debout devant Laetitia, oublieux des cendres du cigare, il se remémorait ces instants d'enfance, ces moments d'amour. Les mots simples qu'elle lui disait. Il aurait aimé lui dire aujourd'hui qu'il était devenu un homme. Il se rendit brusquement compte que Laetitia l'observait, un sourire narquois sur les lèvres.

– Tu m'aimes tellement qu'il te manque des mots pour me le dire.

Il ouvrit la bouche pour protester, elle le prit de vitesse :

– Ne nie pas. Ton silence est un aveu.

Donga la regarda, effrayé.

– Tu sais donc lire dans les pensées ?

– Rassure-toi, repartit-elle. Je ne sais rien lire d'autre que ce qui est inscrit sur le visage des gens. Tout comme tu sais le faire toi-même !

Elle se détourna et s'assit sur une chaise.

– Assieds-toi, s'il te plaît, dit-elle. Le temps presse et peut-être que nous n'en aurons pas suffisamment pour nous dire tout ce qui nous tient au cœur.

Donga approcha sa chaise tout contre la sienne et lui prit la main.

– Que signifient ces mots, femme ? Je viens à peine d'arriver et voilà que tu me parles du temps. Il faut laisser le temps au temps car nous aurons toute la vie devant nous.

238

– La vie ? Quelle vie ?

– La femme n'est malheureuse que parce qu'elle oublie d'être heureuse, ma chère. Tout est là ! Et celle qui apprend à s'en souvenir est toujours heureuse ! Voilà le secret du bonheur.

– Et celle qui meurt en couches, celle dont on a tué l'enfant, celle qu'on déshonore, celle qu'on bat, celle qui courbe l'échine, où est son bonheur ?

– C'est dans l'ordre des choses, c'est juste. Et celle qui est répudiée, c'est aussi normal et celle qui prend la place de la répudiée, c'est tout aussi bien.

– Et depuis quand as-tu appris cela ?

– Hier soir, quand j'ai reçu ta lettre, ou ce matin quand ma femme s'est remise à crier, j'ai vu l'ambivalence du bonheur au féminin.

– Pourtant, l'autre jour chez le Pygmée, tu m'as reniée devant tout le monde. Où est la vérité ?

– Alors, pourquoi m'avoir donné tant d'espoir si tu n'es pas prête à oublier un moment de faiblesse ? Pourquoi m'ouvrir ta porte ? Ai-je le droit de le savoir ?

– Par pure fantaisie. Je comprends que ton amour-propre s'en trouve offensé. Mais qu'as-tu à faire de l'opinion des autres puisque tu n'as aucune foi ? Aujourd'hui tu crois à ceci, parce que ça t'arrange et l'instant d'après tu crois en son contraire. Pourquoi ne pas hausser les épaules tout simplement devant ce que diront les autres en pensant qu'ils sont des girouettes au même titre que toi ?

– Tes paroles me donnent le frisson, Laetitia. J'arrive plein d'espoir, voilà que tu m'ôtes tout ! Est-il possible que tu m'aies fait venir juste pour m'humilier ?

– Ça ou autre chose, quelle différence ? Mettons que je vais t'épouser, enfin je ne sais pas.

Il se leva brusquement, les yeux illuminés d'une lueur d'espoir qui s'éteignit aussitôt.

– Tout cela pour me dire que tu m'aimes ? Pourquoi le fais-tu, si tu me méprises ?

– En voilà des soucis ! Dis-toi que je suis une fille de rien, une garce, une poubelle, voilà les raisons qui me poussent à t'épouser.

– Non, Laetitia ! Tu mens et tu le sais. Il y a plus de noblesse en toi que dans le cœur d'une demoiselle.

– Si tu savais le prix de mon impossible amour…

– Je m'en fiche ! Peut-on fixer la date de notre mariage ?

– C'est pas nécessaire, dit Laetitia en éclatant d'un rire dément.

Il la regarda, surpris. Il haussa les épaules. Après tout, se dit-il, il aurait tout son temps pour…

– On va fêter tout ça, s'exclame-t-elle au comble de l'excitation. J'ai tout préparé. Pascal ! Pascal ! Tu peux venir, tout est prêt. Je change de vie pour toujours ! Vous êtes contents, n'est-ce pas ? demanda-t-elle en regardant tour à tour les deux hommes qui se dévisageaient, haineux. Oh, non ! Vous n'allez pas vous battre ? J'ai envie de danser. Tiens, Donga, dit-elle en lui donnant un instrument, tu vas jouer quelque chose. Pascal chantera et moi je danserai.

Elle frappa dans ses mains, souleva ses jupes et esquissa des pas du bikussi, les lèvres gonflées de plaisir, les yeux passionnés, fascinant les deux hommes. Elle ondulait sur place, jambes écartées, buste rejeté en arrière, ventre en avant. Ses mains se déplaçaient comme une caresse sur ses cuisses, remontaient lentement les hanches et épousaient les seins. N'y tenant plus, Pascal vint la prendre dans ses bras. Elle se dégagea, lascive, effrontée :

– Plus tard ! Maintenant, je veux danser, je veux être heureuse !

Elle claqua plus fort dans ses mains, lança des *Iwéée !* Et le corps comme ces serpents-esprits qui se transforment en lianes, elle glissa jusqu'au bout de la pièce, revint sur ses pas, défit ses pagnes et se jeta à genoux devant Donga.

– Oh, ma reine ! s'exclama Donga.

– Joue, homme, la nuit m'appartient. J'ai soif. Nous allons boire ! Nous serons ivres ! Et après…

Elle n'acheva pas sa phrase. Elle bondit vers la cuisine et revint avec une bouteille de vin préalablement trempée dans un seau d'eau. Elle servit les hommes et s'en versa un verre.

– À vous ! à moi ! dit-elle.

– À nous, hurla Donga.

– Je vais remercier les dieux, fit Pascal, et les prier de ne jamais laisser mourir l'amour en nous.

Il versa une goutte de vin par terre. Il évoqua ceux dont le corps était devenu esprit, les remercia de leur protection.

– Buvez ! Buvez ! cria Laetitia les yeux balisant les hommes comme mille lucioles.

Donga avala la boisson d'un trait. Pascal aussi. Cet unique verre les grisa. Tout tournoyait autour d'eux, comme dans un délire. Leurs mains se touchaient égarées dans les mystères des corps. Peut-être avaient-ils fait l'amour tous les trois ? Mais cela, *seul le diable* pourrait nous le dire. Toujours est-il qu'ils crurent qu'il s'agissait du bonheur, de l'ivresse du vin, alors que la mort sur son cheval de braise les entraînait au loin.

– Après, dit Laetitia, j'ai revêtu ma robe de mariée. Je me suis coiffée, je me suis maquillée et j'ai attendu.

– Pourquoi, Laetitia ? Pourquoi as-tu fait ça ?

– Je les aimais tous les deux. J'aimais la tendresse de l'un et la force de l'autre. L'un était romantique, l'autre matérialiste. L'un était naïf, l'autre cruel. Ils m'ont donné en une nuit plus qu'ils n'auraient pu le faire en toute une vie.

– Laetitia !

– Ne dis rien, Mégri. Ne gâche pas tout. Au moins j'ai choisi ma mort.

Un hoquet la secoua. Je resserrai mon étreinte. Je ne voulais pas que notre union toute neuve soit brisée par la mort. Je croyais en Laetitia aussi fort que je doutais de moi. Aujourd'hui, je ne fais que répéter ce que l'Étranger et Laetitia ont essayé de me faire entrevoir : Il faut apprendre à aimer les gens, célébrer les noces avec la vie. Il ne faut jamais croire qu'on est seul à détenir la vérité. Mais il ne faut pas non plus imposer sa propre vérité aux autres. Quiconque croit détenir seul la vérité n'est pas digne d'être traité en homme.

Et moi, moi, la fille au cheveu rouge, je fus brusquement ramenée à la réalité par les aboiements d'un chien. Je quittai la maison en larmes. Je retournai chez l'Étranger, vers le désordre et la chaleur de sa maison.

Les villageois s'étaient dispersés sans trop savoir ce qu'il leur était arrivé ou du moins chacun préférait garder le silence sur son comportement. Une sorte de chantage collectif obligeait chaque participant à se taire et même les questions des enquêteurs ne pourraient rompre ce mutisme. Imaginez l'épouse dans la nudité la plus absolue, la plus gênante, se dégageant, effarée, de l'étreinte la plus intime, au milieu de ses voisins, de ses enfants, sous les yeux de son mari et vous comprendrez aisément le malaise qui traverse notre village. Pour certains, il faut en convenir, ce fut une expérience si cruelle, si inexplicable et si contraire à leur morale qu'à l'instant même où ils reprirent conscience du réel ils l'effacèrent de leur mémoire et que, par la suite, ils furent réellement incapables de s'en souvenir. D'autres, à la mémoire tenace, incapables de contrôler leur mécanisme mental, préférèrent oublier, penser à tout autre chose. Tâche difficile, car la honte était trop publique, trop générale. Hommes, femmes et enfants, livrés aux pires excès, s'étaient rhabillés prestement et s'étaient éclipsés aussi discrètement que possible. La mère, sa progéniture aux bras, l'époux soutenant sa femme. On accusa l'Étranger mais sans trop donner de détails sur ce dont on l'avait rendu responsable.

L'Étranger m'attendait, debout sous sa véranda, les bras croisés, je n'eus pas à lui fournir de détails. Il savait déjà.

242

– Sois pas triste, femme. Là où ils sont maintenant, ils sont parfaitement heureux.

– C'était mon amie, tu entends ? La seule qui m'ait acceptée.

– Pleure pas, femme. Ce n'est pas le moment. Pense à la petite.

– Quelle petite ? demandai-je, interloquée.

– Celle que tu portes en toi.

– Non, criai-je d'une voix rauque.

– Tu as mélangé ton sang au mien et tu portes mon enfant.

– Non ! répétai-je, butée.

– Pleure, femme, si cela peut te consoler, mais cet enfant naîtra, dit-il en me prenant dans ses bras.

– Je ne veux pas être enceinte. Je ne veux pas d'un enfant. Pas encore. Il faut que tu m'aides, tu m'entends ? Il faut que tu m'aides sinon je me tue.

Il me considéra un instant sans ciller, puis :

– Tu n'en feras rien et je ne t'aiderai pas à supprimer ma propre fille. Tu as tout ce qu'il faut pour être une bonne mère.

– Alors, épouse-moi.

– Calme-toi, Mégri. Va te coucher et demain, quand le jour aura déshabillé la nuit de son linceul, tu verras les choses autrement. Va, femme. Repose-toi et surtout, n'oublie pas que je t'aime.

Cette nuit-là, le sommeil se tint à des kilomètres de moi. Les derniers événements m'assaillaient. Tant de drame en si peu de temps ! C'était plus que je ne pouvais supporter. Je me sentais seule. L'impression d'être traquée, persécutée par le malheur me peuplait. Dans ma tête se bousculaient la nuée orageuse de désirs et l'étendue vaste des moyens qu'il faudrait mettre en œuvre pour ne plus être soumise au malheur. Épouser l'Étranger, garder l'enfant, s'en défaire au cas où... Ou le garder malgré tout. Réfléchir. Agir avec circonspection pour que l'homme accepte l'évidence, le chemin qui conduit à la lune nuptiale pour que famille existe. N'est-ce pas le propre de l'enfant que de donner à la femme sa plénitude et l'odeur de la joie ? Oui, je serais Dame lune. Pas cette lune blanchâtre et fade qui coule sur le corps froid et apeuré de la mariée, mais une lune noire. Pour autant que cette couleur puisse convenir aux astres !

Je dus m'assoupir avec, sertie derrière le front, la volonté tenace d'y parvenir, de réussir l'amour.

Le soleil avait arraché sa longue robe de deuil à la nuit quand je fus réveillée par des cris déchirants. Je ne fus pas étonnée. Je savais que, la veille au soir, la femme Laetitia avait franchi les barrières et s'en était allée dans les brumes encore inconnues de moi, s'ébaudissant dans les airs en compagnie de ses deux amants qu'elle n'avait jamais voulu départager.

Et, sans prendre le temps de m'attarder, j'attachai mes pagnes, avec l'intention ferme de courir chez l'Étranger lui annoncer mes résolutions. Ruelles et chemins étaient peuplés d'une foule que le triple suicide portait au paroxysme de la nervosité. J'avançai, à contre-courant, entre les rumeurs sourdes qui allaient grandissantes. Les villageois s'étaient réveillés, il faut le dire, le recul aidant, avec une gueule de bois épouvantable. Même ceux qui n'avaient pas bu avaient la tête comme du plomb et une abominable nausée au creux de l'estomac. Dans le soleil levant, les braves gens, livrés aux pires excès de la veille, marchaient vers Laetitia, la tête basse. Les dames vertueuses recherchaient la protection des bras de leurs maris, pour cacher leur honte.

Pourtant je voyais l'effroi sur les visages que je croisai. Mais je refusais de déchiffrer leurs pensées intimes. J'étais une illettrée à qui l'on offrait un journal. J'étais, à l'envers du monde, en plein centre de moi.

Devant la maison de l'Étranger. Une angoisse subite. Les mots composés, recomposés tout au long de la nuit s'étaient évanouis. Dans le jour retrouvé, mes arguments perdaient leur relief, leurs odeurs. Comme ces bonnets magiques qui disparaissent dans les mains des prestidigitateurs. À ma grande surprise, la porte n'était pas fermée. J'hésitai, le cœur redoublant de rythme avec l'impression de pénétrer par effraction dans un sanctuaire interdit. Puisant dans mes réserves de volonté, j'entrai. Immédiatement, je compris que quelque chose n'allait pas. Dans la robe olfactive de la pièce, dans cette trame faite de milliers de mailles, il manquait la maille centrale : l'odeur de l'homme. Il se dégageait de la pièce une odeur de propre, d'aseptisé, semblable à celle qui squatte vos narines dans les couloirs d'hôpitaux. Tous les objets personnels de l'Étranger, jusqu'aux menues babioles, de ceux qu'on oublie et qui peu à peu se recouvrent de poussière, s'étaient volatilisés. « Il est parti, sans rien me dire », pensai-je.

Lentement, très lentement, comme si tout mouvement brusque m'aurait à jamais brisée, je pénétrai dans sa chambre. Toutes ses reliques – vêtements, parfums, tableaux – avaient été enlevées. Seule une bougie oubliée brûlait sur une commode. Je m'assis sur le lit, sans force. Les affreux brouillards de la nuit m'assaillaient de nouveau, à la différence près qu'aujourd'hui il ne servirait à rien de faire des plans de vie commune. Car là, seule face à moi-même, la réalité était terrifiante à affronter.

Au loin, par la fenêtre ouverte, me parvenaient les bruits du village. Et moi, moi la jeune fille au cheveu rouge, j'aurais pu rester là jusqu'à tomber en poussière à un moment donné si je ne m'étais rendu compte que je n'étais pas seule. Une silhouette s'encadra. Longue. Avec ce quelque chose d'inquiétant qui fait hurler les enfants. L'ombre pénétra dans la chambre. C'était un homme enveloppé dans un imperméable gris. Il portait un chapeau qui lui descendait bas sur le front. Ses bottes luisaient.

– Mégrita ! Tu t'appelles bien Mégrita, n'est-ce pas ? demanda-t-il en découvrant ses dents étincelantes.

– Oui.

Je vis alors qu'il n'était pas seul. Des notables du village l'accompagnaient. Je les reconnus aussitôt. L'homme à lunettes n'était autre que le jumeau un peu plus discret du Perroquet. Cet autre étranglé dans une cravate jaune, une petite machine à écrire sous le bras, était M. Mionga, greffier de son état. Il possédait une radio et je l'avais croisé dans les rues de Wuel, appareillage sur l'épaule, haut-parleurs branchés à tue-tête. Et puis ce grand Noir, Ngala, véritable personnage de cirque, était brigadier, commandant la sous-section de la police de Sâa. Et fermant le cortège, plus effacé que jamais, ennuyé presque, le chef.

– Que voulez-vous ?

Sans répondre, le personnage de cirque, brigadier de son état, se fraya un chemin pour se placer au premier rang. Il se dirigea vers moi, décidé, mains dans le dos. Il se laissa tomber sur le lit à côté de moi, tira son pantalon sur ses mollets et me prit la main. Le greffier prit une chaise, s'assit, posa la machine à écrire sur ses genoux et y introduisit une feuille, les doigts prêts à courir d'un bout à l'autre du clavier pour y imprimer mes confessions. Le policier me détailla, me fouilla du regard avec tant de lubricité que je sentis le sang se figer dans mes veines. Jamais personne ne m'avait regardée ainsi, avec tant d'insolence, de mépris sans doute. Quand nos regards se croisèrent, ses yeux se rétrécirent jusqu'à ressembler à deux minuscules fentes noires. Il s'exprima sur un ton haut perché, il me produisit une impression bizarre qui me fit à l'instant le détester.

– Trois morts. Tout porte à croire qu'ils ont été assassinés. Tu n'as rien vu ni entendu ?

Silence.

– Dis quelque chose, bon dieu de merde ! Je sais de source sûre que tu fréquentais intimement l'Étranger.

Silence.

246

– Réfléchis bien, fillette. Dans l'état actuel des choses, il est important que tu nous dises tout afin que toute cette histoire puisse être éclairée. D'où vient-il, que fait-il et d'ailleurs où est-il ?

– Je ne sais pas.

Le brigadier m'observa longuement. Puis, d'une voix sèche, il me fit comprendre que mon attitude n'arrangeait pas ma situation, qu'en agissant ainsi il se verrait dans l'obligation de m'écrouer pour complicité. Je l'écoutai sans comprendre.

– N'essaie pas de défendre inutilement un homme qui n'a pas eu le courage de tenir ses engagements vis-à-vis de toi, ni de personne ici d'ailleurs ! Ton témoignage est capital, petite ! Ne l'oublie pas. C'est un devoir patriotique que d'aider la police !

À ces mots, le chef hocha la tête tandis que des murmures d'approbation s'élevaient de la masse. Oui, je voulais bien leur parler, tout leur dire si cela pouvait les aider. Et dans ma douleur sincère, ma colère de femme trahie, fleurissait la satisfaction gourmande de l'importance que je prendrais, me pavanant déjà dans les oripeaux de la citoyenne modèle dont on voulait bien me parer. Pâle, agitée, je racontai l'essentiel, omettant les scènes de magie et d'orgie qui avaient pris notre communauté aux entrailles.

– Voilà ! dis-je en ponctuant d'un geste de tragédienne.

Le brigadier ne sembla pas satisfait de ma version des faits, mais il reconnut que c'était là la confession la plus précise qu'il ait recueillie depuis l'aube.

– Tu ne nous caches rien ? Tu es sûre d'avoir dit toute la vérité, rien que la vérité ?

– Bien sûr.

– Les femmes… Allez savoir, se hasarda le jumeau Perroquet.

– Que voulez-vous dire ?

– Dans ce que disent certaines femmes, il y a un peu à prendre, beaucoup à laisser.

C'est alors que j'éclatai, révoltée.

– C'est dégoûtant ! Vraiment ! J'en ai plein le dos de vos soupçons. Toi le jumeau, va donc retrouver ton épouse qui te fait cocu ! Parfaitement, mon cher ! Elle te cocufie avec ton propre frère qui a la langue bien pendue… Allez, inscrivez, dis-je en bousculant le greffier qui s'était arrêté de taper.

Il interrogea son supérieur du regard.

– Tout est important, mon cher, dit le supérieur.

Et l'autre s'attela à sa tâche de fonctionnaire-consciencieux-griffonne-tout.

À la fin, on abusait de moi, de ma gentillesse. Je n'étais pas la seule à être concernée par l'Étranger. Tous avaient profité de l'argent qu'il avait distribué, de ses pouvoirs. Certes, j'avais caché certains détails au brigadier, par pudeur envers mes concitoyens. Et les voilà qui voulaient me faire endosser les impayés. Je pouvais être altruiste, mais pas tant que ça.

– Sacré nom de dieu ! J'en ai assez ! plus qu'assez ! hurlai-je en tapant des pieds. Moi qui me taisais pour ne pas vous faire honte ! Moi qui voulais rester fidèle à la communauté ! Non, par exemple ! Si je le voulais, vous iriez tous en prison, vous m'entendez ! Tous…

Le chef me regarda, ahuri. Ces mots lancés à la volée le contrariaient. La peur le tenaillait. Les yeux clignotants, il se dandinait d'un pied sur l'autre en évitant de regarder le brigadier. Il soufflait, décomposé, chasseur tombé dans son propre piège.

– Je peux parler, n'est-ce pas, chef, dis-je, me moquant au passage de son titre.

– Pa-parler…, bégaya le chef. Oui, je sais que je dois régler l'argent que ton père devait…

Bien sûr la dette du Pygmée. Je l'avais oubliée.

– C'est pas…

– Elle est fatiguée, dit le chef.

– Un verre d'eau pour la petite, cria quelqu'un à l'intention de quelques badauds qui observaient la scène.

248

– Vous ne pouvez pas continuer à l'interroger, reprit le chef d'une voix proche de l'hystérie. Elle n'est pas dans son état normal, vous le voyez bien. Elle a perdu la tête.

Je m'avançai vers lui, menaçante, riche de ma supériorité sur ces gens bien qui m'assommaient avec leur calomnie.

– Folle ? Vous avez toujours pensé que j'étais folle, n'est-ce pas ? Mais sachez, dès à présent, que vous avez fini de m'insulter... Le vent tourne. Toi, mon cher, dis-je en tutoyant le jumeau, sache que je suis contente que tu aies manigancé toute cette enquête. Comme ça, la prison, nous la ferons tous !

– Très intéressant, dit le brigadier en me prenant la main.

– Toi, le poulet, lâche-moi, fis-je en reculant, hautaine et en envoyant un faisceau de crachat. Nous n'avons pas trinqué ensemble que je sache, criai-je, poussée à bout.

Je m'apprêtai déjà à entendre ses cris d'indignation, à me mettre à l'abri de la folie meurtrière qui tomberait de ses lèvres, lorsque, à ma grande surprise, le brigadier éclata brusquement de rire. Il riait, il riait. Maison d'un Dieu bafoué, qui consentait à m'accueillir dans l'entaille de ses murs. Oui, disait-il, il n'avait jamais vu ça de sa vie, cette forte tête résistante. Oui, disait-il, cette personnalité plantée dépositaire de la plus ferreuse des tripes et cet acharnement à remettre les importuns à leur place. Avais-je déjà pensé à entrer dans la police ? Oui, il savait reconnaître, dans la nuit la plus noire, la place échue à chacun. Ma place était là, au sein de la plus paternelle des équipes, celle qu'il dirigeait. Me laisserais-je tenter ? me demanda-t-il. Je me taisais. Il reposait la question, inlassablement, s'ingéniant à me décrire à moi, moi la fille au cheveu rouge, privée de connaissances, les élus de la police, leur rôle, leur but : fonder l'espoir d'une vie nettoyée de tous ses damnés, créateurs de l'enfer. Je ne comprenais même plus la nature exacte de sa proposition. Ses éloges exaspéraient cet instant « sables mouvants », élargissaient des périmètres dangereux. Puis, aussi brusquement qu'il avait éclaté de rire, il se tut.

– Regarde, dit-il, regarde comme je me perds à te parler. Et toi, tu ne peux te taire plus longtemps, tu ne peux garder obstinément le silence. Il y a déjà entre nous ce quelque chose d'invisible qui se tisse entre gens du même monde. Allez, dis-moi tout.

Le regarder tout autant que l'écouter m'était pénible. La quête du droit chemin, du respect des lois, m'essoufflait, bouchait mes oreilles, faussait mon entendement. Je fixai le sol, rien que le sol. Une question, soufflée par Boblogang :

– Te dire tout à toi ou à la police ?

– Aux deux.

– Je n'ai rien à te dire, monsieur. Quant à la police...

Je me tus, un sourire hypocrite sur les lèvres.

– Pour qui travaillez-vous, monsieur ?

Tous savaient le fond de ma pensée. Tous savaient qu'il n'y avait pas de police et, pour cerner tout à fait la vérité, il y avait plusieurs polices mal organisées : celle de l'État, celle des chefs, celle des truands et celle des débrouille-débrouille. Toutes avec des directives contradictoires.

– Ça ne te regarde pas, dit-il, perdant son sang-froid. Tu as avancé un certain nombre d'éléments qui méritent quelques éclaircissements. Je ne fais que mon travail !

– Mon bon monsieur..., commençai-je.

– Ne m'appelle pas ton bon monsieur. Je ne suis le monsieur de personne.

– Dans ce cas, fis-je, butée. Je n'ai plus rien à dire.

Celui qui portait un imperméable gris et qui, comme je le saurais plus tard, était le commissaire en personne sentit le vent tourner. Très ennuyé, il baissa la tête pour la relever aussitôt, un sourire figé aux lèvres. Et, déployant toute une batterie de trucs destinée à m'amadouer, il cracha à l'intention de son collègue :

– C'est pas comme ça qu'on parle à une femme !

Il s'approcha de moi, et tout en me tapotant les épaules il dit :

– Allons, mon petit... Calme-toi et parle. C'est dans notre intérêt à tous.

– Je vous sais gré de l'intérêt que vous me manifestez. Aussi, en témoignage de ma profonde reconnaissance, je vais tout vous raconter.

Un long silence se fit, déchiré par le seul bourdonnement d'une grosse mouche à merde. J'en profitai pour promener sur l'assistance mes yeux de qui en cache plus qu'il n'en dit.

– Il n'a tué personne ! Per-son-ne ! Vous m'entendez. Oui, il a désorganisé notre système. Mais c'est pas un assassin.

– Je ne vous comprends pas, dit le commissaire. Tout à l'heure vous avez dit que vous parleriez. Je n'arrive pas à vous suivre.

– Ne me suivez pas, monsieur. D'ailleurs cela m'encombrerait. Laissez-moi courir seule mes rêves.

Cela dit, je les laissai plantés là et m'en allai, droite, jouissant de leur stupidité devant mon comportement. J'eus néanmoins le temps d'entendre le commissaire lancer à mon intention :

– Ne quittez pas le village, mademoiselle, j'ai encore quelques questions à vous poser.

Dans les jours qui suivirent, plusieurs militaires venus spécialement de la ville ratissèrent les bois, les forêts, les savanes à la recherche de l'Étranger. Les fausses alertes se multipliaient. Les mouchards aussi. On fouillait les voitures, les camions. Tout fut mis en œuvre pour nettoyer le pays de l'Étranger, cette menace permanente, de cette bombe à retardement qui pouvait exploser à tout moment, à l'improviste, dans n'importe quelle autre partie du pays. Un matin, le commissaire me confia que l'Étranger était recherché moins parce qu'il avait donné la mort que pour ce qu'il représentait… Ses idées révolutionnaires, disait-il, semblables à des ronces, pouvaient envahir le jardin, tuer la culture. Aussi fallait-il les arracher avant que…

Ma vie n'était plus qu'attente. Je ne savais où se cachait l'Étranger, s'il avait traversé des frontières ou s'il était toujours à Wuel. Parfois, il me semblait qu'il était tout près, derrière ma case et que j'allais le voir apparaître.

Quand arrivait le soir, mes sens s'éveillaient car je devinais que, s'il venait, ce serait de nuit. Je guettais les bruits de la nuit, ses bruissements, espérant un léger grattement à ma porte. Mais rien ne se produisait et j'étais là, rongée par l'acide corrosif de l'angoisse qui ne peut se partager. Je n'avais plus faim, je n'avais plus soif. Plus envie de rien. Même le sommeil se tenait à distance. Si, quelquefois, alors que j'avais passé plusieurs heures nocturnes à touiller la marmite des pensées, je m'enfonçais dans un dormir trop agité pour être réparateur, je rencontrais la face moribonde de Laetitia ou celle de l'Étranger qui tantôt grinçait des dents-scies, prêtes à me broyer, tantôt éclatait d'un rire bruyant, si strident qu'il faisait tout s'envoler autour de lui. Alors, je me réveillais, trempée de sueur. Je m'enveloppais dans mes pagnes. Je préparais une bouillie chaude. Je m'installais sous la véranda, préférant encore m'abandonner à de tristes pensées plutôt que de renouer les fils avec mes cauchemars.

Les hauts responsables de l'expédition, quoique sur les dents, me témoignaient une attention toute particulière, sous les yeux courroucés ou simplement terrifiés de mes concitoyens qui craignaient de me voir crachoter la honte. Et moi, moi, la fille au cheveu rouge, je jouissais de ce prestige. À plusieurs reprises, des maraudeurs furent appréhendés et l'on me fit venir pour les identifier. J'y allais toujours le cœur battant. J'éprouvais chaque fois la même déception. Mais qu'aurais-je fait si on l'avait ramené ? L'aurais-je trahi ?

Question que j'aimais mieux ne pas avoir à affronter. Toujours est-il que je collaborais activement. Il m'était venu des manières toutes naturelles à des personnes de mon espèce. Voilà que je marchais comme un cow-boy, les jambes fortement arquées. Je bottais les chats, bousculais les enfants qui traînaient sur mon passage. Quant aux chiens errants, ils étaient ma cible de prédilection car les gémissements qui accompagnaient mes pas correspondaient tout à fait à mon état d'âme, le comblaient. Oui, j'étais un chien errant. Je menais une vie de chienne. Non ! Mes coups de pied n'exprimaient pas la violence. Je voulais montrer que je n'en pouvais plus, que ma vie était épouvantable, que j'implorais grâce. Et ces coups, comme des grondements de tonnerre, déchiraient le ciel sans étoile et détachaient ma vie en pétales de rose rouge, de rose verte, de rose blanche, de rose noire. Non, pas de noir, le noir n'est pas une couleur. Avec ces coups de pied, la jeune fille au cheveu rouge explosait sa haine de l'injustice du monde, sa haine du monde lui-même, sa haine de sa haine, sa haine de l'amour fugitif qui s'étiole au petit matin, sa haine… Un coup de pied pour ponctuer mon ressentiment, l'abandon de l'homme. L'organisation de la société. Le dernier coup de pied bien appliqué était destiné aux fesses-coutumières. Ces bien-pensantes qui accompagnaient mes pas de leurs sous-entendus, du mépris de mon malheur. Oui, chuchotaient-elles, elle n'a pas le comportement qui sied à une femme abandonnée. Elles s'attendaient à me voir abattue, triste, traînant ma peine comme un sac de cailloux qu'elles auraient pris plaisir à surcharger de leur désolation hypocrite. Mais voilà. Je marchais, la tête haute, malgré mon ventre qui commençait à s'arrondir. Et j'avançais, imperturbable dans cette violence qui servait de dérivatif à mes tourments. Droite, comme la justice. Malgré l'effroi de mes tripes, le froid de mon cœur qui recherchait en vain l'embrasement des bras de mon homme. J'eus plusieurs aventures. Mais l'idée éblouissante que je m'étais faite de l'amour s'était envolée, à tire-d'aile. Les délices infinies dans les bras de l'Étranger et que mon corps de femme réclamait s'étaient volatilisées.

Certes, mes partenaires se montraient ardents, trop peut-être et d'une vigueur brouillonne qui tuait la volupté. Je me disais à part moi que cet éblouissement, ce plaisir mystérieux que j'avais expérimenté pourraient peut-être se gagner à force d'habitude, d'habileté. J'attendais, rien ne venait malgré la bonne volonté que je mettais dans ces rencontres douceâtres qui auraient dû faire jaillir en moi l'électricité flamboyante du plaisir. À la longue, à force d'attendre ce vertige grisant qui faisait fondre les amants, les rendait oublieux d'eux, du temps, je me dis que, peut-être après tout, j'avais rêvé. Peut-être n'était-ce qu'un souvenir imaginaire créé par mon esprit folâtre ? Au cours de ces relations sexuelles que je multipliais à dessein, désireuse d'effacer l'étreinte de l'Étranger, d'en abolir la mémoire, je restais parfaitement lucide, maîtresse de mon corps, m'analysant, scrutant mes sens alors que le mâle s'escrimait sur moi. Et puis, il y avait ce cœur qui ne m'appartenait plus et qui me faisait horriblement souffrir. Épave dérivant dans une marée de boue, je m'étais mise à parler d'avant et de maintenant. Avant, l'Étranger. Avant, l'amour. Avant… Et quoi encore ? Sur ces rivières de lits où des hommes ondoyaient sur moi je parlais de l'Étranger, ce jaillissement, cette sauvagerie flamboyante et cette silhouette en longue houle incessamment renouvelée. Ce qui, bien évidemment, mettait mes amants hors d'eux. Pourquoi le plaisir n'est-il pas seulement invention des hommes destinée à grossir l'espèce ? J'aurais voulu interroger une femme. Laetitia. Oui, mais Laetitia était morte. Mor-te ! Je n'arrivais pas à m'y faire. Quelquefois, prise d'un rêve subit, en pleine rue, en plein jour, je croyais qu'elle surgirait derrière moi, me heurterait avec force et que, quand je me retournerais surprise, elle m'accueillerait de son rire, de son parler clair. De quelle couleur étaient donc ses prunelles ? Je ne me souvenais plus. Restait Dame maman. Mais qu'aurait-elle bien pu me dire ? C'est à croire que le Pygmée avait emporté avec lui les derniers éclats du désir. Quelquefois, elle disparaissait et je savais qu'elle était chez Ndonksiba. Dès la mort du Pygmée, sa silhouette s'était tassée, confondue avec l'habit du deuil qui l'enveloppait. Dans la rue, à travers les ruelles, c'est à peine si on la reconnaissait, ombre perdue, vieille petite fille fourvoyée dans cette foule adulte et brouillonne, où elle n'avait plus sa place ! Et, presque dans le même temps, me frappait la compréhension : Oui, Dame maman retournait à l'enfance. L'avait-elle seulement quittée ? Lorsqu'elle dormait, seule dans son grand lit empreint encore de la présence des hommes, jambes repliées, un coude sur les joues, m'envahissait la certitude qu'elle n'était déjà plus de ce monde, que déjà ces quelques éclats de rire, qui s'en allaient en s'étiolant, n'étaient destinés qu'à m'aveugler car elle se nourrissait déjà farouchement, tissant sa lente course vers des lieux encore inconnus de moi, vers la mort. Très vite, je m'étais mise à fréquenter le marigot à l'heure où des jeunes filles au corps d'elfe s'ébaudissaient joyeusement. Je me mêlais à elles, frottant ma peau à leur innocence. Mais elles continuaient leurs jeux, l'insouciance dans les gestes, riant, criant, s'éclaboussant, dupes des desseins inavouables qui m'amenaient vers elles.

C'était un de ces matins, comme tant d'autres, où les yeux fermés j'avais recherché en vain les zones confisquées du sommeil. Dame maman, entortillée dans un drap blanc, fit irruption dans ma chambre.

– Mégri ! Mégri !

– Qu'est-ce qu'il y a, Mâ ? La maison prend feu ?

– Cesse de blaguer. J'ai à te parler.

Elle avait la voix rauque, monocorde. Quelque chose en moi, l'instinct de la femme aimante, savait déjà. Je ne bougeais plus. C'est à peine si s'échappait de mes poumons l'air nécessaire à la survie. Une statue de marbre. Et sans qu'il y ait besoin d'un mot, je me levai et me dirigeai vers la porte.

– Mégri ! cria Dame maman, je voulais que tu saches que… Que…

– Il est mort, n'est-ce pas ? Ils l'ont tué !

Dame maman tourna vers moi des yeux épais qui pourtant se refusaient à me voir, puis sans un mot elle courut vers moi, leva lentement une main, l'approcha de mon visage. Elle ébaucha un geste de tendresse vers mes joues, non celui qu'on dessine pour câliner un enfant malheureux mais le réconfort de la femme à la femme, matérialisant cette complicité féminine que nous avions créée sans le vouloir. Je m'en allai chez le chef.

Sur une longue table installée pour la circonstance des mets délicieux avaient été servis à la hâte, pour fêter la victoire des policiers. Wuel en liesse allumait des feux de joie, plantait les drapeaux de la victoire, s'enivrait de chants patriotiques. Car, selon le discours de l'envoyé spécial du gouvernement, les habitants du village s'étaient montrés d'un patriotisme inégalable. C'était à voir, tous ces flics qui se pavanaient dans leurs habits de fête flambant neufs. Les femmes n'étaient pas en reste. Depuis l'aube, les vendeuses se faisaient appeler citoyenne-igname, citoyenne-macabo, citoyenne-banane, citoyenne-poisson. Quant aux fonctionnaires de la mairie, ils dindonnaient de haut en bas de la hiérarchie.

L'homme, ou plutôt ce qu'il en restait, car une partie du visage avait été broyée par les policiers, celui dont ils juraient par tous les dieux qu'il était l'Étranger cuisait au soleil, solidement attaché à un poteau de la cour. Il fallait que sa dépouille serve d'exemple. Et l'écrasant peuple écrasé s'en donnait à cœur joie. Les femmes se moquaient. Les enfants se taquinaient joyeusement. Il n'était pas nécessaire à l'amante que j'étais de détailler le corps pour voir que ce n'était pas mon homme. Il devait avoir le même âge que lui, la même taille sans doute, et je découvrais avec soulagement la terrible méprise. Je laissai échapper un rire nerveux. Je me rendis brusquement compte que, nuit et jour, j'avais demandé au ciel de le protéger. N'était-il pas en sécurité quelque part au loin ? Et maintenant, je me fis le serment de l'oublier. Quand l'heure viendrait, je connaîtrais d'autres amours.

– C'est pas lui, n'est-ce pas ?

C'était le brigadier, celui que j'avais détesté au premier mot. Il était resté à l'écart des festivités. Il m'examina et dit les dents serrées :

– Je l'aurai.

L'enfant bougea dans mon ventre. Je restai quelques instants immobile, désorientée, comme étrangère à mon propre pays. Dame maman qui m'avait rejointe fut seule à s'apercevoir de mon trouble. Elle me prit doucement le bras et me conduisit à travers des bruits d'ordres et de cris provoqués par l'euphorie générale. Les gens se retournaient pour nous détailler, curieux, jusqu'au moment où ils s'aperçurent que je ne pleurais pas. Alors les regards ne furent plus ceux qu'on adresse à un être vivant, mais ceux qu'on jette sur un sac de maïs pourrissant. Nous retournâmes chez nous, vers l'anonymat…

Après le départ des enquêteurs, le village retrouva peu à peu son rythme. Le temps ne m'avait pas libérée de l'emprise de l'Étranger, pas plus que mes propres serments, dans la cour du chef. Et un jour j'allai traîner devant la case qu'il occupait autrefois et j'eus même le plaisir d'y pénétrer. Entrer dans sa chambre était comme violer son corps dont j'étais privée. Une langueur soudaine me prit comme le bruissement du vent léger, ininterrompu, audible à peine sinon par l'âme. Et, dans la moiteur de cette chambre, je commençai à comprendre cet homme absent, si présent entre le monde et moi. Je comprenais enfin cet homme réfléchi, généreux, mystérieux, mélancolique que j'aimais.

Cet homme à qui nous appartenions moi, la fille aux cheveux rouges qui avaient maintenant poussé et formaient une auréole mousseuse autour de mon crâne et mon enfant à venir. Quelle importance qu'il soit parti ? Qu'il m'aimât ou pas ? Qu'il fût plus intelligent que la plupart des hommes ne me concernait nullement, non plus que sa gloire, sa déchéance. Je le chérissais et cela suffisait à me combler.

J'avais dû m'endormir plusieurs heures d'affilée car la journée était bien avancée quand je me réveillai. Je me levai brusquement et retournai vers la case, l'impression de solitude m'enveloppant, familière comme un vieil ami. L'avenir ne me paraissait plus un chemin plein d'espoir, je me retournais sur moi, revenais vers le passé.

Devant notre case, je fus surprise de découvrir plusieurs personnes et, instinctivement, j'eus un geste de recul à la vue de la Prêtresse-goitrée, du Perroquet, de la Dame Donga, du chef, de Ngono, son épouse aimée si peu de temps et qui, déjà, tombait dans la mélancolie malgré ses aventures avec d'autres hommes. On murmurait que bientôt il y aurait une nouvelle épouse, une espèce de saucisson noire et velue au corps long et maigre. Étranges, les hommes, plus ça vieillit, plus ça recherche des désirs compliqués pour arriver au plaisir. Près de Ngono, entouré des notables que je ne connaissais pas, se tenait celui qui serait bientôt mon futur fiancé. Un mot sur lui. Non, d'abord sa famille. Ses ancêtres avaient fait la guerre aux messimenés, volé leurs terres, roulé les villageois, collaboré avec les colons. C'est ainsi que lui-même était devenu l'héritier potentiel d'une immense fortune potentielle. Potentiel, car son père, quoique ratatiné par les ans, comptait bien tenir les rênes du pouvoir jusqu'à en crever.

Mon fiancé était un petit bonhomme maigrichon, habillé comme un instituteur à un enterrement, plein de poils partout, une jambe alerte, l'autre de plomb. Boiteux. Et dont la présence inexistante me réconfortait rien qu'à le voir. Avec lui, il ne se passait jamais rien, tout semblait reposant, sauf quand il me prenait de lui lancer à la tête que je ne l'épouserais jamais ! « Ça » venait lorsqu'il me prenait dans ses bras, qu'il m'embrassait. J'étais triste à mourir, je criais alors : « Je ne t'épouserai jamais ! » Il me lâchait et partait dans des sanglots qui me chatouillaient les nerfs, le plaisir revenait. Mais je brûle les étapes. Les choses ne se passent pas si brutalement. Encore faudrait-il que Dame maman me parle, que je consente.

J'arrivai donc ce soir-là aux abords de notre maison. Me doutant instinctivement de ce qui se tramait, je pris un chemin détourné, le sentier que j'empruntais enfant, lorsque j'avais commis une sottise. J'allai derrière la case, l'inquiétude aux tripes et m'attelai à une partie de songo.

– Mégrita ! Mégrita !

C'était la voix exaltée de Dame maman. Je fis comme si je ne l'entendais pas, comme si mon attention concentrée dans mon jeu était devenue sourde à toute autre sollicitation.

– T'es devenue sourde ou quoi ?

Dame maman me ramena à la réalité d'un coup de pied brutal dans mon jeu, envoyant mes billes voler au loin. Feignant seulement de m'apercevoir de sa présence, je levai la tête, le regard stupide.

– Tu ne peux pas faire attention, non ?

Elle planta ses poings sur ses hanches, silence aux lèvres. Je pressentis le changement de marée. Et, tel un commandant consciencieux, je tentai de redresser la barre. Je m'activai pour la ressaisir juste à temps. Je bredouillai un peu, les yeux fixés au sol, ma petite langue rose entre mes dents. Il paraît que, quand je me démonte, je suis attendrissante… Devant cette image, la colère de Dame maman se transforme presque toujours en tendresse.

– Viens, dit-elle plus doucement. J'ai à te parler.

Elle m'entraîna loin, derrière les W.-C., avec une méfiance si visible qu'on aurait dit qu'elle craignait quelques rencontres insolites ou simplement dangereuses. Une fois bien à l'abri, Dame maman et moi demeurâmes de longues minutes, face à face, silencieuses. Et nul signe, nul geste d'elle susceptible de me donner une indication, d'obtenir une étincelle d'éclaircissement.

– Qu'as-tu à me dire, Mâ ?

Elle se taisait, soucieuse.

– Parle, Mâ, qu'est-ce qui ne va pas, dis ?

Elle sourit, dure. Peut-être n'avais-je pas posé la bonne question, la question de l'enfant à la mère, ces zones meublées de tendresse.

– Je t'aime, Mâ, et entre nous, pas de secret, n'est-ce pas ?

– T'es une enfant formidable, Mégri, dit-elle en me caressant les joues ! J'ai bien de la chance, tu sais.

– C'est moi qui ai de la chance, Mâ, d'avoir une mère comme toi.

– Je sais, répondit-elle, larme à l'œil. Je sais, mais…

Son front se plissa. Les mots dans sa gorge se terraient comme s'ils craignaient de se fracasser à nos pieds une fois prononcés.

– Voilà, dit-elle, le courage cueilli dans ses mains qu'elle frotte énergiquement l'une contre l'autre. Je pense qu'il est temps de te marier. Je me fais vieille et, s'il m'arrivait quelque chose, j'aimerais te savoir bien à l'abri, chez un homme.

– Dis pas de bêtises, Mâ. Tu as encore bien des saisons devant toi. Et puis, je n'ai pas envie de me marier.

– Tu sais, on n'a pas envie jusqu'au jour où on tombe sur la personne qu'il faut.

– La personne qu'il faut ne veut pas de moi, marmonnai-je, les dents serrées.

– Qu'est-ce que tu dis ?

– Rien, Mâ, rien.

– Ne t'inquiète pas, fillette. Je t'ai choisi quelqu'un de bien.

– Parce qu'en plus tu le connais déjà ?

– Bien sûr ! C'est le fils du chef N'vet, le jeune homme qui réclamait son argent l'autre jour.

– Merde !

– Qu'est-ce que tu dis ?

– Rien, Mâ, rien.

J'étais agacée. Mais l'idée d'avoir été demandée en mariage me flattait, chatouillait quelque chose de vaniteux en moi. Il en est toujours ainsi des femmes – je le sais aujourd'hui. Cet orgueil tout-puissant qui contribue parfois à les foutre par terre. Séduire pour séduire. Si elles n'y arrivent pas, cela peut leur briser le cœur. J'étais femme.

– Tu verras, continua Dame maman. Il a trois champs de cacao. Le cacao, c'est de l'argent. Tu pourras t'acheter tout ce que tu voudras. Des Secam, des wax, même du nylon ! On chuchote même qu'il va s'acheter une Autom[1]. Tu te rends compte, Mégri ? Tu seras la femme la plus enviée du monde !

Et elle tremblait de convoitise, Dame maman. Ses yeux globuleux devenaient vitreux, sous les effets conjugués de la fatigue et du plaisir.

Moi, la fille au cheveu rouge, décidée à n'épouser que l'Étranger, j'étais éperdue de pitié pour cette mère vieillissante dont les désirs ne connaîtraient pas un moignon de réalisation. Malgré cette demande qui me flattait, cette demande qui par sa nature même me donnait pleine conscience de ma féminité, l'évidence était bien ancrée, bien serrée à l'étroit dans ma cervelle.

– Je ne l'épouserai jamais !

– Qu'est-ce que tu racontes ? tonna Dame maman, un hoquet dans la gorge.

– Tu as parfaitement compris !

1. Voiture.

– Tu ne peux pas faire ça. Le chef l'a décidé et j'ai donné mon accord.

– C'est moi la principale intéressée que je sache ! Ma réponse est non !

– Tu ne parles pas sérieusement ?

– Mais si.

– Pourquoi ? Il est tout à fait charmant, respectueux des traditions et tout et tout.

– Je ne l'aime pas.

– L'amour ? Laisse-moi rire. Quand il y a l'argent, l'amour suit toujours, ma fille.

– C'est non, Mâ !

– Tu ne peux pas me faire ça, dit-elle, égarée, sens perdu. Ton père lui devait de l'argent, beaucoup d'argent. Et on s'est mis d'accord que cette dette représenterait une partie de ta dot.

– On la lui remboursera.

– Impossible, ton papa pygmée n'a rien laissé.

– Qu'en sais-tu ?

– J'ai fouillé partout, rien.

– J'irai chercher moi-même.

Tremblante, l'esprit en révolte, je fonçai chez mon papa pygmée, suivie de Dame maman. Je fouillai. Malles. Armoires. Casiers. J'éventrai le matelas, dégottai la paille, brin à brin. Je défis la doublure des vestes. Je découpai les pantalons au cas où. Rien, rien que des souvenirs, des photos, des lettres, des papiers.

Je chantai pour mon papa pygmée, pour qu'il m'écoute et m'apporte son aide. J'étais convaincue qu'il m'écouterait, qu'il franchirait la mort sans sursis ni dérogation et me libérerait, par la découverte de son or, du garrot du mariage.

Un peu à l'écart, à la porte, Dame maman me regardait faire, sceptique. Je ne voulais pas croiser ses yeux. Je voulais m'entretenir dans le doute, l'espoir jusqu'au bout.

– As-tu trouvé quelque chose ? interrogeait-elle de temps à autre.

Je me taisais.

– Je te l'avais bien dit.

Je ne me décourageais pas. Je voulais mesurer la configuration de cet espace, la maîtriser, la dominer pour qu'aucune de ses richesses ne m'échappât. Je cherchais obstinément une preuve ou quelque signe qui m'apporterait l'apaisement. Rien, rien que le non-utilisable, épars dans la pièce. À moins que. À moins que ?

Et, sans trop savoir ce qui me prenait, je me mis à détruire les objets qui me tombaient sous les mains. Je brisai les verres, cassai les chaises que je lançai avec fracas dans la cour, ce qui ne manqua pas d'attirer une foule curieuse, faite de femmes et de vieillards oubliés. Je n'avais pas l'impression de mal agir. C'était un besoin. Un trop-plein d'énergie à faire rejaillir ailleurs.

– Mais qu'est-ce qu'elle a ?

– Elle est complètement folle, ma foi !

– Foutez le camp ! hurlai-je. Allez !

Et, pour mieux leur faire sentir ma détermination, j'allai chercher un seau d'eau que je balançai, à l'aveuglette, sur la foule. Elle se dispersa en grognant l'espace d'un moment mais se rassembla aussitôt, en une haie dense.

– Pauvre homme que celui qui l'épousera ! cracha un monsieur trapu et court sur pieds.

– C'est pas épousable, ça ! lança un autre avec mépris.

Je continuai mon œuvre de destruction. Ma mémoire ne savait plus. Elle perdait des yeux l'essentiel. Et mes bras, à force, se lassaient.

Abattue, le corps en coton, je m'effondrai sous la véranda, tête sur les genoux. Je n'étais bonne à rien, et la vie, eh bien, la vie, me condamnait. N'est-ce pas le propre de l'homme que d'arracher l'arbre qui ne porte pas de fruits ? Je me jurai de mourir.

Il y a l'herbe de la nuit qui vous vide les tripes jusqu'à la pépie. L'idée de courir aux toilettes toutes les cinq minutes ne me plaisait guère. Je l'éliminai. Je dois reconnaître qu'au village il n'y avait pas de W.-C. comme à Paris. C'étaient des fosses bourrées d'asticots qui se tortillaient sous vos culs. Il fallait faire gaffe pour ne pas tomber dedans ou laisser traîner son pagne. Quand c'était plein à ras bord, il fallait le fermer et creuser un autre trou ailleurs. Voilà pourquoi il était interdit d'y jeter des papiers et des feuilles de macabo pour ne pas le remplir trop vite.

Et puis, il y a le tchu dont une seule goutte suffit à empoisonner le sang mais provoque des douleurs atroces dans le ventre. Je calculai le temps qui s'écoulerait entre l'absorption du poison et l'instant de la mort salvatrice. Interminable ! Et, devant toutes les intolérables souffrances qui s'annonçaient, je me mis à pleurer et à hurler.

– Sale vie ! Connasse ! Connasse !

Les villageois me regardaient, intrigués.

– Qu'avez-vous à me regarder ainsi, bande d'idiots ! Vous n'avez jamais vu une femme qui pleure ? Allez ouste, circulez ! Circulez ! De l'air !

– Qu'est-ce qu'elle a encore ? interrogea un monsieur.

– J'ai besoin d'air. J'en ai assez de sentir vos odeurs de vieille merde ! Je veux mourir, vous m'entendez ? Laissez-moi crever en paix.

– Pas besoin de faire tout ce boucan pour mourir, dit-il, un œil à moitié fermé. T'as qu'à te pendre !

– Tu veux ma mort, salaud ! Eh bien, je veux vivre, rien que pour t'emmerder. Et je suis assez coriace pour cela !

– Essaie toujours. Si cela devenait très dur, il serait toujours temps de te suicider.

– Va te faire foutre, cadavre !

Je lui crachai dessus. Il leva un doigt, dessina un geste grossier dans l'air et s'éloigna, très mépris à l'africaine, ce qui fit rire tout le monde. Même moi.

Après cette incartade, mon humeur s'améliora. Du moins, d'autres morts plus attrayantes défilèrent à mes yeux. Je relevai la tête et souris à Dame maman, lui faisant comprendre que physiquement j'étais prête même si mes sens à l'instant ne chantaient point l'hymne à l'unisson au mariage.

Le chef nous accueillit avec de grandes phrases, de celles que tout le monde connaît mais qui confèrent à celui qui les débite une obscure supériorité. Dame maman le remercia d'un sourire humble. Mon fiancé, ou celui qui se présentait comme tel, me détaillait comme s'il venait de tirer le gros lot et ses petits yeux de cochon prenaient déjà possession de moi. Son père, assis tout près de lui, resplendissant en chemisette de satin rose, un foulard jaune dépassant de sa poche, le dévorait des yeux sans équivoque, des yeux qui disaient : « Bravo de ton choix, mon fils ! T'es pas très intelligent, mais tu iras loin. »

Ma future belle-maman était de ces petits bouts de femme qui, à force d'autorité, paraissaient immenses. Des cheveux blancs et noirs cernaient un visage rabougri où rien ne tressaillait. Elle se tenait assise, le menton haut ; de ces têtes hautes que les curés ou les femmes sages avaient essayé sans doute de lui faire baisser, sans résultat. Dans son dos, à travers le soleil en crépuscule, se déployait son ombre gigantesque. Le recul aidant, je peux vous avouer qu'elle me rappelait certaines Françaises que j'avais regardées évoluer dans certains salons de Paris où l'on vous sert de longues tasses de snobisme. Le même cynisme caché derrière des gestes d'une extrême féminité, le même don pour manipuler l'assemblée, le mot juste, au bon moment, pour briller et se montrer sous son meilleur jour. Un esprit vif, des plus pervers, se cachait derrière sa face. Elle voulait le pouvoir, elle l'avait eu et cela se voyait.

Les pourparlers commencèrent. On énuméra les vaches, les moutons, les poulets qu'il fallait apporter en échange de ma personne. Je me faisais l'impression d'une esclave sur le marché public. Mon corps était mis aux enchères. Mais regardez ses dents, elle a toutes ses

dents. Mille francs ! J'ai entendu deux mille, qui dit
mieux. Allez, messieurs ! Mais regardez-moi ce corps.
Fait pour enfanter. Ces seins. Trois mille francs. D'ailleurs que vois-je ? Elle est enceinte. Une parfaite repro-
ductrice avec preuve à l'appui. Dix mille francs !
Messieurs. Dix mille francs le lot... C'est parti...

Et moi, moi, la fille au cheveu rouge, pendant que se
tenait ce débat, j'étais là, pantelante comme le survi-
vant d'un naufrage qui a pu regagner la rive, à demi
noyé, et se trouve perché sur un rocher. Le pire fut
quand, à la fin, mon futur beau-père, après m'avoir
longuement dévisagée, me prit dans ses bras et me
donna un baiser sonore sur les joues pour me souhaiter la bienvenue dans sa famille. Un baiser reçu comme
un sceau marquant l'appartenance. Je me tenais, les
yeux baissés, le dos voûté, presque soumise à mon destin. La foule s'éparpilla après que vin de palme et hâa
eurent coulé en cascade.

Je me tenais toujours à ma place, sans bouger. C'est
alors que Dame maman, radieuse pour la première fois
depuis la mort du Pygmée, se porta à mes côtés.

– Ça sera un beau mariage ! glapit-elle. J'inviterai les
plus puissantes familles des environs.

Elle se mit à tournoyer autour de moi.

– De la dentelle. Tu porteras une robe longue toute
en dentelle !

Et frappant dans ses mains, émerveillée par sa
propre importance, elle s'écria :

– Ça sera le plus beau jour de ma vie ! Tu te rends
compte, Mégri ! Trois vaches, huit moutons, quinze
cochons sans compter des centaines de poulets ! Et puis
tu as vu avec quels yeux il te regardait ? À tes pieds, ma
fille, il sera à tes pieds...

Elle fit une pause, attendant de moi le geste qui
convenait. Mais quel geste ? Je n'en voyais aucun.

– Tu ne dis rien ? demanda-t-elle.

– Non.

– Rien ?

– Rien.

En vérité, je pensais à elle, à sa mère avant elle. Qu'était la vie d'une femme noire ? Qu'était la vie d'une femme ?

– Tu pourrais au moins montrer ta fierté, ta joie, dit-elle. Tu coûtes plus cher que n'importe quelle fille du village. Tu te rends compte ?

Je contemplai Dame maman. Croyait-elle vraiment que la valeur d'une femme était définie par le poids de sa dot ? Croyait-elle m'octroyer cette dignité qu'elle n'avait pu acquérir avec quelques vaches en plus et trois tonnes de maïs ?

Les jours qui suivirent ma demande en mariage, j'évitai mon fiancé. Je tablais sur le fait que mon indifférence exacerbée le ferait renoncer à ses projets. Quoi qu'il en fût, il n'en manifesta que plus d'empressement. Puis, devant les intolérables complications engendrées par mon refus, je consentis à rencontrer mon fiancé.

Je me promenais tous les jours avec lui. On allait en ville, en autocar, je croulais sous l'ennui. Et, pour me distraire, je l'engueulais en public et me battais avec d'autres femmes. Je me proposais même d'affronter le chef du village, on menaça de m'expulser. Mon fiancé intervint et paya un bouc.

Il me prit à part et m'expliqua que je faisais partie de la société humaine, qu'elle m'apportait ma sécurité, mon confort, et qu'en contrepartie je devais me soumettre à certaines règles de bienséance. Je fis des objections en lui clamant que cette société était responsable de mon mal-être et devait en subir les conséquences. Sur quoi, il me dit que je pouvais me défouler sur les choses inanimées et épargner les humains. Je reconnus qu'il avait peut-être raison. Je coupais du bois, sarclais, raclais à longueur de journée. Au début, je jubilais. Et, portée par l'enthousiasme, je voulus faire plaisir à

Dame maman en récoltant l'arachide. Elle n'avait pas atteint sa maturité. Dame maman, constatant ce gâchis, piqua une crise de nerfs, me traita de folle, de déséquilibrée. Je rétorquai qu'elle pouvait mourir, que je ne la regretterais pas. Son joli visage d'ébène si lisse s'était creusé d'une multitude de rides. Elle qui avait prévu trois mètres carrés derrière la case pour y être enterrée ! Et l'héritière de son cadavre, l'unique personne qui devait veiller à ce que les mauvaises herbes n'envahissent pas sa tombe lui signifiait clairement (j'ai toujours parlé clairement comme toute femme du peuple, sans éducation) qu'elle ne la regretterait pas ! Certes je ne pensais pas un seul mot de ce que je disais, mais j'étais en colère surtout parce que j'avais tort. Et, pour tout oublier, j'allais me baigner au marigot.

Bientôt, ces exercices me lassèrent. Même le courage de rêver, de faire des projets s'effilochait.

Oui, des projets. J'analysais, comptabilisais les moyens que je mettrais en œuvre pour trouver l'argent nécessaire au remboursement de ma dot. Ils se révélaient tous aussi efficaces les uns que les autres et me procuraient le même plaisir, celui de la liberté à tel point que mon âme, voyageant avec le même bonheur dans les sentiers parfumés du devenir, s'enlisait dans chacun, s'y laissait bercer, les privant de toute forme de réalisation. Mon fiancé, Angounou, avait la sagesse de la patience. Il attendait, l'œil bienveillant ouvert, l'autre, le mauvais, fermé, l'instant où j'oublierais ce qu'il qualifiait dans son parler mondain de « folie illusoire » et consentirais à devenir son épouse.

Mon fiancé me proposa des dates possibles pour la célébration du mariage. Je les refusai, m'imaginant que le temps, eh bien, le temps, viendrait à mon secours.

Et le temps passa.

Les conséquences du passage de l'Étranger dans notre village se firent bientôt sentir. L'argent si généreusement distribué s'était envolé en fumée. Et la dernière saison avait vu les habitants festoyer plutôt que de s'occuper aux travaux des champs. Partout, la famine menaçait.

Nos provisions de nourriture diminuaient. Plus de maïs dans le grenier. Ni d'arachide. Ni de manioc. Même nos trois poules se mirent de la partie et pondirent des œufs qu'elles passaient des jours à couver sans pour autant nous donner des poussins. Quelles solutions adopter? Valait-il mieux un œuf de temps en temps ou trois poulets frits tout de suite?

Pincée entre le pouce et l'index, la chair de Dame maman était mince comme de la soie. Il n'y avait plus dans la maison un seul vêtement qui ne flottât sur elle. Certes, elle avait encore ses caleçons en Polyester blanc et ses poudres « Joli soir ». Mais elle les utilisait de moins en moins pour en avoir encore le jour de son enterrement.

J'expérimentais ce à quoi la faim pouvait réussir: à vous calmer et à vous épuiser. Dame maman et moi étions trop occupées à rationner nos énergies pour nous combattre. Dame maman dormait là où elle se trouvait, se soutenait la tête à deux mains et pleurnichait pour que je consentisse à épouser Angounou.

Mon fiancé venait souvent nous voir et m'apportait des cadeaux. Une montre. Un bracelet. Un tissu pagne. Si l'idée qu'il se proposait de m'acheter lui traversait l'esprit, elle lui apparaissait totalement inoffensive. Celui qui a de l'argent a pour lui la clémence du destin. Il avait l'impression qu'au-delà de toute moralité un chemin était tracé, tout spécialement pour lui, et que toutes les portes lui étaient ouvertes.

Il venait souvent de nuit, des cadeaux dans les bras. Assis près du foyer au côté de ma mère, et désireux d'aiguiser ma convoitise, il racontait la prospérité de son village. Il s'émerveillait sur le paysage, la fertilité du sol qui voyait jaillir de solides bourgeons que pluie et soleil avaient fait pousser. Il glorifiait ceux dont le courage augmentait face à l'éléphant et au rhinocéros, il chantait ceux dont les flèches stoppaient net la course de la gazelle, il nommait les femmes aux reins de roseau qui plantaient et récoltaient maïs et macabo, il comptait les ventres fertiles, énumérait les vierges, baissait la voix pour parler de ceux dont le corps était devenu esprit…

Il voyait la tristesse de Dame maman, il percevait sa tristesse, il scrutait le plafond, son visage s'éclairait, il disait :

– Ne vous inquiétez pas, Mâ. Mégrita sait où est son intérêt.

Et il s'en allait, confiant.

J'ai noté sur un papier le jour où je consentis enfin à épouser Angounou. C'était un matin. Nous étions allés en ville, à la place du marché, pour notre promenade périodique.

Je me souviens.

Lui, vêtu d'une culotte kaki et d'une chemisette blanche ouverte sur le devant, une main tenant mon bras amoureusement, me traînait entre les étalages de poissons fumés et de viandes boucanées.

Il faisait chaud. De temps à autre, une poubelle renversée où de grosses mouches vrombissaient. Chats et chiens pelés fouinaient. Dans l'une d'elles, une grosse feuille verte semblable à des feuilles de macabo attira mon attention. Je me baissai et la pris dans mes mains.

– Qu'est-ce que tu fais ? interrogea-t-il.

– Regarde, dis-je, émerveillée. Ce sont des salades de France.

– Mais non, mon amour. Ce sont des choux.

– Je te dis que ce sont des salades de France, fis-je vexée. Des salades de France, tu entends ?

– Que veux-tu en faire ?

– Les manger.

– Mais, Mégri, je peux te donner tout ce que tu veux. Il suffit de demander.

Je ne l'écoutais plus. Je défis mon pagne de dessus. J'y entassai les feuilles de choux. L'odeur pestilentielle qui se dégageait des choux ne me gênait pas. Seule me revenait l'idée que si je ne les rapportais pas, il ne nous resterait plus, à Dame maman et à moi, qu'à enjamber les bords du monde et à mourir. Angounou se tenait à bonne distance de moi et se dandinait d'une jambe sur l'autre comme pris d'une irrésistible envie de faire pipi.

– Viens m'aider, dis-je en attachant mon pagne en balluchon.

Il protesta en élevant deux doigts en pinces de crabe pour exprimer le poids de son raisonnement. Il dit que, s'il m'obéissait, les dieux réclameraient sa chair pour purifier son village de la honte. Et que, même pour la mamy-Water, qui sait donner le plaisir sur lit plus que n'importe quelle femme au monde, il ne le ferait pas. Il dit qu'il en avait rencontré à l'heure où les lucioles balisent la nuit de leur clignotant, assises au bord du fleuve, à genoux, la croupe sur les talons, qu'il avait senti l'appel du plaisir lui gratter les reins comme si des milliers de moustiques s'étaient glissés là… Mais là non plus, il n'avait pas transgressé l'interdit. Les gens bien…

– Des gens bien quoi ? C'est du lavage de cerveau, tu m'entends, du lavage de cerveau !

Et je jetai le balluchon à ses pieds. Il le ramassa en grognant et nous prîmes le chemin du retour.

Les infirmes ont ceci de bien qu'ils font tout pour faire plaisir. Comme s'ils éprouvaient le besoin de se faire pardonner leur infirmité. Angounou s'excusait toujours, même lorsqu'il faisait le geste juste, la seule chose qu'il eût à faire.

Nous marchâmes plusieurs heures sans rencontrer un camion qui daignât nous prendre. Certes quelques-uns s'étaient arrêtés et, face à l'odeur des choux qui cuisaient dans l'humidité, ils étaient repartis en trombe.

– Salauds ! Connards ! Vauriens ! Trousseurs de cadavres ! gueulai-je à leur intention en dessinant des gestes obscènes. Vous allez me le payer !

Plusieurs fois, Angounou jeta le chargement par terre, se figea dans une pose théâtrale, le buste raide légèrement cambré, et face tournée vers les cieux, il cracha dans la poussière et décréta que pour moi, il était prêt à affronter une armée de phacochères, de buffles et de rhinocéros, et même tous les Lobolobos réunis au-delà des frontières, mais de grâce, il fallait que j'abandonne mon idée de me nourrir des choux pourris.

Invariablement, je répétai de façon incantatoire :

– Il faut continuer, c'est plus très loin et cette pluie qui menace.

En effet, l'aspect du ciel changeait. De gros nuages en forme de montagne s'aggloméraient en tas au-dessus de nos têtes. L'air était de plomb. Et une odeur de combustible brûlé l'imprégnait.

– Depuis que je te vois marcher, aller à l'encontre des traditions, dis-je à brûle-pourpoint, tu es devenu très mélangé. C'est comme si en plus de toi il y avait une excroissance.

– Que veux-tu dire ?

Je me mordis la langue, m'humectai les lèvres avant de continuer :

– Vois-tu, j'ai l'œil. La perfection humaine n'est pas de ce monde et si quelquefois l'illusion nous prend de l'apercevoir au détour d'un chemin, elle est de courte durée. C'est la première fois que tu m'apparais vrai, si tu vois de quoi je veux parler. Tu es sale, dégueulasse comme n'importe quel homme. Et pas si fort que ça, au fond, puisqu'il s'agit d'une force brutale, instinctive, animale, mais... (Je m'arrêtai quelques instants, concentrai mon regard tout entier sur lui pour donner plus de poids à ce qui allait suivre et poursuivis :) à la différence essentielle que les animaux eux n'exercent leur force que dans la mesure où ils sont menacés, par

272

pur instinct de survie. Prenons ton exemple. Tu transgresses un interdit en portant des choux pourris. Pourquoi le fais-tu ? Tu me répondras que c'est pour me faire plaisir. Ben non ! Oh ! peut-être bien, puisque au fond de toi tu es sincère et que tu le penses. Mais en réalité c'est pour toi que tu le fais, pour te faire plaisir.

Il leva la main en guise de protestation, ouvrit la bouche. Mais je le coupai aussitôt :

– Si, si… Je sais que j'ai raison. J'ai l'habitude de situer les hommes, de voir exactement ce qu'ils sont. Tu es au fond un brave type. D'ailleurs le Christ l'avait dit que tous les hommes sont bons.

Levant la tête, j'observai le ciel. Le soleil avait disparu. Un nuage noir qui portait en lui l'inéluctable promesse d'une tempête s'agglutinait au-dessus de nos têtes. Des charognards viraient sur leurs ailes. La peur me submergea. Le sang me monta à la tête. Je dus m'appuyer à un arbre pour ne pas m'effondrer.

– Ça ne va pas, Mégri ? demanda-t-il en me touchant tendrement l'épaule.

Je pivotai vers lui. Très vite, il s'écarta, puis m'observa de haut comme un homme pris de vertige examine une vallée du sommet d'une tour. Alors son corps se raidit et il se précipita vers moi comme s'il avait trouvé le moyen d'amortir sa chute.

J'étais confuse. Mon désarroi se lisait dans mon regard. Je me souviens que grand-maman, devant ma peur des orages, avait coutume de me prendre dans ses bras et de dire : « Calme-toi, petite fille. C'est seulement les dieux qui lancent des pierres pour nous rappeler leur présence. »

Mais grand-maman n'était plus là. Que devais-je faire ? Me taire ? Me blottir dans ses bras ? J'optai pour la dernière hypothèse qui me sauvait de l'effroi de la tempête. En d'autres temps, j'aurais dédaigné ces bras, ces mains câlines qui dessinaient sur mon corps les palettes de l'amour. C'est ainsi que mon fiancé, au milieu de cet orage éclatant, prit possession de moi. Et tandis qu'il m'aimait, toutes sortes de pensées dif-formes, remembrances fugaces imprimées par le sou-venir plutôt que pensées véritables. Ces mouvements de l'esprit me détournaient, me dispensaient, au moins dans l'immédiat, d'adhérer à la réalité. Et dans cette disposition, je ne m'étonnai pas des glissements, des frottements très insidieux qui accompagnaient cet ins-tant.

– Je t'aime, Mégri. Épouse-moi.
– Oui, monsieur. Quand tu voudras.
– Demain.
– Oui, monsieur. Merci, monsieur.

Dans ma terreur, j'avais accepté l'amour qui s'offrait, ces mots étranges auxquels ma faiblesse s'amarrait, pensant ainsi éloigner à jamais les démons de l'angoisse.

Les jours suivants, j'étais raide comme une corde que l'on tire. Tendue. J'injuriais mon fiancé. Je déclen-chais des disputes forcenées pour des trois fois rien. Comment vous décrire les tisonniers envoyés contre un mur, les cris, les hurlements qui suivirent ?

Angounou gardait un calme de prêtre. Il me faisait la morale. On ne vit pas pour ceci mais pour cela ; pas pour le rêve mais pour la réalité ; pas pour le mal mais pour le bien ; pas pour la mort mais pour la vie.

Et moi, attablée devant l'immodeste effluve de ses mots, je sentais que je ne pouvais rien décider, rien entreprendre. J'étais là, comme un arbre dépouillé de feuilles par l'hiver. Désarçonnée. Embarrassée. Alors, il prenait avantage de la situation pour me maintenir rivée à lui, se penchait doucement vers moi et m'embrassait.

Presque sans que je m'en aperçoive, il réussit à me transformer. J'étais devenue aimable avec les gens, comme qui pressent sa fin prochaine et s'acharne à gonfler la cohorte de ceux qui le regretteront. Je mis de la chaleur dans mon accueil. Je me réconciliai avec la nature. Chaque matin en ce début de saison des pluies, quand les oiseaux venaient becqueter dans la cour, sous le manguier, tout en eux, même les duvets de leur poitrail, m'inspirait de l'amour. Il se peut que la fille que je fus durant ce laps de temps ait connu la paix…

– J'aimerais tant le revoir ! Une fois, une seule pour être sûre que je ne commets pas une erreur, dis-je à Dame maman pendant qu'elle me rajustait ma couronne de fleurs d'oranger.

– Cela ne servira à rien, rien qu'à te tourmenter.

– Tu crois.

Elle hocha la tête, affirmative.

– On peut retrouver un être aimé sans pour autant réveiller le désir. Vois-tu, ma fille, il y a près de cinq mois que tu n'as pas vu cet homme. Pour l'aimer, il faudrait remonter le temps jusqu'au jour de votre séparation et combler chaque seconde où tu as vécu sans lui. C'est pas évident. Allez, oublie tout ça, dit-elle en me caressant les joues. Et elle ajouta : Tu es très belle !

Les yeux de Dame maman se sont concentrés sur moi, des yeux comme un flash lumineux et Dame maman a amorcé un mouvement de recul pour mieux me contempler.

Belle ?

Ma robe commandée spécialement de Paris *via* la « Redoute » selon les dires de mon fiancé. Un enthousiasme teinté de jalousie avait peuplé les villageois. Les parlers étaient bons, admiratifs, « Que c'est joli ! » « Quelle beauté ! » Mais les yeux, eux, demeuraient rétrécis.

Belle ?

Mais moi, moi la fille au cheveu rouge, moi qui vous raconte cette histoire avec cette masse de photographies sous les yeux, ces photos où s'inscrit la légende d'un bonheur sur mesure, je peux vous dire que je me trouvais plutôt comique.

Sur la photo n° 1, je suis debout à côté de mon mari, le coude appuyé sur ses épaules, grosse, forte, le regard en coin braqué sur lui, l'air de lui dire : « Tiens-toi tranquille, mon vieux ».

Sur la photo n° 2, je suis assise sur une chaise en bois, le menton reposant sur mon ventre, l'air las, fatiguée et mon fiancé est engoncé dans un trois-pièces, les jambes croisées à la James Bond de pacotille, ses petits yeux enfoncés ternes, sombres, presque momifiés.

La photo n° 3, la photo de famille, devant l'église. Je suis assise dans l'herbe, un bouquet de fleurs artificielles dans les bras. Les gens m'entourent, grimaçant des sourires, connaissant (vraiment ?) l'espace d'un moment, le chemin qui conduit à la terre-sans-mal, où l'on vit sans jalousie, sans haine, où la vieillesse n'est plus à craindre.

Et, ce jour-là, vêtue de gaze et de voile, j'ai dansé, longtemps, jusqu'à la tombée de la nuit, jusqu'à la tombée de minuit et, autour de moi, tous chantaient et dansaient. Ils élevaient mes pas et mes chants, chaque fois davantage dans l'escalier de la joie, me portaient à frôler la porte du bonheur. À présent j'étais fatiguée, à présent j'étais rompue, j'allais m'endormir comme un enfant qui attend demain. Demain !

C'est alors qu'elle est arrivée. Elle. Magdalena, la fille adoptive de la Prêtresse-goitrée. Traînant dans ses bras fluets sa maison éventrée en forme d'une valise rouge, ficelée n'importe comment et qui semait par-ci par-là une culotte, un soutien-gorge, un foulard. Voilà des heures qu'elle tourne en rond. « Je ne comprends pas, disait-elle, je ne comprend pas. » Mais qu'est-ce qu'elle ne comprenait pas ? Elle ou les autres ?

Remonter à ce qu'elle était avant. Sa vie d'avant. Ses obsessions d'avant. Regarder en arrière, toujours en arrière le plus loin possible. Dépasser ce possible.

Retourner au commencement. Transcender ce commencement.

Essoufflée, elle laisse choir sa valise à ses pieds,
s'appuie sur la porte. L'air triste de celui qui perd son
sentier, femme aux maigres biens dépareillés. Du fond
de son désespoir muet, elle regarde les gens danser, les
vêtements scintiller, les bouches se fendre et les gorges
déployer un concert de sons. Les autres, tous les
autres, loin des trivialités quotidiennes, du cendrier
regorgeant de mégots, du dernier rhume de bébé, de la
lettre difficile à écrire, du mensonge à moudre dans
l'explication incontournable, tout à leurs déhanchements, ils ne la verront pas, n'apporteront pas un moignon de calmant à cette suppuration des blessures
anciennes, à la récente écorchure. Ses épaules ne tiennent plus droites. Ses bras pendouillent le long de son
corps. Elle sait qu'à cet instant elle a l'air ridicule dans
ses vêtements froissés, avec ses cheveux hirsutes. La
sueur ruisselle le long de son front. Les larmes ne sont
pas loin. Elle se retourne, dévale l'escalier de terre battue, porte ses pas au fond de la cour, là où le manguier
promène ses branches dans le noir. Les bras croisés
sous ses seins comme pour se protéger de l'air frais du
soir, elle se laisse aller légèrement en arrière et s'appuie
sur le manguier. Quelques secondes durant, elle ferme
les yeux.

J'ai un pincement au cœur. La pitié tire un coin sur
l'architecture de mon visage. Et déjà mes pas m'amè-
nent vers la femme perdue dans le sable mouvant de
l'angoisse.

– Magdalena. Que fais-tu là ?

Elle m'observe et son œil se durcit. Il y a dans ce
regard une sorte d'appel froid, un cri faible qu'elle
retient. La tête haute, elle laisse son regard s'amollir
par-dessus ma tête, découvrant ses narines, des narines
frémissantes qui ramassent sans contrôle les odeurs de
la nuit.

– Salut, Mégri, dit-elle enfin.

Sa voix est posée, bien modulée. J'ai déjà remarqué ces articulations dans la voix de Dame maman quand elle ne pardonne pas à l'humain d'être là, de violer sa misère. Je pose ma main sur ses épaules.

– Viens, allons danser.

– Non ! crie-t-elle en se dégageant. Je n'ai pas envie de danser…

Gênée, je regarde vers l'ailleurs, la forêt assombrie ; les maisons glissent vers le bas ; les oiseaux de nuit jettent au loin leurs plumes aux nuances noires et grises ; d'une fenêtre une lampe à pétrole nappe de son humble lumière une table familiale.

– Bon, dis-je, il faut que j'aille rejoindre mes invités.

– Attends, supplie-t-elle.

Mes lèvres froncées lui indiquent qu'après tout ses affaires ne me concernaient nullement, que moi, moi la fille au cheveu rouge, je la laisserai emballer ses salades toute seule.

– Oh, Mégri ! Si tu savais…

Mais elle ne peut continuer. Elle pleure. Je la prends dans mes bras. Je lui caresse le dos, tandis qu'elle abandonne son corps dans la plus tiède des tendresses. Je suis pleine d'amertume. C'est ma faute, c'est ma faute ! Je n'avais pas pensé à l'inviter au mariage et voilà le résultat. Je ne réussis pas à contenir ma tristesse. Magdalena se trompe sur sa nature. Elle me submerge de tendresse.

– Tu le savais toi aussi ? Oh, Mégri…

– Savoir quoi ?

– Il y a des choses qui s'impriment. Ou qui s'effacent. Longtemps j'ai pensé que ma mémoire ferait passer celle-là. Tu sais. Il y a des choses qu'on oublie. D'autres qu'on n'oublie pas. C'est pas toujours si simple. Tu prends une lettre. Tu la brûles, elle disparaît. Mais l'image de la lettre reste là sous tes yeux, pas seulement dans ta tête. Mais là dehors, elle flotte, elle gémit, elle pleure jusqu'à l'instant où quelqu'un d'autre se souvient soudain d'elle. Quelqu'un qui n'a rien à voir avec... Tu me suis ?

– Tu me parlais de quelque chose que je devais savoir, Magda. Excuse-moi, je ne suis pas très douée pour les devinettes.

– Je n'ai pas envie de te raconter ça.

– Je n'ai pas envie d'entendre. Mais au point où tu en es, tu peux continuer.

– Je peux aussi en rester là.

– Les gens que j'ai vus avec des secrets ont tous un baobab qui leur pousse dans le dos. Un vrai avec des branches énormes qui font la nuit et ne permettent jamais au soleil de passer... Tu me suis ?

– Hmmm... Hmmm...

– Tu devais me dire quelque chose, je suis prête à l'entendre.

– Peut-être, mais moi je ne suis pas sûre de pouvoir te dire. Le dire, peut-être, mais trouver les mots qui conviennent. C'est à cause de l'oiseau.

– Quel oiseau ?

– Oui, de l'oiseau l'autre jour sous la véranda. Il avait une patte cassée et ne savait plus où aller, sans jambe, sans famille, tu me suis ?

– Peut-être.

– J'avais pitié de lui, je l'ai ramassé, je l'ai soigné. Une fois guéri, il fallait le laisser partir. C'était au-dessus de mes forces.

– Faut s'attacher à rien.

– Très juste !

– Et le secret ?

– Si je te le disais, tu ferais comme moi avec l'oiseau. Tu t'attacherais. Et que peut faire une femme sans jambe ?

– Je dois savoir, dis-je en élevant la voix.

– Très bien. Tu l'auras ton secret. Je suis ta sœur !

Chancelante, je recule car la seule force qui me reste, mes seules ressources ne peuvent m'amener qu'à des pas en arrière. Tout devient clair. Le passé s'étale sous mes yeux comme une poubelle renversée. La vie de Dame maman. Celle de sa fille, ou plutôt de ses filles.

– C'est ma faute ! dit Magdalena en se frappant la poitrine. Tout est ma faute ! Je ne fais que des bêtises. Même ma naissance était une erreur.

Et elle parle. Et ses paroles ressemblent à une dispute avec elle-même. Indistincte. Intense. Et, face à ce flot de mots, je hausse le ton moi aussi. Finalement, je l'emporte. Magdalena ne prononce plus la moindre parole. Maintenant, je lui parle doucement, avec persuasion. Un murmure apaisant. Ce qui suit, je l'ai lu dans le carnet de notes de Laetitia. Je le répète à ma sœur :

– Toute naissance est erreur, femme. À quoi bon faire des enfants dans ce village ou ailleurs alors qu'hommes et femmes ont tous la même vie ? Bulles éphémères sur l'immortalité terrestre, ils attendent, les yeux fixés au ciel, quelque chose qui les envelopperait d'éternité. Ils vivent côte à côte presque sans se voir, sans se connaître, en appelant connaissance la coutume qui les amarre à la stupidité. L'individu n'est rien. Le groupe est tout. Pourquoi ? Pourquoi quoi ? L'irraisonné. L'inexplicable. C'est comme ça. Point. À telle enseigne qu'au fil des ans leur visage revêt un masque de bois. Encore vingt, trente ans peut-être, ils seront tous des statues fang. Sous leur moule en bois, vivra cachée, ratatinée, rabougrie, une étincelle de feu qui rappellera que jadis... jadis, il y eut un homme, une femme. Ça sera le règne de l'ordre. Plus de femme ! Plus d'homme... L'abolition. Aujourd'hui, tu as arraché ton masque, tu es devenue ma sœur. Viens, allons à la maison.

Magda hoche la tête et dit :

– Je n'ai plus de maison. Personne ne veut de moi nulle part.

– Ma maison sera ta maison. Partout où je serai, tu seras toi aussi. Je vais en parler tout de suite à Angounou. Ne bouge pas. Je reviens.

– Non, Mégri... Tu ne comprends pas !

– Mais...

– Je l'ai tuée ! Tu m'entends ? Je l'ai TUÉE-ÉE ! J'en avais marre de me cacher. J'ai vu le poison sur la table de nuit. Je l'ai versé dans sa tisane. Elle est morte !

– Qu'est-ce que tu racontes ?

– La Prêtresse... Je n'en pouvais plus. Oh, Mégri ! je t'en ai tant voulu ! Je voulais ta mort, je la souhaitais nuit et jour comme celle de cette femme qui m'a donné le jour et qui m'a abandonnée... J'ai rempli ma mémoire du crime monstrueux qu'elle a commis contre moi. J'ai construit des tribunaux où elle a été jugée. Je la voyais se repentir, se morfondre, hurler de remords : frappez-moi, messieurs les juges, bannissez-moi, tuez-moi, je le mérite ! Écartelez-moi, Messieurs les bourreaux, je ne vaux rien ! Châtiez-moi, réduisez-moi en poussière, messieurs les moralistes, car j'ai abandonné ma fille, je me suis laissé corrompre par la vie. Ma fantaisie s'élargissait. Je la persécutais, je la poursuivais non pour la punir mais pour déverser sur elle toute ma haine si longtemps refoulée, ma cruauté inassouvie, mes angoisses inavouées.

» Pourtant, jamais mon imaginaire ne me permettait de l'attraper vraiment et de lui donner le coup fatal, qui me trancherait à jamais d'elle. Sans le vouloir, j'étais devenue sa prisonnière, prisonnière de l'amour maternel que je recherchais dans la violence... Je l'aimais malgré tout, Mégri... Mais tu jouissais toute seule de sa tendresse.

Sa voix se casse. Son visage accuse le coup. Les commissures de ses lèvres s'inclinent vers le bas ; ses yeux sont secs. Une vague de douleur l'oppresse, lui fait mal comme un clou enfoncé dans la poitrine. Cela dure une éternité avant que les larmes ne tombent sur sa robe défraîchie. Et la douleur convulsive se dissipe.

– À présent, me dit-elle, tout cela n'a plus aucune importance, je veux partir.

– Tu ne dois pas, Magda… Elle ne savait pas que tu étais sa fille. Elle te croyait morte jusqu'au jour où Ndonksiba lui a parlé de toi. Elle a souffert, enfermée dans l'ignorance de toi. Aujourd'hui, tu lui apportes la clef des verrous. Tu lui apportes la liberté, la paix de l'âme.

– Mais moi, que va-t-il advenir de moi ?

– Ne t'inquiète pas. On te défendra.

Mes paroles l'apaisent. Elle se redresse et se laisse embrasser, prête à accepter ce bonheur incertain que je lui présente comme une aubaine.

Ma décision était prise. Le bonheur ? On l'acquiert avec un peu de courage ou beaucoup d'argent. L'amour ? On le vit ou on décide de le vivre simplement, sans se poser de questions. Rattraper des occasions perdues. Refaire le monde… J'allais garder ma sœur auprès de moi. En parler à Angounou qui ne pourrait qu'accepter. Une émotion toute nouvelle m'emportait, balayant la nostalgie de mon enfance, ce désir d'une sœur, d'un frère qui se trouvait soudain comblé.

Je suis applaudie. Par les anges célestes. Par les hommes qui échappent à leur misérable destinée qui consiste à vivre pour mourir. Par les arbres que les hommes ne couperont pas. Par l'eau de la rivière non polluée. Par le boucher qui renoncera à égorger des bêtes. Je suis applaudie par la terre tout entière libérée, enfin.

Dans le salon éclairé de trois lampes à gaz pour l'occasion, les gens continuent à se trémousser au rythme infatigable d'un gramophone. Ruisselant de sueur, ils dansent, qui répétant les manières d'un danseur célèbre, qui inventant dans l'euphorie générale des pas à vous arracher des hurlements d'admiration. Je sais qu'ils tiendront ainsi tournoyant, tourbillonnant, bras en ailes d'avion, jusqu'aux premières lueurs du jour. Et tandis que je me fraie un chemin, je cherche Angounou du regard. Yaya, une femme plantureuse, habillée d'une gandoura en lamé argenté, la naissance des seins dissimulée par un minuscule mouchoir brodé, me hèle.

– Tu cherches ton homme ? demande-t-elle en penchant son front trempé de sueur vers son amoureux, un petit homme étranglé dans un costume étroit, pour un chaste baiser.

– Tu ne l'as pas vu par hasard ?

– Déjà mante religieuse, dit-elle en plantant des ongles vernis rouges dans la peau flétrie de son compagnon. Elle est pressée de le dévorer ! Un peu de patience, ma chère. Pour l'instant, il s'occupe de ses intestins.

Et trouvant sa repartie pittoresque, elle éclate de rire.

Angounou était à croupetons au-dessus du W.-C., le pantalon baissé jusqu'aux genoux, le derrière tourné vers moi. Un derrière complètement nu s'offrait à ma vue, un derrière tout gris, bigarré de grosses veines noires et de taches brunâtres, un derrière mal en point, flétri comme celui d'un vieillard alors que mon mari atteignait à peine la quarantaine. Et ce pauvre derrière déféquait avec une violence et une abondance énormes, et la merde tombait dans le trou dans un bruit mou.

Je restai un long moment, saisie d'effroi devant ce spectacle si misérable, si répugnant. Je détaillai pour la première fois ce derrière diminué, ratatiné, qui semblait être fait de quelque substance molle comme le pudding, n'ayant rien de commun avec des muscles. Comment pourrais-je vivre avec lui, jusqu'à la mort, pour le meilleur et pour le pire ? Non que je n'aie jamais vu quelqu'un faire ses besoins ! Dans le village, des gosses aux ventres ballonnés de parasites en parsemaient partout, à l'instant des sevrages, ce passage difficile entre l'allaitement et l'alimentation adulte. Mais il en est du dégoût, comme de l'amour. La même rapidité, la même violence dans le déclic intérieur. On serre la main à une inconnue et elle devient une amie. Un jeune homme vous sourit ? On lui jure amour éternel, bonheur et fidélité. Et, le soir, quand on ne peut trouver son sommeil, on lui écrit des poèmes d'amour qu'il ne lira jamais car, le lendemain matin, le jour aidant, on les trouve très beaux et très bêtes.

– Mégri, mon amour ! s'exclame mon mari en me voyant. Quelque chose ne va pas ? Je suis à toi dans une minute, dit-il en se levant et en ajustant son pantalon.

– Tout va bien, réponds-je en allant à reculons... Tout va très bien. Prends ton temps.

Et sans respirer, je cours dans ma chambre. J'entasse dans un balluchon quelques objets. J'accomplis chaque geste avec la précision d'un automate en évitant de raisonner, car la raison m'aurait ramenée sous les feux de la joie, pour recevoir des félicitations et m'endormir ce soir dans les bras de mon mari. Oui, la raison m'eût forcée à crier afin qu'on me secourût de la folie qui m'habitait. Fermant les yeux, j'écoute avec une intensité redoublée les bruits de la fête, puisant dans cette excitation générale un regain de courage. J'ôte ma robe virginale. J'enfile un boubou noir, élimé, rapiécé. Je ceinture mon ventre d'un foulard pour mieux le soutenir.

Retenant mon souffle, je longe le couloir, attentive à prévenir le moindre tressaillement du sol sous mes pieds. Puis, je gagne la cuisine et quitte la maison par la porte donnant sur l'arrière-cour.

– On s'en va, femme ! dis-je à ma sœur.

– Mais où ? demanda-t-elle, étonnée de me voir ainsi accoutrée.

– Vers la liberté. Je quitte mon mari.

– Déjà ? Mais t'es complètement folle ! Plus folle que je l'imaginais. Mais que vas-tu devenir, toi et ton bébé, loin de tout ? Tu ne peux pas partir ainsi maintenant que tu lui appartiens.

« Lui appartenir ! » Je la giflai. Ce fut un geste instinctif, dirigé plus contre ma propre fureur que contre ce que venait de dire Magdalena. Incrédule, elle me considéra sans un mot. J'avais honte de ce que je venais de faire. J'aurais voulu tomber à ses pieds pour recevoir son pardon. Au lieu de quoi mes yeux brillaient de méchanceté. Je fis jaillir un tel ouragan d'insultes que l'air sembla en frémir. Je jurai comme une pute que j'étais peut-être, comme un rat que je devenais, comme une racaille puante et ordurière et, devant ce torrent de paroles, de remontrances, ma sœur éclata de rire et m'imita si bien que j'allai moi-même dans le rire.

– J'ai du mal à suivre tes sautes d'humeur, dit-elle. Mais, rassure-toi, elles ne me font pas peur.

L'amitié était scellée.

Coupant à travers champs, nous contournâmes les rues du village où quelques villageois encore éveillés auraient pu nous apercevoir, et piquâmes en direction de la forêt vierge.

Bientôt les jappements des chiens s'éteignirent et le grand bois nous accueillit. L'idée que je ne reverrais plus jamais Wuel me traversa douloureusement. Je me voyais courant à la mort, avec un calme et un détachement que je ne me connaissais pas, sans que m'effleurât l'idée de revenir sur mes pas. À cette heure, Dame maman, me cherchant partout, avait dû trouver la lettre posée en évidence sur la table de chevet. Elle l'avait donnée à lire et ma folie annoncée à voix haute, de la façon appliquée de ceux qui ne savent pas lire mais avaient appris par cœur les lettres de l'alphabet, avait achevé de clore à jamais derrière moi les portes de la maison familiale, celle de la société de Wuel tout entière, m'avait bannie du rang des femmes, m'exilant de la vie protégée et somptueuse que me promettait mon mariage.

Et moi, moi, la fille au cheveu rouge, j'étais fière de moi, malgré ma grande fatigue. Je savais que je foulais à mes pieds tout ce qui m'avait enrobée. Je me meurtrissais avec plaisir, comme grisée de quelque libation mystique à l'instant du sacrifice dont malgré tout je redoutais l'accomplissement. Et j'allais, envoûtée par mes délires incohérents.

Nous marchâmes durant deux jours et trois nuits. Le paysage avait considérablement changé. La forêt se raréfiait et nous débouchâmes dans une savane brûlée par le soleil. Même, du sol paraissaient monter des gémissements de souffrance. Le terrain devenait plus dangereux, plus escarpé. Cette marche à travers une étendue hostile ne dérangeait pas Magdalena. Avec ses longues jambes osseuses, elle parcourait des distances avec facilité, aussi à l'aise qu'une gazelle. Elle était très habile à allumer un feu de bois en s'aidant de quelques brindilles et d'une allumette, à retrouver des points d'eau, à tendre des pièges aux agoutis[1]. Le soir, nous nous coulions l'une vers l'autre et nous parlions. D'après Magdalena, les villageois s'étaient probablement lancés à notre recherche.

Unies dans une même destinée, nous nous réconfortions mutuellement en évoquant les faibles chances qu'ils auraient de nous retrouver.

À certains moments, je l'incitai à m'ouvrir sa mémoire, pour me procurer le plaisir que je tirai du récit de sa vie, comblant ainsi la fosse de plusieurs années où nous avions vécu dans l'ignorance l'une de l'autre. Elle se renfrognait, car pour elle toute mention de son enfance faisait mal. Tout y était douloureux.

C'est durant la troisième nuit que la douleur me prit. L'élancement de crampe dans tout le ventre qui revenait avec la précision d'une horloge. Je reposais sur l'herbe, enveloppée d'un halo de souffrance, la bouche tordue, les dents serrées. La sueur perlait de mon front.

1. Agoutis : rats palmistes.

La douleur rendait mes yeux semblables à des boules de coton. Magdalena dans son rôle de femme sage, accomplissait des gestes précis, avec une patience tranquille. Je l'abreuvais d'injures. Elle m'écoutait avec la même patience bienveillante. Quand une contraction m'enroulait sur moi-même, elle me soutenait la tête, je m'agrippais à ses bras, me tordais en tous sens comme un asticot. Il émanait d'elle une telle force, une telle maîtrise de soi, une grande dignité très-femme-africaine. Ici au milieu des ténèbres, dans un petit coin aménagé sous l'Équateur, à plusieurs lieues de l'endroit où j'étais née, où j'avais transporté le cadavre de mon papa pygmée, où j'avais épousé et abandonné mon mari avant même que le mariage soit consommé, je poussais des hurlements à déchirer la savane. Magdalena me prodiguait des paroles consolatrices, les clichés, les fadaises dont on use en pareille circonstance.

Haletante sous un ciel troué d'étoiles, j'écartai les jambes car la tête se présentait.

– Pousse ! hurla-t-elle.
– Tais-toi !
– Il est coincé. Pousse, sinon il va se noyer !
– Attrape-le !

Et les mains savantes se remirent au travail. Elles s'insinuaient là où il fallait, agrippaient fermement la tête, tandis que les lèvres roucoulaient des encouragements. Brusquement, je m'arquai. La délivrance jaillit de mes entrailles. Le bébé cria. Je regardai. Trente centimètres de cordon pendaient du ventre de l'enfant. Il grelottait dans l'air fraîchissant du soir. Magdalena, à l'aide d'un couteau préalablement brûlé, coupa net le cordon. Elle enveloppa le bébé dans un morceau de couverture, et me le tendit. Je comptai ses doigts, ses orteils. Ils étaient vingt. Elle était aussi ridée que ma grand-mère, elle hurlait à pleins poumons. Mais j'étais radieuse, fière. Je m'effondrai mais fis promettre à Magdalena de prendre soin de mon bébé.

– Elle est tout ce que je possède. Aide-moi à la protéger. Tu m'as aidée à la faire naître. Elle est aussi ta fille. Il ne faut pas qu'on nous l'arrache.

Magdalena me dit de ne pas m'inquiéter.

Elle était agenouillée dans l'herbe, le bébé dans ses bras.

Je continuai :

– Je sais de quoi je parle. Tu es plus âgée que moi… Mais je suis la plus vieille car en ce moment je suis bien plus proche de la mort ! La souffrance éclaircit le jugement. On lutte jusqu'au moment où on s'aperçoit que tous nos efforts nous ramènent au point de départ. On ne peut pas échapper aux lois de la vie, on ne peut pas. Les saisons se succèdent. Le pied gauche s'accorde au pied droit, l'œil droit à l'œil gauche. Et ça continue ainsi, inlassablement et ça ne s'arrête jamais. Il faut briser cette chaîne. Aide-moi à la briser, ma chérie, aide-moi à protéger notre enfant.

Ma tête roula sur le côté, je m'assoupis ou j'entrai dans un état d'hallucination ou de rêve, mais c'était du pareil au même. Je restai ainsi plusieurs jours. J'en ai perdu le décompte. Des éclairs de lucidité me traversaient et, dans ces moments-là, je ne cessai de me dire qu'il me fallait un homme, peu m'importait, il fallait une épaule d'homme, de préférence le genre d'homme dont la présence donne aux femmes les plus fortes l'envie de se laisser aller, de dire qu'elles ont mal aux dos, juste pour le plaisir d'assouvir l'avide désir de sentir des mains solides et musclées batailler sur leurs hanches, les serrer à les étrangler jusqu'à l'instant où il presse sa joue contre les seins et qu'elles devinent que c'est fini.

Après tout, qu'étions-nous ? Une goutte d'eau dans un océan. Je pourrais aussi bien accepter les conditions qui m'étaient faites, rentrer à Wuel, retrouver mon mari et rester auprès de lui. Je me dis que, même s'il semblait seulement m'aimer, c'était mieux que rien. Je m'apercevais que je nourrissais à son égard des sentiments tendres qui n'étaient peut-être pas de l'amour. Mais qu'était-ce l'amour si ce n'est une espèce de tranquillité, de paix de l'âme ? J'avais mille souvenirs de lui. Même ses sermons me revenaient, pleins de bon sens et de beauté. Du moins je ne cessais d'en parler à Magdalena. Dans ces moments-là, elle penchait vers moi son visage d'ébène qui avait subi tout ce qu'un bois peut souffrir, jusqu'à la limite du supportable. Elle ne cherchait pas à me contrarier.

Je dormis pendant plusieurs jours et plusieurs nuits, ne m'éveillant que pour la tétée du bébé. Magdalena me soignait, surveillait mon sommeil agité, écoutait mon souffle bruyant tant par amour qu'à cause de la possessivité maladive qu'elle avait contractée vis-à-vis du bébé. Elle la lavait, la langeait, tout en priant Dieu que ma fièvre tombe, surtout pour bébé, car elle craignait que le lait ne tourne. Elle me soignait, elle la soignait avec tant d'intensité qu'elle s'oubliait, oubliait des gestes mécaniques tels que manger, se laver, dormir.

– Mégri ? me chuchotait-elle. Mégri ?

J'ouvrais péniblement les yeux :

– Oui ?

– Elle m'a souri en s'endormant, t'as vu ? Elle m'a reconnue.

Quelquefois, lorsque je gisais, les yeux rêveurs, perdus dans le vague, un très long moment, courant après les fantômes de ma vie, passant et repassant ma langue sur mes lèvres desséchées, Magdalena, prise de panique, s'enquérait :

– Qu'y a-t-il ? questionnait-elle. Veux-tu boire ? As-tu besoin de quelque chose ?

– Non. Tu ferais mieux de t'occuper de toi.

– Moi ?

– Ouais… Tu ne ressembles à rien. Ta tante, ton père ne t'ont jamais appris comment te tenir ?

– Tu veux dire la Prêtresse et Ndonksiba ? Ils n'avaient pas le temps de le faire. Lui, j'ai dû le voir quatre fois, trop occupé à son laboratoire. Laisse tomber.

Si seulement elle pouvait accepter que son enfance privée d'amour puisse dériver par son regard ouvert sans craquer, mais dévier comme une coquille vide ! Si seulement elle pouvait accepter simplement de dire. Ces moments de la première enfance où elle couchait sous le lit. Où, cachée derrière les barreaux de la fenêtre dans l'ombre obscure de la maison, elle guettait le passage des enfants qui allaient joyeusement à l'école. Et les questions qu'elle n'arrivait pas à formuler… Pourquoi ? Jusqu'au jour où elle sut qu'elle avait été abandonnée, qu'une malédiction entourait sa naissance. Non, elle ne dirait rien. Car dire la pousserait vers des lieux d'où elle ne pourrait plus revenir, comme la Moissonneuse-du-mal qu'elle avait aperçue quelquefois, remplissant sa calebasse de larmes.

Enfin, un matin, je fus sur pied. Maigre. Affaiblie. Je décrétai qu'il était temps de reprendre la route, de retrouver la civilisation. Le bébé dans les bras, elle protesta :

– Tu es encore trop faible, Mégri !

– Le corps, Magdalena, seulement le corps. Quant à l'esprit, il n'a jamais été aussi éveillé.

– Où irions-nous ?

– Nous rentrons, femme.

– Tu peux rentrer. Moi je continue avec ou sans toi.

– Maintenant que nous nous sommes retrouvées, plus rien ne peut nous séparer. Rentrons au village.

– C'est non, Mégri.

– Tu oublies Ndonksiba.

– J'étais son instrument de vengeance, une arme pour retrouver son amour, un objet acheté au même titre qu'une babiole ou une boîte de talc… Rien de plus, acheva-t-elle, amère.

– D'accord… Donne une pièce. On va jouer à pile ou face.

290

Un silence stupéfait accueillit ces mots que brisa soudain un rire tonitruant mêlé de jurons fulminants. Magda sortit une pièce, je retins mon souffle.

– Pile ou face ? demanda-t-elle.

– Face, dis-je.

Magda envoya la pièce en l'air. Je suivais les yeux exorbités la course de la pièce qui déciderait de nos destins. J'étais inquiète mais évaluais le temps que je mettrais à rentrer à Wuel.

– Pile ! exulta Magdalena.

– C'est pas vrai !

Et, devant le visage tranquille de ma sœur, je me tus. Magdalena me jeta un regard de triomphe, attacha le bébé dans son dos et nous prîmes la route. Elle devant avec le bébé dans son dos et nos maigres provisions sous ses bras, le corps tendu vers l'avant, comme si de son effort dépendait ma progression, comme si elle me halait.

Toute la journée, nous marchâmes sans rencontrer âme qui vive. Les sentiers se faisaient plus rouges, plus arides. Le soleil dardait fort. Enfin, au moment où le crépuscule basculait dans la nuit, quand le soleil épuisé de sa longue journée revêtait son pyjama, nous tombâmes sur un village, construit en hauteur, au milieu des roches en forme de dômes qui s'agglomé-raient en gros tas comme des nuages blancs. Entre ces rochers, des arbustes poussaient, maigres et effrités dès la naissance, et leur épines dorsales vieillies préma-turément me rappelèrent étrangement des paysages bibliques.

– On va demander l'hospitalité dans ce village, dis-je à Magdalena.

– Tu n'y penses pas, Mégri... Ton mari te recherche et, à l'heure qu'il est, toute la police doit être à nos trousses.

Je comprenais le caractère irréfléchi de mon acte, ce vent-harmattan qui s'était engouffré dans mon corps avait gonflé mes chairs comme des voiles et m'avait poussée à échapper à mon destin.

J'avais volé ma personne. Il était normal que l'on cherche à restituer l'objet volé à son véritable propriétaire. Ce n'était que justice. J'étais trop fatiguée, trop harassée pour lutter, encore. Je vacillais sur mes jambes. Chaque muscle de mon corps me faisait mal. J'avais besoin d'un bon lit, d'un pépé brûlant et relevé, d'un plantin frit. Voilà qui me remettrait en forme. J'exposai tout cela à ma sœur en lui affirmant en outre que les flics ne penseraient jamais à venir nous chercher dans ce village perdu. Elle ne m'approuvait pas et sa figure d'ébène qui s'allongeait de près de cent pouces me le faisait comprendre. Néanmoins, elle accepta.

Nous contournâmes les rochers et pénétrâmes dans la cité.

La plupart des maisons sont en brique rouge, propres, nettes. Des arbres fruitiers poussent dans les cours. Derrière chaque concession, des potagers : haricots, maïs, arachides, ngombo... Tous les signes d'un ordre retrouvé si bien établi. Des poules et des coqs picorent du mil et se pourchassent. Des gosses à moitié nus jouent à se poursuivre dans des tollés de rires. D'autres sautent à la corde et psalmodient avec des voix aiguës. Dès qu'ils nous voient, ils cessent de jouer et nous observent, à bonne distance. Des femmes, des bassines d'eau sur la tête, un bébé dans leur dos, se pressent de rentrer chez elles. Certaines nous jettent des œillades étonnées avant de disparaître derrière leur maison. Des vieillards, assis sous les vérandas, fument leur pipe. Rien ne saurait les surprendre. Ce royaume n'a plus de secret pour eux. Pas de cœur ni de corps dont ils ne possèdent les clefs – à l'image de ces anneaux de fer où pendent les clefs de leurs habitations, de leurs malles... Certains lèvent des yeux profonds et durs vers nous, mais les baissent aussitôt.

Je me dirigeai vers l'un des vieux sages et lui dis « bonjour » un peu fort car persuadée qu'il a l'ouïe aussi dure que les yeux. Magdalena lui demande où est la maison du chef. D'un doigt, il nous indique une habitation entourée d'un mur de paille et de pierre.

Une maison vaste, plus haute que les autres avec un toit de chaume. Dans la cour poussent des fleurs d'un rouge éclatant, des bougainvillées, des frangipaniers qui embaument l'air d'une fraîcheur des matins des saisons sèches. Quelques enfants jouent et, à la différence des autres enfants, ils ne font pas attention à nous. Des femmes, coiffées à l'antique, des perles plein les cheveux, pilent le mil en chantant une mélodie douce comme la caresse des doigts de ma mère dans mes cheveux.

Le cœur battant, je frappe à la porte.

— Entrez ! nous intima une voix d'ordre.

J'entrai tandis que Magdalena, méfiante, restait dehors, en sécurité. Deux torches suspendues aux murs éclairaient faiblement la pièce. Dans un fauteuil de bois, finement ciselé, orné de pierreries de toutes sortes, était assise une femme aux cheveux rasés, un anneau d'or dans le nez. L'avare lumière dessinait parfaitement son crâne aux proportions imposantes mais aux contours délicats. Ses lèvres d'un rouge vif contrastaient étrangement avec le noir luisant de sa peau. Et même assise là, dans son fauteuil de bois, il était évident qu'elle était née pour le faste et le pouvoir. Il se dégageait d'elle une ombre qui émane des gens forts, presque une seconde vie à côté de leur vie matérielle. Quelque chose d'étrange, de mystérieux l'enveloppait d'un manteau de fumée bleuâtre. Elle écarta ses grosses lèvres, me sourit et me fit signe d'approcher.

Surprise de trouver l'éminent personnage si bien disposée à mon égard, je demeurai quelques secondes interloquée, les mains jointes dans un geste de prière.

— Viens, mon enfant, dit-elle.

Tête baissée pour lui exprimer ma soumission et mon respect, je m'avançai et m'arrêtai à quelques pas d'elle, un genou en terre. Elle m'inspecta, tant et si bien

que le soulagement que j'avais d'abord éprouvé s'éva-
nouit. Il me semblait percevoir dans ce regard une
condamnation. Peut-être avait-elle entendu parler de
ma fugue ? L'étau du réel se resserrait autour de moi.

– Comme ça, tu viens nous demander l'hospitalité.

C'était plus une constatation qu'une question. Je
levai les yeux vers elle, la gorge sèche.

– Oui, madame. Je dois vous avouer que je suis fatiguée. Un peu de repos me ferait du bien, sinon je suis
bonne pour la tombe.

– Allons, Mégrita, les gens de ton espèce ne meurent
jamais !

Il y avait là une intention délibérée de me faire
savoir qu'elle connaissait tout de moi, de mon passé.
Alarmée, je la regardai à la dérobée. Elle me méprisait.
Je le savais d'instinct. Elle n'était pas hypocrite. C'était
une bête sauvage, prête à sauter sur sa proie, à la dévorer.

– Ne me jugez pas, dis-je avec un sourire forcé. Je
me juge assez moi-même et j'accepte l'exil, je l'accepte
puisque mes pensées elles-mêmes s'y trouvent déjà.

– Tant mieux, dit-elle lentement, cherchant ses mots.
Vois-tu, j'avais un fils, grand, beau, fort… J'ai tenu à lui
inculquer les connaissances que j'avais, à lui trans-
mettre mes pouvoirs. Une femme est venue, maintenant devant lui il y a la mort qui se dresse.

– Je suis désolée, madame.

– Parole d'une femme qui a le temps devant elle et la
mort dans ses poches.

– J'espère que vous n'allez pas essayer de me tuer,
dis-je en riant cette fois franchement.

– Oh ! non, ma fille. Nous n'avons pas de telles coutumes chez nous, dit-elle en affichant une moue méprisante, les yeux fixés sur ses mains qu'elle inspectait par
à-coups. (Et, comme à contrecœur, elle les porta sur
moi.) Au fond, je te connais bien. Tu es une brave fille.
Tu n'es pas aussi dure ni aussi folle que tu le parais et

tu peux même te montrer charitable. Et ça, c'est une qualité.

– Pourtant vous ne m'aimez pas !

– Ce que je n'aime pas en toi, c'est la femme que j'étais à ton âge. Peut-être ne comprends-tu pas dans quelle situation désastreuse tu t'es mise ? Tu te perds dans les méandres de la liberté et cela d'une façon stupide. Que vas-tu faire maintenant ?

– Continuer, rechercher l'amour, la liberté.

– Ainsi tu aimes ? Dans l'amour, il n'y a aucune liberté. Que feras-tu si l'amour te rejette ?

– Alors, je me tuerai pour la liberté.

– Bravo ! J'ai voulu faire exactement la même chose il y a plus de trente ans. Et maintenant je suis enchaînée, clouée à cette chaise jusqu'à ma mort. Inutile de te déballer ma vie.

Elle frappa dans ses mains. Deux femmes grandes, à la peau luisante d'huile de palme, apparurent aussitôt, deux torches fumantes dans les mains.

– Conduisez notre hôte à sa case, dit-elle simplement.

– Je ne suis pas seule, votre Altesse... Il y a ma sœur et ma fille.

– Ne t'inquiète pas, petite... Elles t'attendent.

– Merci, votre Altesse.

À reculons, encadrée des deux femmes, je sortis. Elles me conduisirent jusqu'à une petite case, m'y abandonnèrent et s'en allèrent, bruyantes de bonne humeur.

J'entrai dans la case. De loin me parvenaient des cris de grillons, de criquets dans un vacarme qu'amplifiait encore l'isolement du lieu, comme s'ils voulaient sonner l'alarme à quelques présences hostiles, assemblées là, dans cette maison. Une lampe à huile projetait des ombres menaçantes sur les murs. La pièce était étroite. Deux peaux de moutons jetées à même le sol servaient à la fois de tapis et de siège. Sur une petite table de rotin, se trouvaient rassemblées des casseroles, des assiettes, quelques calebasses. Dans un coin, un lit de bambou recouvert d'un matelas de paille. Une couverture en toile rouge sang de bœuf, deux oreillers l'ornaient. Après des nuits difficiles, cette chambre m'apparaissait comme une suite royale, baignée de magnifiques draps de satin. Je regardai par la fenêtre, vers le jardin, lorsque j'eus l'intuition d'être observée. Je me retournai.

Sur le seuil, quelqu'un sortit de l'ombre : l'Étranger, en boubou blanc, des sandales, comme on en porte chez soi. Il souriait, découvrant ses dents d'ivoire à la lueur des torches. Ses yeux, comme des lampes, me fouillaient. Pendant quelques instants, j'eus l'impression d'être l'objet d'hallucinations dues à mon état d'extrême fatigue. Il me suffit pour échapper à l'illusion de secouer ma tête, de frotter mes yeux. En cas d'insuccès de hululer plus fort que les oiseaux du mal qui envahissent le village quand ses dernières braises s'éteignent.

Mais, non ! Il y avait ses pas qui faisaient chanter le sol à ses pieds. Et sa voix que je connaissais si bien, cette voix qui en s'élevant sait déjà comment tout s'organise, comment tout se tient, cette voix qui semble toujours être placée au sein même de l'événement, sur le point de force où l'anecdote, l'action se découvrent. Cette voix résonne :

— Mégri !

Moi, moi, la fille au cheveu rouge, dotée d'une compréhension des choses, des hommes, des moments, équivalents à la triste moyenne, je demeurai sans un mot, tremblant de la tête aux pieds.

Il était devant moi, les bras croisés sur son torse. Amaigri.

— Les hommes se rencontrent toujours, a-t-il constaté.

Des mois de souffrance, de solitude et d'angoisse resurgissaient et faisaient pleuvoir mes yeux. On peut lutter, j'avais lutté comme une forcenée pour effacer de ma mémoire notre rencontre. Transformer le passé et l'avenir en deux lignes parallèles pour que leurs trajectoires ne se rencontrent plus. Oui, on peut s'épuiser à fuir, on piétine toujours ses propres traces.

L'Étranger s'approcha de moi. Il s'appliquait à m'arracher au filet d'angoisse dont j'étais prisonnière. Dans un déploiement de charme, il reniflait ma nuque, mes venelles en récitant les psaumes d'amour. Je reculai, élevai les murs de la sagesse.

– Tu ne m'aimes plus, dit-il.

Sa voix était rauque, voilée. La faible lumière de la pièce m'empêchait de voir l'expression de ses yeux.

– Pourquoi ? a-t-il demandé.

– Tu m'as abandonnée au moment où j'avais le plus besoin de toi.

Je lui lançai ces mots, ces mots de femme pour lui faire sentir le désespoir qui m'avait habitée depuis son départ. Pourtant les lambeaux d'une vieille dévotion se reconstruisaient dans la charpie de ma mémoire.

– Mégrita…

– Je ne veux plus ! Je ne veux plus souffrir. Je veux vivre libre, élever ma fille dans l'idée que je me fais de l'amour, de la vie… Je ne veux plus faire des bâtards !

Un flot de sang empourpra son visage. Je restai loin de lui, à quelques pas, craignant d'approcher, prête à m'enfuir. Mais c'est lui que la souffrance fit se pencher en arrière. Je vacillai mais ne cédai point.

– Je sais… que je ne peux t'obliger à m'aimer, à me pardonner. Notre enfant a un père. Je suis son père depuis le jour où il a été conçu et il en sera toujours ainsi, mariés ou pas. Tu as ma parole. Mais, je reconnais que tu es libre d'aimer qui tu veux… Et… je ne t'obligerai jamais à rien.

– Je veux que tu le reconnaisses, officiellement…

– Nous vivrons désormais ensemble. On ne se quittera plus.

– Ce n'est pas assez… Je veux…

Il s'est approché de moi. Il s'est agenouillé devant moi. Il s'est mis à parler à voix basse, à peine perceptible, jusqu'à ce que je m'agenouille face à lui pour mieux l'entendre. Sa voix était douce. C'était la voix dont on use pour apprivoiser un faucon sauvage. Ses yeux brillaient. Ses lèvres laissaient tomber des promesses de bonheur.

Dans la pièce chaude, un frisson traversa nos peaux. L'Étranger, les doigts guidés par les dieux, reconstituait le masque sacré du désir. M'effleurant de ses doigts fins, il répandait dans mes chairs des caresses qui affolaient mon souffle. Le visage bouleversé, il m'a soulevée, m'a transportée dans la chambre, sur le lit. Il a retiré mes vêtements. Patient, l'amant, malgré la vague de désir qui l'emportait. Peut-être que les dieux lui suggèrent à cet instant que la moindre secousse écroulerait le fragile édifice des retrouvailles ? Pas à pas, il a exploré ma peau de soleil-rouge. Il a baisé la plante de mes pieds, mes mollets galbés, a remonté jusqu'aux melons, m'arrachant des prières d'antan.

Bientôt, nos corps noués, gonflés de désir en harmonieux accord, s'engouffrent dans les gammes divines, dévoilent les mystères, ceux de la femme mamy-water[1] au sexe aussi large qu'une mangue, ceux des forêts, de l'homme-tigre qui emprunte le corps d'un jeune homme et dont les muscles d'athlète longs et virils vous donnent envie de le caresser aussitôt.

Quand vint le moment de l'éblouissement, il a enfoncé sa tête au creux de mon cou et m'a crié : « Vie ! »

Je m'endormis après m'être abreuvée abondamment dans son étang brûlant si longtemps oublié. Quand je me réveillai, l'Étranger avait son visage penché vers moi ; un sourire plaidant sur les lèvres, il dit :

– Veux-tu m'épouser, Mégri ?

Je ne dis rien. C'était mieux ainsi. Il continua :

– On se mariera à la prochaine récolte.

Je dis :

1. Sirène.

298

– Pourquoi soudain ? Tu m'as toujours dit que tu ne m'épouserais jamais.

– Les hommes changent. Et puis, je t'aime.

– La Reine ne voudra jamais de moi comme belle-fille.

– Elle est à sa place de Reine-mère, de Femme-flamme et joue son rôle. Je suis à ma place de fils et toi, Mégri, à ta place de belle-fille, voleuse de fils… C'est humain. Vaut mieux ne pas creuser l'abîme entre toi et les autres par tes pensées et ta perception du monde si différentes. Oublie-la, Mégri.

Je me taisais. C'était mieux ainsi. Il continua :

– Tu t'adapteras vite, Mégri. Tu ne seras pas seule. La Moissonneuse-du-mal elle aussi s'est réfugiée ici, il y a quatre lunes. Elle s'est fait accepter par notre communauté. Elle ne supportait plus de vivre à Wuel dans l'isolement et la solitude.

– Cette femme ici ? Comment… ?

– Je l'ai rencontrée à plusieurs reprises quand j'habitais ton village. Elle m'a tout expliqué, Mégri. Elle n'a jamais fait de mal à personne. C'est la prêtresse qui avait tout manigancé pour se venger d'elle. Je lui ai alors proposé de venir vivre chez nous. Elle est au courant de ta venue. Elle veut te voir.

Malgré mes inquiétudes, la vie à Bambali se déroulait sans heurts, à l'image de ses habitants, plate et désossée, où les arbres eux-mêmes paraissaient pousser avec discipline en dépit de leur maigreur. Le temps adaptait son souffle au rythme de la végétation et étendait sa nonchalance paisible sur les cœurs des hommes. Entre eux l'amour semblait originel. Il leur venait du sang, de la terre qu'ils foulaient aux pieds, en sorte que chacun portait en lui son germe bien avant la naissance. L'amour était inscrit dans chaque pouce du paysage de la savane, il renaissait dans chaque sourire prodigué, dans les mains du vent qui balayaient

chaque sommet d'arbre, cotonnier, manguier, corros-
solier, dans l'odeur âcre et sucrée du jus de cacao. Mais
il me semblait pour quelque obscure raison que je
n'arrivais pas à élucider que tout cela n'était qu'apparence. « Méfiez-vous de l'eau qui dort », dit le proverbe.
Je ne pouvais quant à moi me résoudre à croire que le
destin m'accordait enfin la clémence. Maintenant que
j'avais une fille, un compagnon que j'aimais, que j'étais
libre de mes mouvements, même Boblogang semblait
s'être à jamais calmé. Quelquefois, afin de vérifier mon
état réel, je rusais avec la femme que j'étais devenue.
J'essayais de provoquer mes vieux délires. Mais rien,
plus rien ne provoquait les sensations anciennes, cette
colère qui me poussait vers la folie.

Ma première rencontre avec la Moissonneuse-du-
mal avait eu lieu le lendemain de ma venue.

Je me souviens.

La Moissonneuse-du-mal, assise devant sa case, une
calebasse de mil entre ses cuisses, chante. De temps à
autre, elle secoue le récipient et ses doigts, comme des
becs, picorent les charençons qu'elle jette négligemment sur le sol, sans perdre son rythme. Visiblement,
elle se plaint, une complainte adressée aux dieux en
Éton. Sa voix monte, plane au-dessus des forêts,
déchire les secrets de leurs bruissements, de leurs
odeurs. Dans le ciel d'azur, un corbeau vire sur ses
ailes. Je ne sais pourquoi, quelque chose dans le timbre
de sa voix me rappelle étrangement grand-maman.

Dès qu'elle me voit, elle me montre l'éclat de ses
dents et pousse des « youyou » de bienvenue.

– Je suis si heureuse de te voir, mon enfant, me dit-
elle. J'ai prié le ciel nuit et jour pour que cette rencontre
ait lieu bien avant ma mort. Viens, viens t'asseoir à côté
de moi. J'ai tant de choses à te dire !

– Moi aussi, Mâ.

– Comment s'est passée ta rencontre hier avec la Reine ?

– Bien, Mâ, quoique je pressente qu'elle ne m'aime pas beaucoup.

– Oh ! Rassure-toi. La vieille Ada est toujours ainsi et se méfie de tout changement. Elle pense que sans elle le Royaume s'effondrerait, que tout le monde a besoin d'elle. Nous, les vieux, nous avons cette vanité-là de penser qu'on a besoin de nous alors qu'on a besoin d'être flattés bassement. De toutes les façons, le pouvoir est une illusion.

Puis elle demande des nouvelles de Wuel. Est-ce que les femmes avaient encore des reins assez souples pour semer l'igname ? Est-ce qu'elles font toujours autant lever les flammes dans l'esprit des hommes ? Les arbres reverdissaient-ils ? Les hommes avaient-ils retrouvé les arcs pour arrêter les ravages des agoutis ?

De ma bouche le oui revient. Incantatoire.

Elle scrute le ciel comme pour y coller son corps.

– Mégri, j'ai des révélations à te faire.

– Mon père ?

– Si tu veux que l'aînée te dévoile le passé, garde silence et calme, car elle seule connaît les moments propices où le secret se fait plume.

– J'en ai marre d'attendre !

Elle sourit et mille étoiles viennent habiter ses yeux. Elle raconte les légendes des cités hantées par le mauvais génie, elle dit les fleuves d'où surgissent des femmes-lianes que tous les guerriers du monde ne peuvent asservir, elle raconte les gris-gris. Ce jour-là, elle ne parle pas de Alejandro Gomez, mon père... Celui à qui je ressemble, dira-t-elle, comme deux mangues d'un même manguier.

Après cette entrevue mouvementée, d'autres rencontres suivirent, toujours tenues dans une posture de déséquilibre. La Moissonneuse-du-mal me narrait des contes où elle m'apprenait les vertus de la patience. Je grognais, j'attendais. Bientôt, il s'installa un climat d'amitié entre nous et les mots qui venaient désormais frapper notre surface de dialogue produisaient des vibrations concordantes à mes désirs. Elle me parle de mon père, Alejandro Gomez, nom que je ne cessai plus de me répéter en me disant sans cesse qu'un jour il faudrait bien le retrouver. Elle me parlait aussi des herbes, celle qui fait tomber la fièvre, celle qui assure la fertilité, celle qui ôte la vie, celle qui arrête la dysenterie. Je l'accompagnais souvent dans la forêt à la recherche des racines. Quelquefois, elle parlait de Wuel, de ses habitants, des hommes lancés à notre poursuite qui ratissaient les forêts avec devant eux des chiens gros comme trois cases. Elle parlait aussi de la guerre qui déchirait le pays, le mettait à feu et à sang. Elle concluait : « Pourvu que l'odeur de paix qui règne ici n'en soit pas polluée ! »

Un jour, elle décida qu'elle, la Moissonneuse-du-mal, elle que les hommes avaient bannie, devrait désormais traquer les erreurs que les hommes semaient sur leur passage sous les regards impassibles des dieux. Partir tel un chien, museau en avant, à la recherche des sentiers de guerre et soigner, consoler, guérir. Recueillir les larmes de l'orphelin. Consoler la veuve acculée au désespoir et donner un sens à sa détresse. Réchauffer le vieillard frissonnant l'hiver à sa fenêtre.

– Maintenant, dit-elle, que la mort est partout à cause de la guerre, j'ai beaucoup de travail, il me faut partir à la rencontre de ceux qui souffrent.

– Vous voulez nous quitter ? demandai-je effarée. Vous ne pouvez pas me faire ça. J'ai besoin de vous.

– Mégri, mon enfant. Tu as tout ce qu'il faut pour être heureuse. Ce sont ceux qui souffrent qui ont le plus besoin de moi, pas toi.

Sa voix rauque, profonde, planait au-dessus de moi et me dominait. Sa sollicitude me touchait, me poignait. Mes exigences, mes angoisses n'étaient rien à côté des siennes. Ses besoins, sa disponibilité devant le monde semblaient si grands à côté des miens si mesquins, si égoïstes – sa place dans l'univers plus importante que toutes celles que j'aurais imaginées pour moi ! Lentement, j'essuyai mes larmes pour succomber à sa volonté.

– Promets-moi que tu ne pleureras pas.

– Je te promets, femme.

– Je te jure que je ne t'oublierai jamais. J'aurais dû m'en aller depuis longtemps, mais je voulais avant tout te voir et te parler, t'apprendre des choses que j'aurais voulu apprendre à ma fille.

– Tu t'en es bien acquittée, femme.

Elle m'embrassa très vite et s'en alla. Longtemps après qu'elle eut disparu, je restai figée, immobile, les yeux braqués au coin de la rue où sa silhouette s'était fondue. Lentement, je retournai vers ma maison, le cœur saillant, j'allai retrouver ma fille, mon homme, ma sœur.

La souffrance sublimée a toujours une fin. L'absence de ma Moissonneuse-du-mal laissait un vide dans ma vie. Elle avait été pour moi presque une mère et m'avait aidée à supporter l'absence de Dame maman. J'essayai de combler l'absence de la Moissonneuse-du-mal en me disant que, si elle m'avait attendue, m'avait enseigné ses connaissances, c'était signe que je devais continuer son œuvre dans le pays. Comment ? Dans la mesure de mes moyens. Lesquels ? Je ne pouvais décemment prétendre connaître plus de trois choses à fond. Sevrée sans avertissement, il me fallait réapprendre tous les gestes, toutes les pensées qui tissent sa toile au quotidien.

Les jours suivants, dès l'aube, j'allai me promener dans la forêt, essayant de mettre en pratique les enseignements de la Moissonneuse-du-mal. J'essayai de racheter ainsi le présent et de découvrir l'avenir. Tout le monde savait où j'allais et j'étais crainte pour cela. Je me concentrais sur ce qu'elle m'avait appris sur la vie, et ses dires me permettaient de voir la vie non en une unité mais en innombrables profils de couleurs vacillantes, jaune, rouge, vert, blanc, rosé, or, etc. J'atteignais dans mon cœur le sommet du comportement humain, j'essayais de distinguer le bien du mal. J'étais fiévreuse d'excitation. L'Étranger, voyant que je m'intéressais à ces choses occultes, se décida à enrichir mon savoir. Mais les chemins de l'amour sont semés d'embûches. On est là, on se retrouve dans l'espace de la seule tendresse possible, on avance dans la même connaissance douce-amère des choses, mais voilà que l'autre veut dominer, c'est la soupe à la grimace, il me faut, moi la femme, courber l'échine et le suivre derrière ses masques. Certes, il m'apprenait des choses. Mais avec parcimonie. Il me disait l'autre monde qu'il avait expérimenté et manipulait si bien. La fumée de Fong qui fait entrer dans le délire de la vérité, les racines de Sang qui apportent plusieurs vues. Et le Dong dont l'exhalaison emboîte le monde à notre désir. Il m'en révéla peu, mais le peu qu'il m'apprit, il le choisit avec soin, dans le compréhensible, l'intelligible, et quand dans ma rage je lui criais de m'en dire davantage, alors il parlait hors du sens, cela coulait des zones non visibles, trop brumeuses pour son esprit. Je battais en retraite. Par certaines personnes, roues des secrets du village ou voyageurs qui le traversaient, j'appris la souffrance de Dame maman, son désir de mourir après ma fugue. Elle s'était alitée plusieurs jours, refusant toute nourriture, mais même ce régime, cette fausse alerte à la mort, n'eut pas raison de sa santé. Je pleurais à fendre l'âme en apprenant sa peine dont j'étais responsable. Mais la souffrance s'oublie toujours et il n'en est pas ainsi du bonheur qui néglige de remonter sa montre. J'étais heureuse, quoique mon mariage avec l'Étranger ne fût toujours pas célébré et mon désir de fastes, de cérémonies me manquait cruellement. Je suis comme ça et je ne me l'explique pas. Néanmoins, il me considérait comme son épouse et me demandait mon avis sur tout, sur la nouvelle maison qu'il faisait construire, disait-il, pour nous. Penché sur son croquis, il me montrait ses arabesques. Veux-tu qu'on installe la cuisine ici ? Et Madame notre chambre, serait-elle mieux à gauche ou à droite ? Appuyée sur lui assis sur sa table de travail, je laissais sa présence illuminer mon âme, je l'imaginais Dieu, m'apportant quelque absolution céleste, me rendant la parole, le mouvement... Je croyais avoir refait ma vie : je me trompais. Une fois encore.

Oui, au gré d'incessantes visions, je revois, par séquences et dans le désordre, le déroulement de ce dernier jour. Je revois l'aube, le plein midi, l'après-midi, l'heure fatale par pièces et morceaux imposés.

Pourquoi ce Mardi alors que, le matin encore, ton regard par la fenêtre me jetait l'amour pour que se vrille à jamais dans mon cœur le souvenir de tes baisers gourmands, mordillés à pleines dents ? J'étais sortie comme d'habitude à la recherche de plantes. Comme d'habitude, je ne reviendrais que tard dans l'après-midi, exténuée, certes, mais trouvant encore la force de parler, te dire... Souffle épuisé.

Mais tu étais couché là, corps dans le sable, poussiéreux, comme si tu disais encore, en dépit de ta bouche défaillante, que l'amour à l'unisson de la nature était encore le seul point de concorde possible. Ils étaient venus vers les treize heures, au moment où tout le village sommeille du dormir qui caresse et voit.

Ils ? Le brigadier, celui-là même qui n'avait jamais cru à l'hypothèse de ta mort, en cet homme crucifié sur la place de Wuel que tous disaient être toi. Durant des mois, le brigadier avait compté des monstres et les horreurs qu'il te ferait subir afin d'exister, monter haut, toujours plus haut dans la hiérarchie.

Ils avaient pris le village par surprise. Coup bas, sans riposte possible.

Toi, le seul mort... Mort accidentelle, diront les médias...

Pourtant, en me remémorant ce jour, je me souviens qu'il n'y avait pas spécialement de joie dans l'œil brillant du soleil. Même la vie semblait s'être figée là en une immobilité inquiétante. Dans les cours d'eaux, hippopotames, crocodiles prenaient le soleil côte à côte, l'œil idiot, tels des amoureux, embrumés dans les vapeurs de l'orgasme. L'air était lourd, épais, chaud, languide. Dans les herbes brûlées, biches, éléphants, lions mêlaient leurs cris discordants dans une même symphonie. Ce calme apparent aurait aussi bien pu signifier guerre, paix, recueillement. Et moi, moi, la fille au cheveu rouge, voyant là quelque obscur présage, je m'étais décidée à rentrer au village bien avant le crépuscule. Je pris le chemin du retour, ce chemin dont je connaissais chaque courbe, chaque détour du bout des orteils. Soudain, comme je suivais ma route, survint à mes oreilles un bruit de voix, de martèlements de pieds, de rires. Étonnée, secrètement inquiète, je me cachai derrière des roseaux. C'est alors que m'apparut un cortège d'hommes armés, aux casques hauts, les yeux roulants de satisfaction. Je ne reconnus pas tout de suite le brigadier en ce bonhomme gras, à la figure roide, dure, sérieuse avec ce quelque chose d'hébété qui caractérise les subalternes ; et il donnait des ordres à ses subordonnés d'une voix nasillarde : « Assez de blagues, les gars ! Levez les pattes ! » C'est seulement après, quand le passé vous revient comme à son habitude, quand on n'a plus un moment à perdre pour son âme, que je revis distinctement l'expression de son visage quand, à Wuel, il avait crié dans l'enthousiasme général « Je l'aurai ! » Ces mots qui avaient fait bouger mon enfant dans mon ventre ! Le curieux de la chose est qu'après tous ces mois il n'avait pas oublié sa haine.

Dès qu'ils se furent éloignés, je sortis des fourrés et courus au village, prête à donner l'alarme.

Hommes, femmes et enfants étaient accroupis, prostrés, assis entre les arbres, appuyés aux troncs, quelque peu mugissants, à demi estompés dans l'obscure lumière, dans toutes les poses de contorsions, de prostration et me rappelèrent, l'espace d'un moment, certaines photographies de livres sur les massacres ou… la peste noire.

– Qu'est-ce qui…

Je n'achevai pas ma phrase. Un villageois, gras sur pattes, me montre du doigt la forme qui au loin cuit sous les derniers rayons du soleil : l'Étranger. Et, d'une voix empreinte de tristesse, il me dit, avec autant de volubilité que de digressions, qu'ils l'avaient tué. J'étais stupéfaite. Quoi ? Comment ? Pourquoi ? C'est la vie. On ne pouvait rien faire. Ils étaient armés. Qu'aurions-nous pu faire ? Tout le monde s'est conduit magnifiquement. La Reine-mère m'attendait, ajouta-t-il, très mal à l'aise.

Comment vous décrire les sentiments qui me traversaient ? Accroupie auprès de mon homme, je restai là, hébétée, incapable de pleurer, comme anesthésiée. Son ombre allongée m'envahissait. Son visage d'où toute vie s'était retirée avait un air tragique de douleur muette mêlée de quelque appréhension, de quelque résolution débattue à moitié formée. Pourquoi n'avait-il pas pris la fuite, lui qui était si bien informé des faits et gestes à plus de mille kilomètres alentour ? Cette question me taraudait l'esprit alors que j'étais agenouillée à même la terre, et le seul mouvement, la seule force qui me restait me permettaient de lancer les bras au ciel dans un irrépressible désir de toucher les dieux, de les implorer.

À moins qu'il ne s'agît d'un cauchemar dont j'allais bientôt émerger. Mais non il ne s'agissait ni de rêve, ni de sommeil, c'était la réalité pure et simple. J'étais bien là, à côté de mon homme, drapée au milieu de dix mille personnes et il ne servirait à rien de crier pour me réveiller et me délivrer. Car le monde était là, bel et bien présent. Je sentis comme un affreux brouillard s'élever des tréfonds de mon âme tandis qu'autour de moi le peuple gémissait dans des convulsions de douleur. Une silhouette se profila derrière moi. Elle avait fendu prestement les rangs des pleureuses. Son vêtement s'était défait, et elle volait, pagne noir au vent, à travers la place comme un oiseau ou un ange protecteur. C'était la Reine-mère.

– Elle vient pour me consoler, pensai-je. Désormais, nous sommes unies par la même peine. Le parfum de son fils est collé à moi et m'habille aussi sûrement qu'une étoffe de soie. Elle ne peut pas ne pas me prendre dans ses bras et pleurer avec moi. Elle ne peut pas ne pas le faire.

Je fermai les yeux et écartai les bras pour recevoir l'ange sauveur qui se précipitait vers moi. Je sentais déjà ses lèvres heurter mon front avec un picotement magnifique, et ses larmes m'inonder, me dépouillant de toute la poisse qui m'envahissait depuis quelques moments.

Mais voilà que d'un coup la Reine-mère s'était arrêtée. Ce n'était pas un ange sauveur, ce n'était pas une reine bouleversée, sanglotante, écroulée sur mon épaule. C'était la femme des décisions, affaiblie certes, mais décidée. Ses cheveux qu'elle avait laissés pousser étaient gris et se dressaient en masse autour de son maigre visage d'un noir sale. Elle gardait les paupières baissées et semblait déjà morte, n'était ce frémissement de ses lèvres décolorées qui était peut-être une prière, à moins que ce ne fût l'œuvre d'un tic nerveux apparu depuis moins de vingt-quatre heures.

– Il faut partir, dit-elle d'une voix monocorde.

– Moi ?

– Oui, toi. Tu nous as apporté assez de malheurs comme ça.

– Mais…

– Va où tu veux, peu m'importe. Mais, disparais… Je savais dès les premiers jours que tu lui aurais apporté la mort.

– Vous n'allez tout de même pas…

C'est alors qu'elle explosa, violente, inattendue, sauvage, me recouvrant d'une irrésistible tristesse. Oui, l'extrême douleur peut souvent revêtir l'habit d'une violence inouïe, même si, dans la plupart des cas, elle se traduit par l'apathie.

– Il serait parti, tu m'entends ? Il serait parti si tu n'avais pas eu l'idée stupide de lui arracher la promesse de ne jamais te quitter ! Tout est ta faute ! Sorcière ! Dévoreuse de vie ! Fous le camp et que je ne te revoie plus jamais !

Doucement, je me relevai et me dirigeai vers ma case. Je savais que l'Étranger était mort, que jamais plus je ne le reverrais, ne le toucherais, n'entendrais sa voix. Je le savais, mais je ne l'avais pas encore très bien compris car le chagrin est un poison lent pour les gens de mon espèce. Je ne participai pas aux obsèques royales dignes de son rang dont on l'honora. Je ne sortais pas de notre maison. Je ne voulais aller nulle part. Seul me peuplait le désir de vivre dans ce décor où la mémoire redessinait pour moi ses lèvres, où son visage prenait la figure de quelqu'un que je ne cesserais plus d'attendre.

Enfermée dans ma case, je laissai le poison faire son œuvre de destruction, s'infiltrer, se distiller, me contaminer jusqu'à la nausée. Peu à peu, l'environnement me devenait intolérable. La natte où il aimait s'asseoir jambes croisées, yeux dans le vague, méditant sur quelque insondable dessein ; son boubou, oublié là, accroché à un portemanteau ; les rues où il aimait déambuler durant les longues nuits quand il préférait la triste accolade de la solitude à mes embrassements brûlants ; cette calebasse, où je lui servais de grands bols de riz ; cette véranda qui porte encore la trace de ses pas ; le visage de sa fille, ma fille, qui lui ressemble tant...

La Reine-mère voulait que je quitte le village... Je partirais. J'irais dans une ville inconnue. Une grande ville où l'Étranger ne serait jamais allé. Partir.

Là, je repensais à toutes les personnes qui avaient marqué ma destinée de leur sceau. Dame maman. Laetitia. La Prêtresse-goitrée. La Moissonneuse-du-mal.

Dame Donga. Et toutes les oubliées. Qu'était, au fond, la vie d'une femme ? Quand j'avais vu le dos du bon Blanc s'amenuiser avant de disparaître au loin, j'avais pris les murmures de la forêt pour les vociférations des femmes abandonnées. Très peu d'entre elles ont une vie digne, supportable. Même les femmes des villes, les femmes instruites : les femmes médecins, les femmes journalistes, les femmes d'affaires, toutes doivent batailler ferme. En plus de se servir de leur intelligence pour aller de l'avant, toujours plus loin, elles doivent subir le poids de leur féminitude. Les hommes sont persuadés que, quelles que soient leurs manières, sous les seins de chaque femme se cache une jungle. Vases puants, eaux stagnantes, pourrissantes, babouins hurlant se balançant sur des branches, crocodiles à dents de scie. La plupart des femmes essaient de les convaincre de leur nature aimable, douce, serviable et plus elles s'acharnent à les convaincre, plus, pour eux, la jungle s'épaissit, devient inextricable.

Debout dans l'ombre violette de la porte, les bras tendus, les paumes appuyées contre le chambranle de bois, je regardais, songeuse, le paysage familier, si lourd de souvenirs. Il me fallait fuir enfin pour retrouver la sérénité. Je partirai. De mon plein gré. Pas comme une femme bannie.

Je regardai au-delà des montagnes, des pistes, encore des pistes partout, à travers l'herbe haute, l'herbe brûlée, les fourrés, montant et descendant par des collines pierreuses et calcinées par le soleil. J'emprunterais le chemin de ces collines pour dépasser la triple servitude de l'amour, de la femme, du destin. Oui, demain j'irais à Paris... Je retrouverais mon père. Je reconstruirais ma vie. Je bâtirais d'autres projets... Dans la famille nous aimons les grands projets. D'ailleurs, j'en ai déjà un : DEVENIR.

Romans, récits et documents

La littérature conjuguée au pluriel, pour votre plaisir. Des œuvres de grands romanciers français et étrangers, des histoires passionnantes, dramatiques, drôles ou émouvantes, pour tous les goûts...

ADLER LAURE
L'année des adieux
4166/4
Chronique de la vie quotidienne à l'Élysée sous la présidence Mitterrand. Portrait d'un homme d'exception.

ADLER PHILIPPE
Bonjour la galère !
1868/1
Les amies de ma femme
2439/3
Mais qu'est-ce qu'elles veulent ces bonnes femmes ? Quand il rentre chez lui, Albert aimerait que Victoire s'occupe de lui mais rien à faire : les copines d'abord. Jusqu'au jour où Victoire se fait la malle et où ce sont ses copines qui consolent Albert.

ALLÉGRET CATHERINE
Les souvenirs et les regrets aussi
4000/7

ALLEGRI RENZO
La véritable histoire de Maria Callas
3699/6

AMIEL JOSEPH
Question de preuves
4119/5

ANDERSEN CHRISTOPHER
Mike Jagger le scandaleux
3771/8

ANDREWS VIRGINIA C.
Ma douce Audrina
1578/4

Fleurs captives
Dans un immense et ténébreux grenier, quatre enfants vivent séquestrés. Pour oublier, ils font de leur prison le royaume de leurs jeux et de leur tendresse, à l'abri du monde. Mais le grenier devient un enfer. Et le seul désir de ces enfants devenus adolescents est désormais de s'évader... à n'importe quel prix.

- Fleurs captives
1165/4
- Pétales au vent
1237/4
- Bouquet d'épines
1350/4
- Les racines du passé
1818/5
- Le jardin des ombres
2526/4

La saga de Heaven
- Les enfants des collines
2727/5
- L'ange de la nuit
2870/5
- Cœurs maudits
2971/5
- Un visage du paradis
3119/5
- Le labyrinthe des songes
3234/6

Aurore
Un terrible secret pèse sur la naissance d'Aurore. Brutalement séparée des siens, humiliée, trompée, elle devra payer pour les péchés que d'autres ont commis. Car sur elle et sur sa fille Christie, plane la malédiction des Cutler...

- Aurore
3464/5
- Les secrets de l'aube
3580/6
- L'enfant du crépuscule
3723/6
- Les démons de la nuit
3772/6
- Avant l'aurore
3899/5
Ruby
4253/6
Perle
4332/5

A. NONYME
M. et Mme ont un fils
4036/2 & 4118/2

APOLLINAIRE GUILLAUME
Les onze mille verges
704/1

ARTHUR
Arthur censuré
3698/5
De la radio à la télé, rien n'arrête Arthur.

Ta mère
4075/2
Ta mère, la réponse
4225/2
Ta mère, la revanche
4365/2
Aimons-nous les uns les autres
4524/2

ARVIGNES GEORGES
Quelques mois pour l'aimer
4289/2

ASHWORTH SHERRY
Calories story
3964/5 Inédit

Romans, récits et documents

Romans, récits et documents

Romans, récits et documents

Romans, récits et documents

CLAVEL Bernard

Né dans le Jura en 1923, Bernard Clavel a exercé plusieurs métiers avant de se consacrer exclusivement à la littérature. Autodidacte, cet écrivain passionné nourrit son œuvre de la richesse de son vécu et de sa sensibilité. Sous sa plume naissent des personnages forts et vrais, des drames inoubliables qui passionnent le public. J'ai lu a déjà vendu dix millions d'exemplaires de ses ouvrages.

Le tonnerre de Dieu
290/1

Le voyage du père
300/1

L'Espagnol
309/4

Malataverne
324/1

Dans un bourg du Jura où ils s'ennuient, trois adolescents font les quatre cents coups et entrent, sans le comprendre vraiment, dans la délinquance.

L'hercule sur la place
333/3

Le tambour du bief
457/2

Le massacre
des innocents
474/1

L'espion aux yeux verts
499/2

Le Seigneur du Fleuve
590/3

Pirates du Rhône
658/1

Le silence des armes
742/3

Tiennot
1099/1

L'homme du Labrador
1566/1

Qui êtes-vous, B. Clavel ?
1895/2

Quand j'étais capitaine
3423/3

Meurtre
sur le Grandvaux
3605/3

Les rouliers, c'étaient les ancêtres des camionneurs d'aujourd'hui. Pendant des siècles, ils ont parcouru toutes les routes d'Europe, de l'Espagne aux foires de Russie, avec leurs attelages chargés de marchandises. Mais pour Ambroise Grandvalliers, le voyage s'arrête le jour où il lui faut venger l'honneur de sa fille.

La bourrelle
3659/1

L'Iroquoise
3700/1

La révolte à deux sous
3748/3

Dresseur d'animaux, Patero parcourt les collines de Lyon, entouré de chats, d'oiseaux et de rats, tenant entre ses mains tous les fils d'une révolte que le fleuve en colère finira par engloutir sous ses eaux noires.

Cargo pour l'enfer
3878/4

Chargé de déchets toxiques, un vieux cargo erre interminablement d'un port à l'autre, sans pouvoir se délivrer de sa monstrueuse cargaison. Une dénonciation de l'irresponsabilité et de la corruption qui marquent notre siècle.

Les roses de Verdun
4260/3

Au terme d'une vie consacrée aux affaires, parmi lesquelles le commerce d'armes, un grand bourgeois, condamné par la maladie, décide d'effectuer un pèlerinage sur la tombe de son fils. Son fidèle chauffeur raconte ce voyage et, peu à peu, ressurgissent des souvenirs d'une époque oubliée.

La grande patience

1 - La maison des autres
522/4

2 - Celui qui voulait
voir la mer
523/4

3 - Le cœur des vivants
524/4

4 - Les fruits de l'hiver
525/4

Dans une petite ville près de Lyon, les règlements de comptes sanglants de la Libération sèment le trouble et la mort. Ce roman valut à Bernard Clavel le prix Goncourt en 1968.

Les colonnes du ciel

1 - La saison des loups
1235/3

2 - La lumière du lac
1306/4

3 - La femme de guerre
1356/3

4 - Marie Bon Pain
1422/3

5 - Compagnons
du Nouveau-Monde
1503/3

Le Royaume du Nord

Tout semblait rejeter l'homme dans ce Grand Nord canadien. Pourtant des pionniers s'engagent, pour tenter une utopique aventure : fonder un village sur les berges de l'Harricana.

- Harricana
2153/4

- L'Or de la terre
2328/4

- Miséréré
2540/4

- Amarok
2764/3

- L'angélus du soir
2982/3

- Maudits sauvages
3170/4

Romans, récits et documents

CLAVELL James
Shogun
4361/6 & 4362/6
En l'an 1600, un navire européen s'échoue sur les côtes japonaises, où les survivants du naufrage sont faits prisonniers. John Blackthorne découvre alors un monde inconnu, à la fois cruel et raffiné, en proie à de sauvages combats de clans. Fasciné, il assiste à l'ascension de l'inquiétant Toranaga qui va devenir Shogun, c'est-à-dire dictateur, maître absolu du Pays du Soleil Levant.

CLÉMENT Catherine
Pour l'amour de l'Inde
3896/8

COCTEAU Jean
Orphée
2172/1

COELHO Paulo
L'Alchimiste
4120/4
Sur le bord de la rivière Piedra
4385/4
Pilar retrouve son compagnon d'enfance, perdu onze ans plus tôt. Tous deux sont à la recherche de leur vérité et veulent aller jusqu'au bout de leurs rêves. Une histoire d'amour qui est aussi le récit d'une quête initiatique.

COLETTE
Le blé en herbe
2/1

COLLARD Cyril
Cinéaste, musicien, il a adapté à l'écran et interprété lui-même son second roman Les nuits fauves. Le film, 4 fois primé, a été élu meilleur film de l'année aux Césars 1993. Quelques jours plus tôt Cyril Collard mourait du sida.
Les nuits fauves
2993/3

Condamné amour
3501/4
L'ange sauvage
3791/3

COLOMBANI Marie-Françoise
Donne-moi la main, on traverse
2881/3
Derniers désirs
3460/2

COLUCHE
Coluche Président
3750/4

COMBE Rose
Le Mile des Garret
4333/2

CONNOR Alexandra
Les couleurs du rêve
4207/5

CONROY Pat
Le Prince des marées
2641/5 & 2642/5

DATH Isabelle & HARROUARD Philippe
Alain Juppé ou la tentation du pouvoir
4073/3

DENUZIÈRE Maurice
Helvétie
3534/9
La Trahison des apparences
3674/1
Rive-Reine
4033/6 & 4034/6

DEVEREUX Charles
Vénus indienne
3807/3
Mes amours sous les déodars
4409/4

DEVI Phoolan
Moi, Phoolan Devi, reine des bandits
4494/8 Illustré
Née parmi les parias, Phoolan Devi semblait promise, en Inde, à un esclavage sans issue. Mais sa révolte a fait d'elle un symbole d'espoir pour des millions de femmes. Mariée à onze ans, maltraitée puis abandonnée, violée par une bande de hors-la-loi, elle se rebelle et se venge. Devenue la reine des bandits, elle vole les riches pour donner aux pauvres, tandis que sa tête est mise à prix...

DHÔTEL André
Le pays où l'on n'arrive jamais
61/2

DICKEY James
Délivrance
531/3

DIWO Jean
Au temps où la Joconde parlait
3443/7
L'Empereur
4186/7
Les dîners de Calpurnia
4539/7

DJIAN Philippe
Né en 1949, sa pudeur, son regard à la fois tendre et acerbe, et son style inimitable ont fait de lui l'écrivain le plus lu de sa génération.
37°2 le matin
1951/4
Bleu comme l'enfer
1971/4
Zone érogène
2062/4
Maudit manège
2167/5

Romans, récits et documents